Stopio'r byd am funud fach

Hoffwn gyflwyno'r gyfrol, gan ddiolch o waelod calon, i 'nheulu – Nia, Osian, Elan, Erin, Gwenllian, Mam, Dad, Glyn a Glenys. Ac er cof am fy annwyl chwaer, Elen Meirion.

Rhys Meirion

Stopio'r byd am funud fach

y**L**olfa

Hoffwn ddiolch am bob cymorth gan wasg y Lolfa wrth gyhoeddi'r llyfr hwn, yn enwedig Alun, Meinir a Lefi. A diolch i Bethan Gwanas am blannu'r hedyn gwreiddiol.

www.rhysmeirion.com

 @rhysmeirion

 Rhys M Jones

Argraffiad cyntaf: 2015
© Hawlfraint Rhys Meirion a'r Lolfa Cyf., 2014

Argraffiad Print Bras ar gais
Cymdeithas Prif Lyfrgellwyr Cymru

Dymuna'r cyhoeddwyr gydnabod cymorth ariannol Cyngor Llyfrau Cymru.

Llun y clawr: Arwyn Roberts
Cynllun y clawr: Y Lolfa

Rhif Llyfr Rhyngwladol: 978 1 78461 149 1

Cyhoeddwyd, rhwymwyd ac argraffwyd yng Nghymru gan Y Lolfa Cyf., Talybont, Ceredigion SY24 5HE
gwefan www.ylolfa.com
e-bost ylolfa@ylolfa.com
ffôn 01970 832 304
ffacs 832 782

Cynnwys

Newid fy myd

YR EISTEDDFOD GYNTA i mi gystadlu ynddi fel oedolyn oedd Eisteddfod Derwen a Dr Goronwy Wynne yn beirniadu. Roeddwn i'n nerfus ofnadwy, â rhyw deimlad 'mod i'n mentro i fyd nad oedd gen i fawr brofiad ohono, ond mi ges i gynta a beirniadaeth gynnes iawn gan Goronwy Wynne. O ganlyniad, dyma Morfydd Vaughan Evans, arweinyddes Côr Rhuthun a'r Cylch, a'i gŵr, Penri, oedd yn denor uchel iawn ei barch, yn dweud wrtha i fod yn rhaid i mi fynd at Brian Hughes i gael gwersi canu. Gwyddwn am Brian Hughes gan ein bod wedi bod yn canu rhai o'i ganeuon yng Nghôr Rhuthun ac, yn wir, roedd Brian wedi arwain ambell i ymarfer. Fy ymateb i ar y dechrau oedd, 'O na, dwi ddim yn ddigon da. Arhosa i efo chi i gael gwersi, Morfydd a Penri.'

Ond, ymhen diwrnod neu ddau dyma fi'n cael galwad ffôn gan Morfydd yn dweud ei bod wedi trefnu i mi gael gwersi efo Brian ym mis Medi a dyna ddiwedd arni. Mis Gorffennaf 1994 oedd hi ar y pryd ac felly roedd rhyw ddau fis gen i i baratoi. Ychydig iawn feddyliais y byddwn yn ennill y Rhuban Glas ymhen dwy flynedd yn Llandeilo.

Reit 'ta! Roedd yn amser mynd am fy ngwers ganu gynta gyda'r athrylithgar Brian Hughes. Roeddwn wedi bod yn poeni ers wythnosau 'mod i'n rhy uchelgeisiol yn rhy sydyn. 'Y Bugail' oedd y gân roeddwn wedi'i pharatoi am y wers gynta, y *consultation*. Ie, prawf bach oedd hwn i weld a oedd potensial gen i. Beth os na fyddai'n hoffi'r llais? Beth pe bai'n fy ngwrthod a finna'n gwybod bod cymaint o'r côr yn ymwybodol 'mod i'n mynd ato, diolch i Morfydd.

Wna i byth anghofio cyrraedd cartref Brian yng Ngresffordd am y tro cynta. Parcio ar y ffordd y tu allan, cerdded at y drws ffrynt â'r copïau canu o dan fy mraich a chnocio ar y drws. Clywed y ci'n cyfarth yn gynta a Brian yn gweiddi arno i fod yn dawel a'i glywed yntau'n agosáu, finna'n teimlo mor nerfus, ac yna fo'n agor y drws gyda gwên gynnes, groesawgar a'm cyfarch yn frwdfrydig. Roeddwn i'n teimlo'n well yn syth. I mewn â ni i'r ystafell gerdd a chael rhyw sgwrs fach hwyliog am Morfydd, Penri a Chôr Rhuthun. Yna'n sydyn reit dyma fo'n holi, 'Reit 'ta, be ti am ganu?' Dyma fi'n rhoi 'Y Bugail' iddo a dyma Brian yn syth i mewn i'r rhagarweiniad. Wrth iddo chwarae'r rhagarweiniad hwnnw roeddwn i'n sylweddoli'n syth fy mod yng nghwmni dyn arbennig iawn a dyma fi'n taflu fy hun i mewn i'r gân. Wedi i mi ei gorffen teimlwn fel dyn euog yn aros am ddedfryd, ond doedd dim rhaid i mi aros yn hir cyn i mi glywed y geiriau, 'Da iawn ti, mae gen ti botensial.' Dyna'r cwbwl o'n i eisiau ei glywed ac i mewn â ni i'r wers.

Roeddwn wrth fy modd yn mynd at Brian bob pythefnos wedi hynny, ac yn raddol dyma ddatblygu *repertoire* o ganeuon fel 'If with all your heart', 'Alwen Hoff', 'Ave Maria', 'Tom Bowling' ac yn y blaen. Ymhen ychydig fisoedd roeddwn i'n barod i ddechrau cystadlu'n gyson mewn eisteddfodau bach ac mi ges i gryn lwyddiant.

Mi benderfynon ni y byddwn yn cystadlu yn yr Eisteddfod Genedlaethol yn Abergele yn 1995, er mwyn ennill profiad yn fwy na dim. Y ddwy gân oedd 'Cân Osian' a 'Paid canu im fwyn ganeuon Georgia' gan Rachmaninoff. Wna i ddim anghofio'r rhagbrawf hwnnw, yn wir, bu'n ddigwyddiad a roddodd sbardun pendant i mi at y dyfodol a rhoi hyder i mi.

Mi ganais i'r ddwy gân cystal ag y gallwn, dwi'n meddwl. Roedd popeth yn gweithio'n dda ac mi gofiais sylwadau a chyfarwyddiadau Brian. Mi ges ymateb gwych gan y gynulleidfa yno a dwi'n cofio

9

John Eifion (Hendre Cennin) yn gofyn i mi, 'Be ti am ganu yn y Rhuban Glas?'! Roedd y beirniaid eisiau mynd i drafod a buon nhw allan am gyfnod hir, a'r stiward yn ymddiheuro ac yn datgan eu bod yn aros am ganiatâd i gael rhoi pedwar ar y llwyfan. Ar ôl rhyw ugain munud neu fwy dyma'r beirniaid yn dod yn ôl i'r capel gan ddatgan, 'Nid ydym wedi cael caniatâd i roi pedwar ar y llwyfan ac mae un canwr ifanc sydd â dyfodol disglair iddo yn colli'r cyfle, y tro hwn.' Mi enwodd y tri a doeddwn i ddim yn un ohonyn nhw. Roeddwn i'n teimlo ychydig o embaras gan fod rhai'n datgan eu rhwystredigaeth ar lafar a daeth amryw o hoelion wyth ata i gan ddweud nad oedden nhw'n deall y dyfarniad.

Mi ddaeth pethau'n glir yn ddiweddarach wrth i mi sylweddoli bod Brian yn gadeirydd ar banel beirniaid y Rhuban Glas. Roeddwn wedi datblygu o dan ofal Brian yn gynt nag roedd y ddau ohonon ni wedi'i gynllunio. Ond wrth edrych yn ôl, y peth gorau ddigwyddodd i mi oedd cael fy atal rhag mynd ymhellach achos doeddwn i ddim, o ddifri, yn barod am y llwyfan mawr.

Ond mi roddodd y profiad yn rhagbrawf Abergele hyder i mi, a ches flwyddyn hynod o lwyddiannus yn yr eisteddfodau rhanbarthol gan gipio'r wobr gynta yng Ngŵyl Fawr

Aberteifi, Eisteddfod Llanbedr Pont Steffan ac Eisteddfod Môn. Roeddwn i'n teimlo'n fwy cyffyrddus, felly, yn mynd amdani yn Eisteddfod Genedlaethol Llandeilo yn 1996.

Y ddwy gân brawf yn yr Unawd Tenor oedd 'Hi a'm Twyllai' o'r opera *Luisa Miller* gan Verdi a 'Y Dieithryn' gan Morgan Nicholas. Roedd y gystadleuaeth yn galetach y flwyddyn honno gyda mwy o'r 'hoelion wyth' yn cystadlu. Mi ddechreuais efo'r gân o *Luisa Miller* ac yn yr ail frawddeg dyma bwll du'n agor o fy mlaen a finna'n anghofio'r geiriau. Gorfod stopio wedyn a heb feddwl dyma'r gair 'Damia' yn dod allan! Cychwyn eto oedd sylw y beirniaid a dyna wnes i. Mi ganais fy ngorau glas achos roedd gen i waith perswadio'r beirniaid i anghofio'r blerwch cynt. Mi aeth y ddwy gystal ag y byddai'n bosib a doedd dim i'w wneud ond aros am ganlyniad y rhagbrawf. Roedd y cystadlu'n frwd ac mi gafwyd perfformiadau da iawn gan amryw.

Pan safodd y beirniaid i enwi'r tri fyddai'n ymddangos ar y llwyfan doeddwn i ddim yn hyderus o gwbl ar ôl anghofio'r geiriau, yn hollol wahanol i'r flwyddyn flaenorol.

'Y tri fydd yn ymddangos ar y llwyfan fydd Richard Allen, Timothy Richards a Rhys Meirion.'

Dyna beth oedd cystadleuaeth. Roedd Timothy Richards wedi ennill Ysgoloriaeth W. Towyn Roberts y diwrnod cynt ac roedd Richard Allen newydd fod yn fuddugol yn Eisteddfod Ryngwladol Llangollen. Felly, ymlaen â ni i'r llwyfan mawr. Yn rhyfedd, doeddwn i ddim yn ofnadwy o nerfus. Roedd nerfau yno yn y cefndir, wrth gwrs, ond roedd yna deimlad hefyd 'mod i'n mwynhau canu'r ddwy gân, ac roeddwn i wedi cyrraedd llwyfan y Genedlaethol yng nghwmni dau denor llawer mwy profiadol na fi. Doedd gen i ddim i'w golli, mewn gwirionedd. Mi fwynheais i'r profiad yn fawr ac mi roddais bopeth i'r perfformiad.

Anghofia i fyth aros am y canlyniad gefn llwyfan yn sgwrsio â Richard Allen wrth i Timothy Richards gerdded yn ôl ac ymlaen fel llew mewn caets. Gofynnodd Richard i mi beth oeddwn i am ei ganu fel ail gân pe bawn i'n mynd ymlaen i'r Rhuban Glas a dyma fi'n dweud 'Paradwys y Bardd'.

'Elli di ddim,' medda fo. 'Dyna oeddwn i wedi bwriadu'i ganu ond dyw'r gân ddim o fewn y cyfnod cywir.'

Cyn i ni fedru trafod ymhellach roedd y canlyniad wedi dod i law. Dwi'n cofio'r beirniaid yn canmol y gystadleuaeth ac yn dweud mai hon oedd yr orau ers rhai blynyddoedd. Roedd y galon yn pwmpio, fel y gallwch ddychmygu, a finna'n edrych ar y llawr o fy mlaen gan feddwl, tybed? Tybed oedd fy mywyd am newid am byth yn yr eiliadau nesa?

'Yn gynta heddiw mae Rhys Meirion' oedd y geiriau, ac ymlaen â fi i dderbyn fy ngwobr mewn rhyw fath o freuddwyd. Roedd Tim a Richard yn andros o anrhydeddus yn fy llongyfarch, er eu siom. O, mam bach! Roeddwn i'n mynd i gystadlu am y Rhuban Glas yn yr Eisteddfod Genedlaethol yn fyw ar S4C a byddai'r pafiliwn yn llawn. Yr adeg hynny wrth gwrs byddai'r Rhuban Glas yn cael ei briod le ar y nos Sadwrn, a'r DJs yn cael eu gwisgo.

Es i siarad ymhellach â Richard Allen ynglŷn â 'Paradwys y Bardd' a dyma fo'n dangos y Rhestr Testunau oedd yn nodi bod yr ail gân yng nghystadleuaeth y Rhuban Glas i fod gan gyfansoddwr o Gymro wedi'i eni ar ôl 1900. Roedd cyfansoddwr 'Paradwys y Bardd', W. Bradwen Jones wedi'i eni yn 1892. Ar ôl mynd drwy fy holl ganeuon dyma sylweddoli nad oedd gen i gân o'r cyfnod hwnnw. Roedd hi rŵan yn nos Iau ac roedd y Rhuban Glas nos Sadwrn. Panics? Wel, oedd, ychydig bach.

Roedd y teulu i gyd yn yr Eisteddfod yn aros mewn bwthyn bach yn Llangadog. Ar ôl pwyllgor brys mi benderfynwyd y byddai Dad a fi'n mynd yn ôl i Ruthun i drio dysgu cân newydd a chael gwers arni gan Brian. Ar y daith i fyny ceisiais ddysgu 'Cwm Pennant', ac erbyn bore dydd Gwener roeddwn i'n ei chanu'n weddol hyderus. Ffoniais i Brian gan esbonio'r sefyllfa a chynnig 'Cwm Pennant' iddo. Ond doedd Brian ddim yn meddwl bod digon o gyferbyniad rhyngddi a'r gân o *Luisa Miller*, a byddai'n rhaid meddwl am gân arall. A hithau'n hanner awr wedi deg ar fore dydd Gwener dyma fi'n ffonio Penri Vaughan Evans.

'Wyt ti'n gwybod 'Mae Hiraeth yn y Môr'?' gofynnodd.

Doeddwn i ddim yn gyfarwydd â'r gân a ffoniais Brian unwaith eto. Roedd o'r farn y byddai'n berffaith.

'Cer i nôl copi gan Penri, dysga'r gân a tyrd draw am wers am hanner awr wedi pump,' meddai.

A dyna fu. Ces i'r copi tua 11, treulio'r diwrnod yn ei dysgu ac i ffwrdd â ni i Gresffordd at Brian erbyn yr amser penodedig. Dyma'r wers ora i mi ei chael gan unrhyw un erioed. Roedd Brian yn hollol dawel a phwyllog. Aethon ni drwy'r gân yn hamddenol yn trafod y geiriau, yn ei thorri'n ddarnau ac wedyn ei rhoi yn ôl wrth ei gilydd. Roedd awr a hanner wedi hedfan heibio ac roeddwn i'n hynod falch bod fy nhad wedi bod yn bresennol i rannu'r profiad. Adre'n ôl i Ruthun, galw yn y Plough yn Llandegla am swper, a gwely cynnar gan groesi bysedd.

Mi godon ni'n weddol gynnar fore Sadwrn ac wrth i mi 'molchi yn y sinc dwi'n cofio pwyllo a meddwl, 'Bydda i'n canu yng nghystadleuaeth y Rhuban Glas mewn rhyw ddeuddeg awr'. I lawr â ni am Landeilo, a dyna lle'r oeddwn i'n mynd drwy'r gân drosodd a drosodd a rhyw unwaith ymhob tair ymgais yn llwyddo i gofio'r geiriau. Roedd Dad yn swp sâl er nad oedd yn dangos hynny ar y pryd. Cyrhaeddon ni'r bwthyn yn Llangadog tua dau o'r gloch ac es i i'r gwely am ryw awr neu ddwy i gael tawelwch i fynd drwy'r geiriau. Roedd yna densiwn anhygoel yn y tŷ fel y gallwch ei ddychmygu, dwi'n siŵr.

Felly i'r Eisteddfod â ni a chyfarfod â'r pump arall oedd yn cystadlu, sef Helen Gibbon, Sian Eirian, Helen Stevens, Ieuan ap Siôn a Trebor Lloyd Evans. Dwi'n cofio mynd â gwydraid o ddŵr ar y llwyfan, gan ei bod hi'n ddiwrnod poeth ac roedd y Pafiliwn fel popty, a rhoi'r gwydraid o dan y piano. Mi ddaeth yn ddefnyddiol iawn yn ystod y cystadlu. Canais y gân o *Luisa Miller* i ddechrau ac mi aeth gystal ag y gallai. Ar ôl derbyn y gymeradwyaeth mi drois a mynd am lymaid o ddŵr, ddim am fod arna i syched, ond er mwyn cael cyfle i fynd drwy eiriau rhan gynta 'Mae Hiraeth yn y Môr' yn fy mhen. Stephen Pilkinton oedd yn cyfeilio i mi ac yntau fel craig fel arfer. Dyma'r cyfeiliant yn cychwyn a dyna ni, doedd dim troi'n ôl, roedd fel cychwyn reid rolercoster, doedd dim posib dianc. Sut siwrne oedd hi am fod, tybed? Wel, mi aeth hi'n iawn, pob nodyn yn ei le ac roeddwn wedi'i dehongli mor naturiol ag y gallwn. Ar ôl ochenaid o ryddhad a derbyn cymeradwyaeth gynnes iawn y gynulleidfa, doedd dim i'w wneud ond aros.

Roedd awr a hanner o waith aros, a daeth nifer o bobl ata i i fy llongyfarch a rhai'n awgrymu bod gen i siawns reit dda. Roedd Osian y mab efo ni gefn llwyfan ac yntau ond yn dri mis oed. Bu hynny'n gymorth mawr i ddweud y gwir gan ei fod yn tynnu sylw oddi ar yr aros a'r tensiwn. Heb yn wybod i mi roedd y cyfeilydd annwyl, yr amryddawn Brian Davies, wedi cymryd Osian i'w gôl tra oeddwn i'n canu fel y medrai Nia fynd i'r pafiliwn i wrando. Bu Osian yn llonydd a bodlon yn ei gwmni drwy gydol y perfformiad.

Yna, mi ddaeth y canlyniad a'r chwech ohonon ni'n llawn gobaith ar ochr y llwyfan. Roedd y beirniaid yn canmol y gystadleuaeth yn fawr ac roedd Richard Elfyn, a oedd yn traddodi, am bwysleisio 'eu bod yn hollol unfrydol yn eu penderfyniad mai enillydd y Rhuban Glas yn Eisteddfod Genedlaethol Cymru 1996 yn Llandeilo yw...' Yn yr eiliad honno roedd tynged un ohonon ni yn dibynnu ar farn beirniaid. Fyddai bywyd yr un fath wedyn?... 'Rhys Meirion!'

Profiad bythgofiadwy oedd camu ar y llwyfan, a'r gynulleidfa'n amlwg yn ôl y gymeradwyaeth yn cytuno â'r feirniadaeth. Ysgydwais law ag R. Alun Evans ac roeddwn i'n meddwl bod fy llaw am ddod i ffwrdd gymaint oedd ei frwdfrydedd. Yna rhoddodd y fedal am fy ngwddf a throis i at y gynulleidfa er mwyn derbyn eu hymateb unwaith eto. Roedd yr emosiwn yn berwi, bron â berwi drosodd mae'n rhaid i mi gyfadde. Yna daeth y llongyfarchion gefn llwyfan ac wrth gwrs rhaid oedd gwneud cyfweliadau. Dwi'n cofio gwneud cyfweliad teledu efo Osian ar fy mraich ac yntau'n crio drwy gydol y cyfweliad. Roedd un neu ddau wedi sibrwd ynghanol y cynnwrf y dylwn droi'n ganwr proffesiynol, ond mwynhau'r fuddugoliaeth oedd yn bwysig y noson honno.

I ddathlu cawson ni noson arbennig iawn mewn gwesty yn Llangadog ac roedd criw Talwrn y Beirdd Llanbrynmair yno yn ein disgwyl, sef Hedd Bleddyn ac Ann a Gwilym Fychan. Ces y penillion hyn ganddyn nhw:

I Pavarotti Cymru
Fe roddwn glod yn awr,
Cans daeth Rhys Meirion heno
Fel yntau'n ganwr mawr!

Wfft i'r bas ac wfft i'r mezzo,
Wfft i'r bariton a'r soprano.
Ar y brig, uwchben goreuon
Yn Ninefwr, mae Rhys Meirion.

Roedd fy mywyd wedi newid a byddai penderfyniad anodda 'mywyd yn fy wynebu.

Mi ges i noson i'm hanrhydeddu gan Gôr Rhuthun a derbyniais englynion gan Robin Llwyd ab Owain a glywodd am fy llwyddiant wrth groesi'r môr i Iwerddon yn oriau mân y bore.

Rhys Meirion
(Cyflwynwyd mewn noson gyfarch ym mis Medi 1996.)

A'r hil yn ei gwawr ola' – rhyw eiliad
    Amryliw a gofia':
    A gwawr oedd lliw Sangria
    Ac eiliad o Dequila.

Swyn y wawr a synhwyrodd – ei denor
    Jack Daniels yn gwahodd;
Uffar o haul a ddeffrodd
O'r dŵr a'r wawr a dorrodd...

Ei lasfedd yn ein meddwi – a dwy don
    Ei denor yn golchi
Ein bae, ac yn lliwiau'r lli –
Eiliad yn tragwyddoli...

Gwynedd ei gân yn ddigonedd, – yn don
    Ac yn don ddiorwedd
Ar dywod, hwn i'r diwedd
A fydd gôr, bydd fôr o fedd!

Vouvray nid Beaujolais bas, – i genedl
    Y Guinness mae'n wynias;
Heddiw'n Werddon o urddas
O gael aur y Rhuban Glas!

Unawdydd y munudau – tragwyddol
    Fu'n troi'r gwaddod gynnau
Yn winoedd ynom ninnau
Un bore hir i'w barhau.

Rhys gwâr a Rhys y gwirod, – Rhys ag iaith
    Rhys Gethin ar dafod,
Rhys y bore, Rhys barod,
Heno, i bawb: Rhys mwya'n bod.

A'r hil yn ei gwawr ola' – un eiliad
    Amryliw a gofia':
A gwawr oedd lliw Sangria
Ac eiliad o Dequila.

2

Fy ngwreiddiau

MAE FY NGWREIDDIAU i'n ddwfn yn Sir Feirionnydd ac rwy'n hynod o falch o'r ffaith fod fy enw'n tanlinellu hynny. Cafodd fy mam, Catherine Jones, ei magu ym Mronaber yn ferch i Evan ac Elen Jones, ond mi gafodd fy nhad fagwraeth lai sefydlog mewn chwe chartref gwahanol, yn fab i Emrys a Catherine Jones, yr un enw â Mam, fel mae'n digwydd.

Fy nhaid ar ochr Mam oedd Evan Jones, gŵr enwog yn ei gymdogaeth a fyddai'n mynd o gwmpas gogledd Cymru efo'i injan ddyrnu, yn dipyn o gymeriad, yn ôl pob sôn, ac yn hoff iawn o dynnu coes. Roedd perthynas Nain a Taid yn un arbennig o hapus a chariadus ac yn brawf pendant y gall gwahaniaeth oedran mewn perthynas weithio, gan fod Taid 23 blynedd yn hŷn na Nain. Pan ddaeth Mam i'r byd roedd Taid yn 54 blwydd oed ac yn naturiol byddai'n hen ŵr pe bai am fyw i weld plant ei ddwy ferch, Anti Ann Pantclyd a Mam. Mae'n siom fawr i mi ei fod wedi marw cyn i mi gael fy ngeni oherwydd mi fyddwn wedi bod wrth fy modd yn cael mynd efo fo i bysgota ac i saethu, neu i gael hwyl wrth chwarae draffts – tri o'r pethau roedd o'n dipyn o giamstar arnynt yn ôl Nain. Mi fyddwn wedi elwa o gael ei adnabod, mae hynny'n ffaith, yn union fel mae fy mhlant i'n elwa heddiw o gael treulio amser efo'u teidiau a'u neiniau hwythau.

Roedd Elen Jones fy nain, Nain Bronaber fel y câi ei galw, yn ddynes ffeind iawn. Byddai Elen fy chwaer a finna wrth ein boddau yn cael mynd ati i aros am ryw wyliau bach bob hyn a hyn. Roedd hi'n wraig ddoeth iawn ac yn deall plant. Dwi'n cofio pan fyddai'n gwneud wy wedi'i ferwi, a finna'n hoffi wy wedi'i ferwi'n feddal, weithiau byddai'n rhy galed a byddwn yn cwyno. Wel, be fyddai Nain yn ei wneud ond meddalu menyn yn yr wy a'i gymysgu â'r melynwy caled a gwneud iddo edrych yn feddal. Roedd ei Beibl yn bwysig iddi ac mi fyddai'n ei ddarllen yn aml. Dwi'n siŵr ei bod wedi'i ddarllen o glawr i glawr lawer gwaith.

Byddai Nain yn hoff iawn o gerddoriaeth, yn enwedig canu, ac wrth ei bodd yn cael bod yn aelod o Gôr Pensiynwyr Llanuwchllyn ar ôl iddi symud i fyw yno yn hwyrach yn ei bywyd. David Lloyd oedd ei ffefryn hi. Mae'n bechod mawr na chlywodd hi erioed mohono i'n canu. Bu farw ym mis Tachwedd 1993 a finna'n cael fy ngwers ganu gynta efo Brian Hughes ym mis Medi 1994. Mi fyddai wedi gwirioni pe bai wedi cael byw am dair blynedd arall a chael bod yn rhan o'r dathliadau ar ôl i mi ennill y Rhuban Glas yn Eisteddfod Llandeilo yn 1996. Doedd o ddim i fod, ond dwi mor falch ei bod wedi cael byw i 'ngweld i'n cael fy mhenodi'n brifathro, neu'n 'School Mistar' fel y byddai hi'n ei ddweud. Doedd hi ddim yn ddynes i wneud ffŷs o ddim byd ond mi deimlais ei balchder drosta i'r adeg honno ac rwy'n ddiolchgar ac yn trysori'r atgof hwnnw.

Roedd Nain, wrth gwrs, yn falch iawn o'i thad, sef fy hen daid, Thomas Richards y Wern a oedd yn englynwr o barch cenedlaethol. Mi gafodd Elen a fi ein magu yn sŵn 'Y Ci Defaid' ac 'Yr Ysgyfarnog', dau englyn buddugol Eisteddfodau Cenedlaethol Pen-y-Bont ar Ogwr 1948 a Llangefni 1957.

Y Ci Defaid
Rhwydd gamwr hawdd ei gymell – i'r mynydd,
    A'r mannau anghysbell;
    Hel a didol diadell
    Yw camp hwn yn y cwm pell.

Yr Ysgyfarnog
Iach raenus ferch yr anial – hir ei chlust,
   Sicr ei chlyw a dyfal;
Rhed o wewyr y dial
I'w byd ei hun heb ei dal.

Roedd fy nhaid, Emrys Jones, tad fy
nhad, yn ffermwr tyddyn ac yn gweithio
i'r Comisiwn Coedwigaeth. Mae 'nhad a'i
chwiorydd yn argyhoeddedig mai ar ei ôl
o y ces i fy llais am fod ganddo yntau lais
tenor melfedaidd. Byddai'r un mor hapus,
medden nhw, yn arwain y gân yn y capel ac
yn y dafarn. Roedd yn Arolygwr ysgol Sul
ac yn godwr canu yng nghapel Salem, Cwm
Cewydd, Mallwyd, am rai blynyddoedd
mewn dyddiau pan fyddai bod yn godwr
canu yn dipyn o anrhydedd. Yn wir, byddai'n
rhaid wynebu llawer o gystadleuaeth cyn
sicrhau'r fath barchedig swydd. Byddai
o wrth ei fodd yn cymdeithasu a doedd
dim yn well ganddo nag arwain y gân yn y
Brigands Inn, Mallwyd, ar ôl rhyw beint neu
ddau – eich atgoffa chi o rywun arall, tybed?
Bu farw wedi iddo gael trawiad ar y galon
yn ddim ond 49 mlwydd oed yn 1952. Mi
adawodd wraig a saith o blant.
   Mae gen i gof plentyn o Nain Ganllwyd,
fel roedden ni'n ei galw hi. Roedd Nain
Ganllwyd yn annwyl iawn wrthon ni'r

wyrion a'r wyresau, fel y byddai Nain Bronaber. Ynghlwm wrth ei hanwyldeb roedd disgyblaeth hefyd, a'i phrofiad o fagu plant, a hithau wedi colli ei gŵr mor ifanc, oedd yn gyfrifol am hynny, siŵr o fod. Bu'n gweini yng Ngwesty Tyn-y-Groes yng Nganllwyd am rai blynyddoedd er mwyn sicrhau bod mwy o arian i'r teulu. Mae 'nhad yn cofio'r caledi a bod yn rhaid iddo fo a'i chwiorydd fod o gymorth i Nain yn y cartref, a byddai'n rhaid iddyn nhw fynd heb gael rhai pethau y byddai plant eraill yn eu cael.

Roedd yn rhaid i Elen a fi fihafio yn nhŷ Nain Ganllwyd. Dwi'n cofio sut y byddai Mam a Dad bob amser yn ein siarsio i fod yn blant da, wrth barcio'r car y tu allan i'r tŷ. Roedden ni wrth ein bodd yn chwarae cardiau efo Nain Ganllwyd, ond dwi'n cofio na fydden ni byth yn cael chwarae cardiau ar ddydd Sul. Bu farw Nain Ganllwyd yn 70 mlwydd oed ar 22 Rhagfyr 1973. Dwi'n cofio Mam a Dad yn mynd i'r cynhebrwng er nad oedden ni'n deall yn iawn beth oedd yn digwydd. Roedd holl sylw Elen a finna, fel plant, ar y ffaith ei bod yn agosáu at y Nadolig ac roedd hynny'n fendith, mae'n siŵr.

Be alla i ddweud am Mam a Dad? Wel, mae'n frawychus mewn ffordd, pan 'dach chi'n meddwl am y peth o ddifri. Wrth ddod i'r hen fyd 'ma yn wan, yn wlyb, yn swnllyd ac yn noeth, does ganddon ni ddim dewis pwy fydd ein rhieni. 'Dan ni'n dibynnu'n llwyr ar oedolion i'n magu, ein meithrin, ein harwain a'n hysbrydoli. Gall plentyn fod yn hynod o anlwcus gan fod cymaint o rieni hunanol, creulon a diog yn y byd yma, a hyd yn oed rhai nad ydynt yn dangos unrhyw gariad o gwbl at eu plant. Po fwya mae rhywun yn meddwl am y peth, mwya i gyd mae rhywun yn sylweddoli mai dyma pryd y caiff ein dyfodol ei sefydlu. Mae pob bywyd newydd yn dudalen wag, yn gyfrifiadur heb ei lwytho. Pe bawn i, neu chi, wedi cael ein magu gan rieni fel Fred West neu Peter Sutcliffe, a fydden ni wedi datblygu i fod yn angenfilod dieflig? Pwy a ŵyr, mae'n gwestiwn na chaiff byth ei ateb, ond mae'n gwneud i ddyn feddwl.

Wel, alla i ond dweud 'mod i wedi ennill y loteri, a hwnnw'n *rollover* o fisoedd. Dwi, heb os nac oni bai, wedi ennill y jacpot. Wrth i mi dyfu'n hŷn ac wrth i mi orfod aros a meddwl wrth ysgrifennu'r llyfr hwn, daw'n fwyfwy amlwg i mi fod fy rhieni wedi byw eu bywydau er mwyn eu plant. Dwi'n sylweddoli wrth edrych yn ôl gymaint maen nhw wedi'i aberthu er fy mwyn i a'm chwaer, Elen.

Dwi'n cofio tasg ar *Talwrn y Beirdd* flynyddoedd yn ôl lle'r oedd y beirdd yn gorfod ysgrifennu llinell â phob gair yn cychwyn gyda'r llythyren 'd'. Y llinell fuddugol a gafodd ganmoliaeth uchel oedd 'Dos drwy dân dros dy deulu'. Mae'r frawddeg hon wedi aros yn y cof ac yn ddatganiad y dylai pob rhiant geisio'i ddilyn. Dwi'n argyhoeddedig y byddai fy rhieni'n gwneud hynny dros eu teulu heb feddwl ddwywaith. Mae'n gwneud cymaint o wahaniaeth i wybod bod cefnogaeth fy rhieni yno bob amser, yn ddiamod, ers y cychwyn.

Ganwyd Mam yn 1941 ac mi gafodd ei magu ym Mronant, Bronaber, Trawsfynydd yn chwaer i Ann, sef Anti Ann Pantclyd neu Anti Ann Drws Nant i mi. Mi aeth Mam i Ysgol Gynradd Bronaber ac i Ysgol Uwchradd Blaenau Ffestiniog a gadawodd hi'r ysgol yn 16 oed a mynd i astudio Beauty Therapy yn Llundain. Mae gen i dipyn o edmygedd ohoni wrth feddwl amdani'n ferch 16 oed a chanddi'r hyder i fynd mor bell â Llundain ar ei phen ei hun, ar ôl cael ei magu yng nghefn gwlad Sir Feirionnydd. Roedd Mam yn lwcus o gael neb llai na Gwyn Erfyl yn weinidog arni yng Nghapel Penstryd. Pan glywodd Gwyn Erfyl fod Mam yn dymuno mynd ar gwrs yn y Jean Reid School of Beauty Culture yn Llundain bu'n gymorth mawr iddi. Mi aeth â Mam i Lundain yn ei gar ar gyfer y cyfweliad a phan fu'n llwyddiannus mi drefnodd iddi gael aros yn y YMCA lleol. Gwyn Erfyl oedd yn gyfrifol hefyd am ei chyflwyno i weinidog capel Annibynwyr Gray's Inn Road ac roedd hynny'n allweddol fel y gallai fyw bywyd Cymreig yng nghanol Llundain. Wrth ddilyn y cwrs am flwyddyn byddai'n golchi llestri mewn gwesty lleol am ddwy noson yr wythnos er mwyn ennill £5 o bres poced.

Ar ôl blwyddyn yn Llundain aeth i weithio yn Ysbyty Meddwl Deva yng Nghaer. Roedd dros 800 o wlâu yno a dros 90% o'r cleifion yn dioddef o effeithiau'r rhyfel. Mi gychwynnodd y Bwrdd Iechyd ar y pryd gyflwyno Beauty Therapy fel rhan o'r driniaeth i'r cleifion. Chwarae teg iddi, dwi'n gwybod lle dwi wedi cael yr awydd i fentro, ac i fynd amdani! Dros y blynyddoedd bu Mam yn gweithio ym Mhwerdy Trawsfynydd, fel gofalwraig yn Ysgol y Gorlan, Tremadog ac fel gwerthwr tai efo Tom Parry.

Mae Mam yn berson positif iawn, bob amser yn gweld y gorau mewn pobl. Mae wedi rhoi blynyddoedd o waith yn lleol fel Arolygwr ysgol Sul, ysgrifennydd Merched y Wawr a Mudiad Ysgolion Meithrin. Mae hi bob amser yn be faswn i'n ei alw'n 'game for a laugh' ac mae hyn wedi bod yn destun hwyl ar hyd y blynyddoedd gan fod Dad yn berson mwy swil a bydd yn mynd yn llawn embaras o'i herwydd hi weithiau.

Ond cafodd fy nhad fagwraeth dipyn mwy ansefydlog na Mam. Roedd wedi byw mewn chwe chartref gwahanol erbyn ei fod yn naw mlwydd oed. Roedd hyn yn bennaf am fod ei dad yn gweithio i'r Comisiwn Coedwigaeth a bydden nhw'n byw mewn cartrefi a fyddai'n dod yn sgil y gwaith hwnnw. Bu'n byw ym Mhlas Uchaf, Mallwyd; Wileirog Uchaf yn Llandre wrth ymyl Bow Street, lle bu Taid yn ffarmio am blwc; yn Prysglwyd Isa, Rhydymain; Cwmheisian Isa, Ganllwyd; Tyddyn Bwlch, Ganllwyd ac yna mewn tŷ cyngor yn Llwyn Onn, Ganllwyd.

Mi newidiodd bywyd fy nhad am byth pan oedd o'n ddeng mlwydd oed. Roedd o efo'i dad yn symud buwch o un tyddyn i dyddyn arall tua dwy filltir o'u cartref pan gafodd Taid drawiad ar y galon. Pan glywodd Dad y geiriau 'Mi rwy'n mynd i ti' o enau Taid mi redodd nerth ei garnau i chwilio am gymorth, ond roedd hi ar ben ar Taid druan, a bu farw ar 3 Rhagfyr 1952. Roedd bod yn dyst i'r fath erchylltra yn hogyn bach deng mlwydd oed yn hunllefus ac yn wir bu'n dioddef am rai blynyddoedd o hunllefau cas. Doedd yna ddim cymorth seicolegol ar gael yr adeg honno wrth gwrs, a dal i rygnu ymlaen oedd raid.

Mi gollon nhw eu cartref yn sgil hynny, gan mai tŷ i weithwyr y Comisiwn Coedwigaeth oedd o. Symud fu raid i'r tŷ cyngor yn Llwyn Onn, Ganllwyd. Roedd pedwar o'r saith plentyn yn dal i fyw gartref, ac fe'u magwyd yno gan Nain yn ofalus a chariadus.

Mi basiodd fy nhad ei 11 plus ac aeth i Ysgol Ramadeg Dolgellau lle bu'n rhannu desg efo Trebor Evans, Gwanas, am gyfnod. Wel, mi fyddwn i wedi bod wrth fy modd cael bod yn bry ar y wal a gweld y direidi a oedd yn bwysicach i'r ddau na'r dysgu, siŵr o fod.

Ar ôl gadael ysgol mi aeth yn brentis saer efo'r adeiladwr, Arthur Puw, Dolgellau, am bedair blynedd a hanner. Chwe mis cyn gorffen ei brentisiaeth penderfynodd ymuno â'r heddlu. Heddwas fuodd o wedyn am bron i 30 mlynedd, gan weithio fel plismon troed yn y Bermo, Blaenau Ffestiniog, Harlech, Llandudno, Garndolbenmaen ac yna Porthmadog pan aeth ar Traffic Duty.

Mi ddaeth y profiad o gael prentisiaeth fel saer yn ddefnyddiol iawn wrth iddo adeiladu estyniad ar ôl estyniad ym Mrynffynnon, ein cartref yn Nhremadog. Mi ddaeth yn ddefnyddiol iddo hefyd ar ôl iddo ymddeol o'r heddlu gan iddo gael swydd fel gofalwr a oedd yn cynnwys gwaith cynnal a chadw ar dai gwyliau South Snowdon Wharf wrth y cei ym Mhorthmadog cyn iddo ymddeol yn llawn yn 2010. Mae ganddo ddwylo handi, rhywbeth mae Elen, fy chwaer a minnau, ac ambell un o'i chwiorydd a ffrind neu ddau, wedi elwa ohono dros y blynyddoedd. Os oes rhywbeth angen ei drwsio... 'Elli di ddod â dy dŵls efo ti pan fyddi di'n dod heibio'r tro nesa, plis?'

Un o rinweddau mwya 'nhad yw ei synnwyr cyffredin heb ei ail. Mae'n berson teg iawn ac roedd hynny'n rhinwedd mawr ynddo, yn ôl pob sôn, fel plismon. Mae hefyd yn credu'n gryf mewn hen ddywediadau a phan fydd yn ceisio fy narbwyllo i i wneud rhywbeth, ychwanega ryw ddywediad neu ddau i atgyfnerthu ei safbwynt. Dau o'i ddywediadau fydd yn aros yn y cof yw:

'Dim ond dau beth dwi isho gen ti... parch a gwerthfawrogiad, a dyw'r un o'r ddau yn costio dim byd i ti.'

'Gafael yn yr hen fyd 'ma efo dy ddwy law neu mae o'n siŵr ohona ti.'

Felly, beth oedd yn fy nisgwyl i pan ddes i'r 'hen fyd 'ma'? Môr o gariad gan ddau oedd wedi'u magu yng nghanol y pethau gorau sydd gan gefn gwlad Sir Feirionnydd i'w cynnig.

3

Magwraeth gynnar

CES FY NGENI am 6:45am ar ddydd Iau, 24 Chwefror 1966 yn Matalan neu Sports Direct ym Mangor. Wel, dyna sydd yno heddiw ar y safle lle'r oedd Ysbyty Mamolaeth Dewi Sant yn arfer bod. Mi gafodd Mam druan andros o drafferth efo mi, cyn i mi ddod i'r 'hen fyd 'ma'. Ar ôl genedigaeth anodd bu'n rhaid iddi aros yn yr ysbyty am dair wythnos i adennill ei nerth. Roeddwn i'n araf iawn yn bwydo a byddai'n cymryd dwy awr i mi orffen potelaid o lefrith ac yna byddwn yn barod am y nesa o fewn yr awr.

'Trafferth fuodd efo ti erioed,' chwedl fy nhad yn chwareus.

'Ond roedd o'n werth bob eiliad,' chwedl fy mam.

Roedd y cartref cynta ym Mlaenau Ffestiniog, lle'r oedd Dad yn blismon, ond does gen i ddim cof am y lle o gwbl. Ryw flwyddyn yn ddiweddarach mi symudon ni i Landudno, eto i ddilyn gwaith fy nhad, a does gen i ddim unrhyw gof am yr ail gartref chwaith. Yn ymhen blwyddyn arall symudon ni i Dŷ'r Plismon yng Ngarndolbenmaen, a

31

dyna lle y cychwynnodd pethau i mi, gan mai yno mae fy atgofion cynta.

Waeth gen i be mae unrhyw un yn ei ddweud, mae'r blynyddoedd cynnar hyn yn allweddol i lunio cymeriad person. Mae plentyndod hapus, a'r rhyddid i chwarae a chrwydro yn bwysig. Pobl fach yw plant wedi'r cyfan. Roedd y boblogaeth yn fechan yn Garn wrth gwrs a nifer y plant yn adlewyrchu hynny, ond byddai'n golygu y câi'r plant bach chwarae efo'r plant mawr. Dyna beth oedd coleg cynnar i mi. Byddwn wrth fy modd allan yn chwarae ac yn aml iawn byddwn allan drwy'r dydd, a dim ond piciad adre pan fyddai'r bol yn brifo eisiau bwyd neu eisiau mynd i'r toiled. Do, mi gafwyd ambell ddamwain fach pan oedd y tŷ yn bell, ond dyna fo.

Mi gychwynnais fy addysg yn Ysgol Feithrin Golan. Dwi'n cofio mynd yno efo Mam yn y Beetle gwyn ac roedd y daith yn teimlo'n hir gan wneud i mi feddwl fod Golan ymhell i ffwrdd – rhyw dair milltir! Mi ges i ychydig o drafferth ar y dechrau gan 'mod i'n hiraethu ond ymhen dim roeddwn wrth fy modd yno. Un peth sydd yn aros yn y cof yw'r ffaith fod y toiled y tu allan ar waelod y buarth a phan fyddai hi'n braf byddai pawb eisiau mynd i'r toiled yn aml a byddai'r siwrne o'r toiled yn ôl i'r ysgol yn cymryd dipyn mwy o amser wrth geisio ffitio rhyw gêm o Gowbois and Indians i mewn ar y ffordd.

Wedi tyfu'n 'hogyn mawr' ces fynd i Ysgol Garn. Dyma lle mae gen i'r cof cynta o gael gwir ofn. Roeddwn wrth fy modd yn yr ysgol ac roedd gen i ffrindiau da iawn yno. Ond un amser chwarae wrth redeg rownd y gornel yn wyllt, rhedais i mewn i fy ffrind John Gwynedd. Roedd hi'n dipyn o glec ac roedd John wedi gwylltio'n gacwn, a wir yr, ar fy llw, roeddwn i'n meddwl ei fod yn mynd i roi dwrn i mi. Cyn iddo gael y cyfle, mi roddais i ddwrn ar flaen ei drwyn o. Roedd mam John Gwynedd yn weinyddes ar y buarth ac mi welodd y cyfan. Mewn chwinciad roeddwn i'r tu allan i swyddfa Mr Lunt, y Prifathro. Dwi'n cofio hyd heddiw Mr Lunt yn agor drws ei swyddfa a gofyn i mi ddod i mewn. Roedd ei ystafell yn dywyll, paneli pren tywyll ar y walia a hen les trwchus ar y ffenestri yn cadw'r golau allan. Wnes i ddim byd ond crio, yn wir roeddwn i'n crio gormod i ddweud sori ac mi gymerodd yr hen Mr Lunt drugaredd drosta i, dwi'n meddwl, achos ches i ddim chwip din ganddo.

Mae gen i atgofion hefyd o fynd i'r ysgol yn y tywyllwch yn 1970 pan benderfynwyd peidio â throi'r cloc yn ôl ym mis Hydref a gorfod gwisgo bandiau llachar ar ein breichiau er mwyn cael ein gweld. Dwi'n cofio'r cyffro o wneud rhywbeth y byddai Mam yn dweud ei fod yn beryg. Cafwyd eira mawr y flwyddyn honno ac mi adeiladodd fy nhad a minnau ryw bump neu chwech o ddynion eira yn yr ardd. Ar ôl i'r eira ddadmer ar lawr, roedd y dynion eira'n dal yno wrth gwrs, a dwi'n cofio holl blant y pentref yn dod i'n gardd ni a chael 'rhyfel' peli eira a barodd dros awr, dwi'n siŵr.

Wrth chwarae efo hogia mawr y pentref roeddwn i'n gweld pob math o bethau a chlywed geiriau nad oedd gen i unrhyw syniad beth oedd eu hystyr. Mae Dad yn ailadrodd stori, stori ddigon diniwed a dweud y gwir, ond a achosodd fraw ac embaras ar y pryd. Roedd Anti Megan, chwaer fy nhad, wedi dod am dro i'n gweld ni ar ôl i Elen gael ei geni. Dim ond tair oed oeddwn i ar y pryd. Roedden ni i gyd yn y parlwr ac mi ddechreuodd Anti Megan fy nhiclo i ar lawr. Roeddwn i'n chwerthin ond hefyd yn gweiddi 'Paid, paid!' ond doedd hi'n cymryd 'run sylw. 'Paid, paid!' eto, ac wedyn, yn naturiol braf, fel tasa fo'n rhan o 'ngeirfa bob dydd, daeth y geiriau 'Paid y gxxt'! Alla i ond dychmygu beth oedd yn mynd drwy feddyliau Mam a Dad ar y pryd. Doedd gen i ddim unrhyw syniad beth oedd y gair yn ei feddwl, wedi'i glywed ar dafodau plant mawr oeddwn i, wrth gwrs. Roedd pawb wedi cael sioc ond dwi'n meddwl ei fod o'n adlewyrchu'n ffafriol iawn arna i oherwydd roeddwn i wedi treiglo'n gywir, a finna ddim ond yn dair oed!

Dwi'n cofio mynd efo Dad i nôl Mam ac Elen, fy chwaer newydd sbon, o'r ysbyty. Fel nifer o blant pan fo brawd neu chwaer newydd yn cyrraedd yr aelwyd, roeddwn i ychydig yn genfigennus o'r sylw a gâi Elen. Roeddwn i'n flin, ac yn gas ar brydiau. Daeth chwiorydd fy nhad â fi at fy nghoed unwaith pan oeddwn i'n flin trwy ganu:

Elen, o Elen, o Elen tyrd yn ôl,
Paid â bod mor ffôl a'm gadael i ar ôl.
Elen, o Elen, o Elen tyrd yn ôl,
Elen rwy'n dy garu di.

Wrth glywed y geiriau, yn ôl fy Anti Ruth, dechreuais boeni bod yn rhaid i Elen fynd. Ychydig roeddwn i'n ei wybod yr adeg honno pa mor ddirdynnol o berthnasol fyddai'r geiriau ryw 43 o flynyddoedd yn ddiweddarach. Diolch byth nad ydyn ni'n gwybod pa dreialon sydd yn ein hwynebu ni.

Yng Nghapel Jerwsalem, neu 'Capel Isa' fel roedden ni'n ei alw, y ces fy mhrofiad cynta o fynd i'r ysgol Sul a'r Band of Hope. Dwi'n cofio fel bydden ni'n blant bach eisiau eistedd ar silff y ffenest, gan mai fan'no oedd y lle i fod, ond roedd o'n lle da i roi hogia bach drwg gan ein bod yn methu symud i nunlle unwaith yr oeddem yn cael ein rhoi yno. Roedd yr arferiad o hel Calennig yn dal i fod yn gryf yn Garn yr adeg honno hefyd. Bydden ni'n mynd o gwmpas y tai yn canu ac yn cael rhyw geiniog neu ddwy, ac yna byddai'r plant i gyd yn hel y tu allan i dafarn y Cross Foxes a'r perchnogion yn taflu pres mân o ffenest y llofft a ninnau'r plant fel mwncïod yn paffio amdanyn nhw ar y ffordd.

Cyn gadael Garn rhaid i mi sôn am rai o'r cymeriadau sydd wedi aros yn y cof ar ôl yr holl flynyddoedd. Roedd ganddyn nhw enwau da. Taid Wyau oedd un. Byddai o'n dod o gwmpas yn gwerthu wyau ac yn aros am sgwrs a thynnu coes bob amser. Un arall oedd Taid Papur. Fo fyddai'n dod â'r papur i ni, a dyna oedd yn braf am y cyfnod hwnnw, byddai amser i sgwrsio a chael paned. Doedd gen i ddim taid fy hun, gan fod y ddau wedi marw cyn fy ngeni, ac felly daeth yr enw yma'n annwyl iawn. Cymeriad arall oedd Twm Bryn Tirion, neu Twm Tirion fel y byddwn i'n ei alw. Roedd o wedi torri'i goes ac roeddwn i'n dymuno gwellhad buan iddo, ond mi ddwedodd wrtha i, gan bwyntio at ei goes,

'Pwy sy'n mynd i'w gwneud yn well? Ddim y doctor beth bynnag.'

'Wel, Iesu Grist siŵr iawn,' medda fi.

Roedd o wedi gwirioni efo'r ateb a bu'n rhaid iddo ddweud wrth Mam a Dad. Dylanwad yr ysgol Sul, mae'n siŵr.

Yn 1971 a finna'n 5 oed mi symudon ni i Dremadog gan fod Dad yn plismon traffig ac angen bod yng Ngorsaf Heddlu Porthmadog bob dydd ar gyfer ei waith. Mi symudon ni i dŷ plismon ar stad newydd Isgraig. Rhaid oedd newid ysgol ac mi es i Ysgol Gynradd Tremadog ac i'r ysgol Sul a'r Band of Hope yng Nghapel Peniel, Tremadog. Roedd Isgraig fel maes chwarae enfawr i hogyn pum mlwydd oed. Roedd gen i feic coch tair olwyn a byddwn wrth fy modd yn rasio o gwmpas y stad. Dwi'n cofio mynd ar fy meic yn canu cân Tebot Piws, 'Mawredd mawr, eisteddwch i lawr, mae rhywun wedi dwyn fy nhrwyn' ar dop fy llais drosodd a throsodd. Mae'n siŵr taw rhyw ffordd plentyn ydoedd o ddatgan ei fod wedi cyrraedd i fyw yno. Daeth dynes ata i'n wyllt a dweud wrtha i am beidio gwneud cymaint o sŵn ac am fynd adre. Roedd y *voice projection* yn amlwg yn gweithio pan oeddwn yn ifanc iawn, ac ychydig iawn feddyliwn ar y pryd y byddwn i'n dod i adnabod canwr y gân arbennig honno, Mr Dewi Pws Morris.

Dim ond am flwyddyn fuon ni yn Isgraig gan i ni symud yn 1972, am y tro ola, i Frynffynnon, yng nghysgod Craig y Castell, ac yno mae fy rhieni yn byw hyd heddiw. Mae Brynffynnon drws nesa i'r ysgol yn Nhremadog ac roedd yn gyfleus iawn cael codi, bwyta brecwast a neidio dros y wal i'r ysgol. Mi ges i amser hapus iawn yn yr ysgol o dan y ddau brifathro sef R. D. Jones ac Elwyn Griffiths. Roedd yn ysgol hapus ac mae gen i lu o atgofion melys. Doeddwn i ddim yn angel, roedd direidi'n llifo drwy'r gwythiennau ac mi ges i ambell fonclust. Mae pethau wedi newid erbyn heddiw, wrth gwrs, ond mi ddweda i â llaw ar fy nghalon na wnaeth clustan na chwip din unrhyw ddrwg i mi.

Mae ambell ddigwyddiad mewn bywyd sydd yn ffurfio personoliaeth a chymeriad, er nad yw dyn yn ymwybodol o ddylanwad y digwyddiad hwnnw am rai blynyddoedd, ond mae wedi digwydd i ni i gyd. Mi ddigwyddodd i mi yn ystod yr wythnos ola cyn gwyliau Nadolig 1976 pan oeddwn i'n ddeg oed ac ar fy mlwyddyn ola yn ysgol Tremadog. Byddai brawd a chwaer yn mynychu'r ysgol o dro i dro – plant i sipsiwn o'r enw Julie a George. Roedd plant yr ysgol yn greulon iawn wrthyn nhw ar brydiau, yn galw enwau a dweud eu bod nhw'n cario *germs*. Byddai plant yr ysgol yn chwarae gêm tip gan smalio pasio *germs* George a Julie. Mi wrthodais i chwarae ar ôl ychydig, a dod yn dipyn o ffrindiau efo'r ddau, ac o ganlyniad cawn fy mhryfocio gan weddill y plant, ond dyna fo. Ar fore'r diwrnod ola hwnnw cyn gwyliau'r Nadolig daeth Julie i mewn i'r dosbarth yn wên o glust i glust a rhoi cerdyn Dolig i mi o flaen y plant i gyd. Doedd yr athro ddim yno ar y pryd. Dechreuodd pawb chwerthin a galw enwau ac mi blygais i'r drefn a rhoi'r cerdyn yn y bin yn y fan a'r lle. Anghofia i fyth mo'r deigryn yn llifo i lawr boch Julie a'r siom yn llenwi ei llygaid. Dorron ni 'run gair â'n gilydd am weddill y diwrnod ac ni ddaeth yn ôl i'r ysgol wedyn. Yn wir, welais i erioed mo George na Julie wedi hynny.

Ers hynny dwi'n casáu unrhyw gam-drin neu fwlio, beth bynnag y bo, a fydda i ddim yn plygu i'r drefn pan fydd rhywun yn cael cam. Dwi'n argyhoeddedig mai o ganlyniad i'r digwyddiad yn Ysgol Tremadog mae hynny.

Roeddwn i'n gefnogwr brwd o dîm Manchester United ar y pryd, ac yn dal i fod, ac roedd yn brofiad gwych mynd i'r ysgol un diwrnod a gwybod 'mod i'n gadael yn gynnar er mwyn mynd i Old Trafford am y tro cynta. Gêm nos Fercher oedd hi, gêm League Cup yn erbyn Everton. Roeddwn i'n teimlo'n bwysig ac yn llawn cyffro. Anghofia i fyth gerdded drwy fol Old Trafford a dod allan drwy'r fynedfa i'r stadiwm a'r eisteddle y tu ôl i'r gôl, uwchben y Stretford End. Mae Dad yn dal i sôn fod fy llygaid i'r noson honno fel petaen nhw'n saethu o 'mhen i. Mi gollon ni'r gêm 4–1 ond doedd o ddim bwys, ro'n i wedi bod i Old Trafford i weld Man U yn chwarae. Wrth gwrs, aeth yr hogia ymlaen i ennill yr FA Cup yn erbyn Lerpwl y flwyddyn honno, sef 1977.

Dwi'n ddiolchgar iawn i fy holl athrawon yn Ysgol Feithrin Golan, Ysgol Gynradd Garndolbenmaen ac Ysgol Gynradd Tremadog am eu gofal a'u hamynedd. Mi alla i ddweud, â'm llaw ar fy nghalon, 'mod i wedi cael y dechreuad gorau posib.

Ysgol Uwchradd Eifionydd

MI DDECHREUAIS YN Ysgol Eifionydd, Porthmadog ym mis Medi 1977. Mae gadael ysgol gynradd a mynd i ysgol uwchradd yn un o brofiadau mwya bywyd. Mae'n rhaid dilyn amserlen a bod yn y lle iawn ar yr amser iawn. Ces i'r teimlad fod popeth yn anferth: y plant hyna; y cae pêl-droed; y neuadd chwaraeon; y buarth amser chwarae; y cantîn a'r neuadd yn llawn o blant adeg y gwasanaeth boreol. Y ni oedd y plant mawr yn Ysgol Tremadog ac mi sylweddolais un bore fod pethau'n wahanol iawn yn Ysgol Eifionydd i'r ysgol gynradd.

Roedden ni ar y buarth un amser chwarae, rhyw 350 o hogia llawn bwrlwm a sŵn. Yna'n sydyn dyma glywed sibrydion, 'Jackson, Jackson, Jackson'. Edrychais o gwmpas ac roedd Mr Jackson y prifathro wedi dod allan ac yn sefyll wrth ddrws y brif fynedfa yn ei glogyn du a chansen yn ei law. Ddywedodd o'r un gair, ond mewn eiliadau roedd sŵn y chwarae wedi distewi a phawb yn sefyll yn llonydd. Galwodd enw rhyw hogyn o'r bedwaredd neu'r bumed flwyddyn ac aeth yr hogyn ato. Rhuodd Jackson arno a gofyn iddo estyn ei law allan. Mi gafodd yr hogyn chwe chansen ar draws ei law yn y fan a'r lle o flaen pawb. Dyna be oedd bedydd tân i ni'r hogia bach newydd o'r wlad.

Y pynciau fyddai'n mynd â fy mryd oedd Cerdd, Daearyddiaeth, Gwaith Coed, Gwaith Metel, a P.E. wrth gwrs. Doeddwn i ddim, a dydw i ddim, y person mwya academaidd ac roedd y pynciau eraill yn waith caled roedd yn *rhaid* ei wneud, yn hytrach na bod yn waith roeddwn *am* ei wneud am fod gen i ddiddordeb ynddo ac yn cael pleser o'i wneud. Mae'r rheswm pam mae rhywun â diddordeb mewn rhai pynciau ac yn casáu pynciau eraill yn bwnc diddorol ynddo'i hun. Ai'r daith bersonol mewn bywyd hyd hynny a phrofiadau ysgol gynradd yw'r rheswm? Neu ai'r athrawon sy'n gyfrifol, yn gallu ysbrydoli neu ddiflasu plentyn? Mae rhai athrawon a disgyblion wrth gwrs sydd yn hollol wrthgyferbyniol o ran cymeriad a phersonoliaeth ac o ganlyniad byddai cydweithio yn anodd neu'n amhosib.

Ar ôl ysgol bob dydd Gwener roedd yr hyn a alwen ni'n 'Hobbies'. Byddai dewis o ryw chwech neu saith o weithgareddau allgyrsiol y gallen ni gymryd rhan ynddyn nhw am ryw awr a hanner. Un o'r dewisiadau oedd rygbi.

Roedd hi'n 1977 a ninnau ynghanol oes aur rygbi yng Nghymru. Roedd enwau fel Phil Bennett, J.P.R, Gerald Davies a Ray Gravell ar flaenau ein tafodau. Ond fy arwr i oedd Gareth Edwards, o'r foment y sgoriodd y cais hwnnw i'r Barbariaid yn erbyn Seland Newydd yn 1973. Dwi'n cofio gwylio'r gêm yn fyw ar y teledu. Roedd Dad yn gweithio shifft 6 y bore tan 2 y prynhawn ac am ryw reswm roedd o'n hwyr ac mi fethodd o'r chwarter awr cynta ac felly methu 'Y Cais'. Mae'n rhyfedd fel dwi'n ei gofio fo'n dod i'r parlwr yn ei wisg plismon ac yn gofyn sut gêm oedd hi? Finna'n dweud wrtho ei fod wedi methu 'uffar o drei da'. 'O, do?' medda 'Nhad heb gymeryd llawer o sylw. Pan welodd y cais wrth iddyn nhw ei ailddangos yn ystod hanner amser, sylweddolodd fod fy asesiad o 'uffar o drei da' yn iawn.

Mewnwr oeddwn i'n chwarae oherwydd mai mewnwr oedd Gareth Edwards, ac roeddwn wrth fy modd yn gwneud *dive pass* fel fo, ac roeddwn i'n euog hefyd, mae'n rhaid i mi gyfadde, o roi mwd ar fy wyneb yn slei bach i drio bod fath â fo pan sgoriodd o'r cais arbennig arall hwnnw yn y mwd yn erbyn yr Alban.

Byddwn yn cystadlu mewn eisteddfodau lleol ar hyd y blynyddoedd yn yr ysgol gynradd a chawn dipyn o lwyddiant hefyd o dro i dro. Byddwn i'n mynd i eisteddfodau Llawrplwy, Trawsfynydd, Garndolbenmaen ac wrth gwrs Eisteddfod Gŵyl yr Ysgolion Sul. Byddwn i'n cystadlu yn eisteddfodau'r Urdd bob blwyddyn, ond y pella es i erioed oedd llwyfan yr Eisteddfod Sir. Roedd cantorion reit dda yn byw i fyny'r ffordd, cofiwch, o'r enw John Eifion a Bryn Terfel a oedd yn ymarfer lot mwy na fi! Ha ha! Mi roddais i'r gorau i eisteddfota pan es i i Ysgol Eifionydd. Roedd yna dipyn o dynnu coes reit gas pan fyddai rhywun yn mentro gwneud y fath beth â chanu. 'Pwff' a 'Pansi' oeddach chi'n syth.

Er hynny mi ddaliais ati efo'r trwmped a'r piano. Roedd gen i athrawes biano arbennig iawn o'r enw Mrs Elena Turner. Byddwn i'n mynd i'r Garn i gael gwersi i ddechrau ac yna draw i Benygroes. Mi ddysgodd Mrs Turner genedlaethau o blant i chwarae'r piano ac roedd hi'n gymeriad a hanner. Pwtan fach oedd hi, yn llawn egni bob amser, yn ddynes ddoniol iawn, a phan fyddai'n dweud rhywbeth roedd hi'n tybio ei fod yn bwysig, byddai'n troi i siarad Saesneg. Roedd hi'n berson caredig ac roeddwn wrth fy modd yn mynd ati.

Adre roedd y broblem efo'r piano, yn wir byddai hi'n rhyfel cartref ar brydiau wrth i'm rhieni fy ngorfodi i ymarfer. Am rai blynyddoedd byddai Mam druan yn eistedd wrth fy ochr i sicrhau 'mod i'n ymarfer, ac mi symudwyd y piano i'r gegin fwyta i wneud yn siŵr 'mod i'n cwblhau pob ymarfer. Yn y diwedd dywedodd Dad ei fod am ffonio Mrs Turner i ddweud 'mod i'n rhoi'r gorau iddi. Roedd meddwl am siomi Mrs Turner yn ddigon i newid fy agwedd yn llwyr, ac o'r foment honno dechreuais ymarfer yn fwy cyson.

Byddai Elen a minnau'n mynd am wersi piano efo'n gilydd a thra byddai un ohonon ni efo Mrs Turner byddai'r llall yn eistedd efo'i gŵr, y Parchedig Handel Turner, dyn clên iawn a fyddai'n rhoi cyngor i ni ar broblemau mathemategol neu sillafu wrth aros am ein gwers. Roedd gwresogydd nwy yn y parlwr ym Mhenygroes a hwnnw ymlaen drwy'r dydd, felly, yn aml iawn byddai'r diffyg ocsigen a'r gwres yn y parlwr yn gwneud i Mam, Elen a fi syrthio i gysgu yn ei gwmni. Dwi'n siŵr i ni gysgu lawer gwaith pan oedd ar ganol stori. Mi es i ymlaen i basio Gradd 7 ar y piano ac erbyn heddiw, wrth gwrs, dwi'n hynod o falch 'mod i'n gallu chwarae gan ei fod o fantais fawr i mi wrth ddysgu caneuon newydd neu rannau newydd mewn opera. Un o'r trysorau mwya sydd gen i yw metronom Mrs Turner. Roedd hi'n meddwl y byd

ohono a dw innau oherwydd hynny yn ei
drysori.

Byddwn hefyd yn cael gwersi trwmped
drwy'r ysgol, gan basio Gradd 3 a chael bod
yn aelod o Fand Gwynedd. Roeddwn wrth
fy modd yn mynd i'r band, yn cael hwyl a
gwneud ffrindiau newydd ac mi fues i'n
lwcus iawn o gael athrawon da i 'nysgu, sef
Geraint Jones o Drefor, Robert Morgan a
John Glyn Jones. Rhoi'r gorau i'r trwmped
wnes i yn y diwedd i ganolbwyntio ar y
gwaith ysgol a'r piano. Ond dwi'n dal i allu
chwarae 'Hello, Dolly' a 'Basin Street Blues'
yn reit dda!

Mae'n hynod o drist nad yw'r gwersi
peripatetig ar gael drwy'r ysgolion am ddim
heddiw. Mae'n rhaid bod yna lawer iawn
o offerynwyr talentog sy'n syrthio drwy'r
rhwyd oherwydd na all eu rhieni fforddio'r
offerynnau na thalu am y gwersi. Gall dysgu
offeryn cerdd newid i fod yn rhywbeth
elitaidd iawn i blant dosbarth canol, os na
fyddwn yn ofalus.

Mi es i drwy'r bum mlynedd gynta yn
Ysgol Eifionydd yn gwneud dim ond beth
fyddai'n rhaid i mi ei wneud, yn y rhan
fwya o'r pynciau. Tri phwnc basies i yn fy
arholiadau Lefel O a chael 'D' yn y gweddill.
Roedd angen pasio mewn pum pwnc cyn
mynd i'r Chweched fel arfer a dwi'n cofio

mynd i weld Mr Jackson efo Mam er mwyn gofyn am gael mynd i'r Chweched. Dywedais wrtho, 'Boddi ar ymyl y lan wnes i, yntê Mr Jackson?' ac yntau'n ateb yn ddigon swta, 'Ie, ond boddi wnest ti, yntê?'. Ond mi ges drugaredd a chael fy nerbyn i'r chweched dosbarth lle dewisais i Gerddoriaeth a Daearyddiaeth fel pynciau Lefel A.

Rygbi oedd y diddordeb mawr ac mi ges i fy ngêm gynta i Borthmadog ar yr asgell pan oeddwn i'n un ar bymtheg oed. Roeddwn i'n hogyn reit gryf a'r prif reswm am hynny oedd i mi fod yn gweithio ar fferm Gwernddwyrhyd ers pan oeddwn i'n rhyw ddeuddeg oed.

Morris Roberts Gwernddwyrhyd. Allwn i ddim peidio â sôn am y dyn arbennig hwn. Roedd Morris, neu Moi, yn hanu o fferm Tai'r Felin, y Bala ac wedi symud efo'i wraig Cathy i fferm Gwernddwyrhyd sydd ryw ddwy filltir o Dremadog ar y ffordd i Gaernarfon. Roedd Morris yn aelod gwreiddiol o Gôr Meibion Godre'r Aran ac mi fyddai'n sôn yn aml am fynd i ganu cerdd dant yn yr Albert Hall yn Llundain, dim ond rhyw ddwsin ohonyn nhw, a chael 'standing ovation', fel byddai o'n dweud yn llawn balchder a hiraeth.

Byddai'n llawn direidi ac âi efo Wil Sam, Dafydd Glyn Williams ac Ifan Jones i'r

Eisteddfod Genedlaethol bob blwyddyn. Wythnos ar ôl yr Eisteddfod âi'r pedwar wedyn ar sgowt i dre'r Eisteddfod y flwyddyn ganlynol i fwynhau a pharatoi at yr Ŵyl a chwilio am le i aros. Byddai wedi bod yn brofiad gwrando ar y pedwar cymeriad yn mynd drwy eu pethau.

Roeddwn wrth fy modd yn mynd at Morris fel gwas fferm bob dydd Sadwrn a phob gwyliau ysgol gan ennill profiadau arbennig iawn. Roeddwn i'n dreifio tractor ymhen dim ac yn wir mi fues i'n chwalu gwair, rhencio a thorri eithin pan oeddwn i'n dair ar ddeg oed. Erbyn 'mod i'n bedair ar ddeg byddwn yn torri gwair ac yn ei droi, a byddai Morris yn mynd rownd yr ochrau ac i lawr y canol ac yna byddwn i'n cymryd drosodd.

Byddwn i'n troi efo'r Dexter bach, tractor heb ddim cab arno, a chan ein bod yn agos at y môr, byddai cannoedd o wylanod yn heidio ar ôl y pry genwair ac, wrth gwrs, roedd y tractor a finna'n gacen. Mae un wylan yn gallu gwneud llanast, heb sôn am gannoedd! Dwi'n siŵr fod Morris yn cuddio y tu ôl i'r gwrych yn chwerthin ar fy mhen. Er y gwylanod roedd y cwysi yn syth ac yn daclus a byddai Morris bob amser yn canmol, pan fyddwn yn deilwng o ganmoliaeth.

Un elfen o ffarmio nad oeddwn i'n rhy

hoff ohoni oedd y digornio a'r torri ar fustych. Byddai Morris yn defnyddio'r dull hen-ffasiwn o dorri gan ddefnyddio cyllell a haearn poeth ac roedd angen stumog reit gryf i wneud hynny a finna'n teimlo dros y bustych druain. Wna i fyth anghofio'r sŵn wrth wneud y broses, na'r ogla wrth i'r haearn poeth selio'r toriad. Ych, damia'r ogla! Byddai dau ffarmwr lleol yn dod i'w helpu i dorri a dwi'n cofio'r panig wrth i Morris a'r ddau arall geisio 'nal i er mwyn torri arna i. Wnes i erioed symud mor gyflym yn fy myw!

Tra oeddwn i'n gweithio efo Morris un diwrnod, dywedodd wrtha i ein bod yn mynd i'r Bala i weld y canŵio. Roedd pencampwriaeth canŵio dŵr cyflym y byd ar afon Tryweryn, rhwng Llyn Celyn a'r Fron Goch ger y Bala. Aethon ni ein dau yno yn ei Audi 100 brown, ac mae'n rhaid i mi gyfadde fod y ddarpariaeth ar gyfer aelodau'r cyhoedd yn sâl iawn. Anodd oedd i ni weld rhyw lawer.

'Tyrd efo fi,' meddai Morris a dyma ni i mewn i'r ardal VIP.

Mewn chwinciad dyma ryw stiward yn dod aton ni a gofyn am docynnau.

'I don't need one,' meddai Morris.

'Why?' meddai'r stiward bach.

'This is my land,' meddai Morris.

Roedd Morris yn ffrindiau da efo perchennog y tir ac roedd o'n gwybod enwau'r ffermydd a'r caeau o amgylch, felly mi lyncodd y stiward ei stori ac eisteddodd y ddau ohonon ni am ryw awran ynghanol y VIPs yn gwylio'r canŵio. Dyna i chi beth oedd coleg da i hogyn pymtheg oed – 'digywilydd, digolled' ar ei ben!

Dwi'n cofio diwrnod arall lle'r oedd yn rhaid mynd â thractor rhyw dair milltir i lawr y ffordd a'i adael yno. Gan fod Morris yn mynd i ddreifio'r *pick-up* yno er mwyn cael dod adre, pwy oedd yn mynd i ddreifio'r tractor? Cyn i mi droi rownd dyma Morris yn gwisgo côt fawr amdana i a het ar fy mhen a dweud wrtha i am ei ddilyn o yn y tractor.

'Paid â phoeni, Rhys, mae dy dad yn blismon, byddwn ni'n iawn,' oedd geiriau Morris.

Felly, roeddwn i'n bymtheg oed, yn dreifio'r tractor ar y ffordd fawr y tu ôl i Morris wrth iddo arwain y ffordd yn y Volkswagen Pick-up. Bydden ni'n symud gwartheg o Benamser i Wernddwyrhyd ddwywaith y flwyddyn, rhyw bedair milltir ar hyd y ffordd fawr. Dyna beth oedd pantomeim! Byddai'r gwartheg a'u lloi yn crwydro i erddi pobl a byddai ymwelwyr yn dychryn. Roedd rhai heb weld buwch erioed o'r blaen a bydden nhw'n gadael eu ceir ar ganol y lôn a rhedeg wrth weld gyrr o wartheg yn dod tuag atyn nhw!

Roedd lle parcio ar ochr y ffordd wrth ymyl y cae ym Mhenamser a byddai Morris yn mynd yn wallgof pan fyddai ymwelwyr yn taflu sbwriel i'r cae ar ôl cael picnics yno. Un diwrnod, dyma Morris yn rhoi arwydd yn y cae â'r geiriau: 'Beware, Cachu Cwningod has been seen here!' Doedd yr ymwelwyr ddim yn gallu gwneud pen na chynffon o'r geiriau 'Cachu Cwningod' ond roedd o'n swnio'n ddigon brawychus i'w cadw nhw draw, beth bynnag!

Mi ges i brofiadau gwych yng nghwmni Morris er y byddai'n rhaid i mi weithio'n galed iawn ar brydiau, ond cawn fod allan yn yr awyr iach a byddwn yn cymryd pob gwaith fel sialens. Byddwn wrth fy modd petai Osian, fy mab, wedi gallu mynd at Morris, pe bai o'n dal yn fyw ac yn ffermio yn yr un ardal â ni heddiw, i ennill yr un profiadau ag a ges i. Dyma'r deyrnged fwya y gallaf i ei rhoi iddo.

Pan oeddwn i yn y bumed flwyddyn yn yr ysgol uwchradd, byddai mwy o alw am bres poced gan fod yn rhaid cael dillad cŵl fel fy nghyfoedion a mynd allan yn amlach gyda'r nos. Felly, am fod fy ngwaith efo Morris yn llafur cariad a oedd yn dod â phres poced yn unig, roedd yn rhaid chwilio am waith a fyddai'n dod â digon o gyflog ar gyfer gofynion cymdeithasol hogyn o'm hoed i. Byddwn i'n dal i helpu Morris efo'r cynhaea gwair am rai blynyddoedd wedyn ac mae'n bechod mawr nad yw'r arferiad hwnnw'n bod erbyn hyn, efo dyfodiad y big bêls a'r silwair. Roedd cario gwair yn ddigwyddiad cymdeithasol heb ei ail a dwi mor falch fod gen i lu o atgofion melys yn ymwneud â'r arferiad hwnnw.

Mi ges i bedair swydd cyn mynd i'r coleg, a'r gynta oedd gosod nwyddau ar silffoedd yn Kwiks. Hen swydd ddigon diflas oedd hi, yn enwedig ar ôl arfer gweithio allan yn yr awyr agored ar y fferm. Am rai misoedd yn unig yr arhosais i yno, gan fod y swydd mor ddiflas a'r rheolwr yn dipyn o ben bach – ddisgrifia i fo felly, gan nad ydw i am ddefnyddio iaith fwy lliwgar yn y llyfr hwn!

Es i i weithio i'r ffatri wlân ym Mhorthmadog wedyn. Bod yn was i'r *graders* oeddwn i, a gwneud yn siŵr bod y gwlân, ar ôl cael ei raddio, yn mynd i'r lle iawn. Roedd yna hwyl fawr i'w gael yno, rhyw dynnu coes drwy'r amser. Byddwn i'n cael hwyl efo Treflyn Trwsus Tyn, y canwr a oedd yn un anodd cael y gorau arno gan ei fod o mor chwim ei dafod.

Yna, mi glywais fod swyddi ar gael yn

gwerthu hufen iâ efo cwmni Ken's Ice Cream ym Mhorthmadog. Roeddwn i newydd basio 'mhrawf gyrru ac roedd gyrru fan hufen iâ yn apelio'n fawr ata i. Y fi oedd yr ola i gael swydd efo Ken yn haf 1983, ac felly y fi gafodd y fan waetha – hen, hen fan. Wrth ddreifio gallwn weld y ffordd o dan fy nhraed gan fod tyllau yn y llawr. Ond y siom fwya oedd bod cloch y fan hufen iâ wedi torri a thra gallai'r lleill dynnu sylw drwy chwarae tiwn arbennig, byddai'n rhaid i mi fodloni ar fynd o gwmpas glan y môr Black Rock yn canu corn. Gwnawn fy ngorau i geisio canu'r corn mewn rhyw rhythm arbennig ond doedd o ddim yr un peth. Er hyn i gyd, roedd yna fanteision i fod yn werthwr hufen iâ ar lan y môr Black Rock. Roedd maes carafanau anferth Greenacres ym Morfa Bychan a byddai llu o ferched ifanc deniadol yno ar eu gwyliau yn ystod yr haf... nefoedd mewn fan o uffern!

Mi gafodd y fan a fi drychineb un bore ar y ffordd i Forfa Bychan. Roedd angen petrol ac felly roedd rhaid mynd i'r garej ar draws y ffordd i'r ganolfan gymunedol ym Mhorthmadog i'w llenwi. Roedd rhewgell y fan reit yn y cefn ac yn cuddio'r ffenest ôl a chan mai ar ochr y gyrrwr yn unig roedd drych, roedd rhaid bod yn ofalus. Wrth

53

dynnu i mewn i gael petrol mi sylweddolais fod y twll petrol ar yr ochr anghywir. Roedd car o fy mlaen ac felly roedd yn rhaid mynd am yn ôl i droi rownd. Mi gychwynnais am yn ôl ac i'r chwith, ond doeddwn i'n gweld dim. Wrth lwc, roedd cyd-weithiwr wedi dod i nôl petrol hefyd a gwnaeth o fy helpu. Yn ôl â fi, a'm cyd-weithiwr yn gweiddi cyfarwyddiadau, ond yna trodd i siarad â rhyw ddynes ac yn sydyn dyma glec! Cododd fy nghyd-weithiwr ei ddwylo ar ei ben mewn panig llwyr ac mi ges i'r teimlad fod rhywbeth ofnadwy wedi digwydd. Roeddwn i wedi taro yn erbyn pwmp disel nes ei fod yn fflat ar lawr a'r disel yn llifo i bob man. Y funud honno yswn am fynd yn ôl i ddreifio tractor a thorri ar fustach efo Morris! Bu'n rhaid i'r garej gau am dros wythnos a hynny yng nghanol prysurdeb yr haf. Fu pethau byth yr un fath wedyn rhwng Ken y rheolwr a fi, ond mi arhosais i weithio iddo tan ddiwedd yr haf.

Y swydd nesa ges i oedd gweithio ym mecws Siop Fara Commercial ym Mhorthmadog. Dyna i chi beth oedd swydd anodd ond mewn awyrgylch hapus iawn. Byddwn yn codi am hanner awr wedi pedwar y bore, brecwast sydyn a neidio ar y beic i Borthmadog i gychwyn yn brydlon am bump. Byddwn i'n gorffen am un y pnawn, ond am naw y bore ar ddydd Mercher gan ei bod hi'n *half day*!

Dwi'n cofio un bore arbennig a dim ond Edwin 'y bòs' a finna oedd i fod i ddod i'r gwaith i baratoi'r bara am bump o'r gloch. Pan gyrhaeddais roedd y lle'n hollol ddistaw ond wrth lwc roedd Edwin wedi rhoi goriad i mi. Es i mewn a gwneud paned i aros amdano. Erbyn rhyw ugain munud wedi pump roeddwn i'n dechrau poeni achos roedd rhaid i'r bara cynta fod yn y popty erbyn chwech. Rhyw was bach oeddwn i, yn torri'r toes a'i roi yn y tuniau, tacluso a chlirio, a doeddwn i erioed wedi cymysgu'r cynhwysion. Be oeddwn i am ei wneud? Mynd amdani a gwneud y bara fy hun, neu aros?

Penderfynais fynd amdani. Yr unig beth roeddwn i'n ei wybod oedd bod pedair sach o flawd yn mynd i mewn i'r peiriant cymysgu. Dyfalu wnes i efo'r lard, y dŵr, y burum a'r halen. Mi gymysgodd y cynhwysion ac roedd y toes yn edrych ac yn teimlo'n iawn, felly mi dorrais i'r toes a'i roi yn y tuniau – tuniau mawr i'r bara mawr a thuniau bach i'r bara bach. Roeddwn ar ganol gwneud hyn pan ddaeth Edwin i mewn yn wyllt i gyd. Roedd ei gloc larwm wedi torri, medda fo. Dywedais wrtho beth roeddwn wedi'i wneud, a dim ond gobeithio 'mod i wedi dyfalu'n weddol gywir faint o gynhwysion i'w rhoi. Aeth y tuniau toes i mewn ar amser, a wyddoch chi be, roedd y bara'n iawn, ond ychydig yn fwy na'r arfer gan fy mod wedi rhoi mymryn gormod o furum. Yn wir, mi gafodd Edwin ganmoliaeth am y bara mawr, ac mi ges i ryw fonws bach o ddiolch yn y paced pae yr wythnos honno.

Roedd awyrgylch braf yn y becws, tynnu coes a malu awyr wrth weithio'n galed. Byddai Loretta a'i merch yn gwneud y cacennau ac Edwin a Les Brindle wrth y bara. Byddwn i ac Arwyn Tudur Jones yn cynorthwyo. Byddwn ni'n cael ymweliad bob bore gan gymeriad arbennig a fyddai'n dod i nôl ei fara yn syth o'r popty. Bob Jones Penmorfa neu'r 'Dyn Haearn' oedd o. Y fo adeiladodd y popty, ac yn lle cael ei dalu am wneud, mi ddaeth i ddealltwriaeth efo Edwin y byddai'n cael ei fara am ddim am weddill ei oes. Dêl dda i'r ddau, ddwedwn i, ond roedd Edwin wastad yn tynnu ei goes trwy ddweud nad oedd o wedi disgwyl iddo fyw mor 'blydi hir'!

Wyddwn i ddim bryd hynny, wrth gwrs, y byddai Bob Jones Penmorfa, a oedd yn fardd cydnabyddedig, yn llunio cyfres o englynion i mi ar ôl i mi ennill gwobr yng Ngŵyl Gerddorol Wigan yn 1995.

Buddugoliaeth Rhys Meirion

Unawdydd sy'n dda odiaeth – a alwyd
    Yn eilun cerddoriaeth.
O lwyfan Wigan fe aeth
Yn arwr eu campwriaeth.
Arch denor, goruwch doniau – arbennig
    Tre Wigan oedd orau
I fyned ar lwyfannau – fo'n ysgol
I wron hudol yr her unawdau.

Gŵr ar dân i gario'r dydd – a welwyd
    Yn wylaidd enillydd.
Yn ei faes gŵr enwog fydd,
A'i wlad a gân ei glodydd.

Mi es i'r chweched dosbarth ym mis Medi 1982 yn llawn testosteron a sbotiau. Hen amser digon anodd ydy'r oedran yma pan 'dach chi'n ceisio byw dan ddwy set o reolau – rheolau rhieni ac athrawon a rheolau cyfoedion. Mae'n rhaid i mi gyfadde bod fy rhieni'n eitha cŵl wrth benderfynu lle byddwn i'n cael mynd a lle na chawn fynd. Gan fod fy nhad yn blismon roedd hi'n ddigon anodd arno. Bydden ni'n yfed o dan oed fel y gwnaethai pobl ifanc o'n blaenau ni ac fel y bydd pobl ifanc heddiw. Byddai partïon Nadolig a phartïon diwedd blwyddyn y Pumed yn cael eu trefnu yn hollol agored, heb sôn am rai'r chweched dosbarth.

Âi nifer o dripiau i Gorwen i weld bandiau

Cymraeg a bydden ni bob amser yn cael croeso cynnes gan Saeson Corwen – wel, na, dim cweit! Roedd hi'n draddodiad i'r bws stopio wrth Lyn Celyn fel ein bod yn gwneud pi-pi yn y llyn a dweud iechyd da wrth y Saeson a foddodd y dyffryn er mwyn cael dŵr. Ofnadwy, ond dyna fo. Roedden ni'n teimlo'n rhan o'r brotest a'r ymgyrch 'rebels with a cause'! Mi gollais gyfnod Edward H o drwch blewyn, ac roedd hynny'n siom fawr i mi. Y grwpiau roeddwn i'n eu hoffi oedd Crys, Rhiannon Tomos a'r Band, Ail Symudiad, Geraint Jarman a'r Cynganeddwyr a llawer mwy. Len Jones a Tich Gwilym oedd fy arwyr yn y Sin Roc Gymraeg.

Grwpiau roc a *heavy metal* oedd at fy nant yn y cyfnod hwnnw, grwpiau fel Queen, AC/DC, Rainbow a hefyd y Beatles wrth gwrs. Doedden ni yn ardal Porthmadog ddim yn gwybod ein geni gan fod ganddon ni'r siop recordiau orau yn y byd ar stepen ein drws, sef Recordiau'r Cob. Dwi'n cofio Elen a fi'n prynu ein senglau cynta yno ar yr un pryd. 'I believe in Angels' gan ABBA ddewisodd Elen a Dennis Waterman yn canu 'I could be so good for you' ddewisais inna, a finna'n ffan mawr o *Minder*. Mi dreuliais oriau yno yn hel LPs o bob math. Mae gen i gasgliad reit anghyffredin o stwff y Beatles cyn ac ar ôl iddyn nhw orffen ac efallai eu bod nhw'n werth arian mawr erbyn heddiw. Mi ges i chwaraewr recordiau gan Siôn Corn un flwyddyn ac mi dreuliais oriau yn gwrando ar gerddoriaeth roc, pan oeddwn i fod i adolygu mae'n siŵr.

Roedd direidi'n dal i lifo drwy'n gwythiennau i a dwi'n cofio Mam yn gofyn i mi a gâi hi fenthyg fy Walkman ar gyfer noson 'Siôn a Siân' yng Nghymdeithas y Capel a gofyn i mi i roi cerddoriaeth swynol ynddo. Mae'n rhaid i mi gyfadde i mi roi tâp AC/DC ynddo, a bod un cystadleuydd druan wedi neidio allan o'i chadair pan wisgodd yr *earphones*.

Yn ystod yr ail flwyddyn yn y chweched dosbarth roeddwn wedi deffro ryw ychydig i bwysigrwydd gweithio yn yr ysgol. Mi ges i'r anrhydedd o fod yn gapten fy nhŷ yn yr eisteddfod ac ym mabolgampau'r ysgol. Mi enillon ni'r eisteddfod ac mi ddaethon ni'n ail o drwch blewyn yn y mabolgampau. Câi'r eisteddfod ei chynnal yn y Coliseum ym Mhorthmadog ac mi ganais i'r Unawd Alaw Werin ar ôl i mi gael gwers neu ddwy gan neb llai na Nesta Jones, mam rhyw fariton enwog o Bantglas.

Roeddwn i'n hynod o lwcus o'r athrawon yn y chweched dosbarth yn y ddau bwnc, sef Cerddoriaeth a Daearyddiaeth. Mae un o'r pynciau hynny wedi bod o ddefnydd mawr i mi, wrth gwrs, ac mae'r llall wedi bod o ddefnydd mewn ambell sgwrs neu gwis o dro i dro. Dafydd Watkin Williams oedd fy athro Daearyddiaeth. Roedd wedi dod yn syth o'r coleg aton ni pan oeddwn i'n cychwyn ar yr ail flwyddyn. Dwi'n cofio gwers Ddaearyddiaeth yn yr ail flwyddyn y diwrnod ar ôl ffair Cricieth. Roedd Dafydd Pen Bryn wedi dod â *stink bombs* i'r ysgol a dyma Ian Anderson yn rhoi un yng nghil y drws fel y byddai'n malu pan fyddai'r athro yn dod i mewn i'r dosbarth a chau'r drws. Dyna ddigwyddodd ac ymhen munud neu ddau roedd y drewdod mwya ffiaidd yn treiddio drwy'r dosbarth. Gofynnodd Mr Williams pwy oedd yn gyfrifol, a chwarae teg iddo, cododd Ian ei law. 'Reit, at Mr Jackson!' oedd y gorchymyn. Aeth pawb yn ddistaw a theimlo dros yr hen Ian. Roedd ei yrru fo at Jackson fatha gyrru rhywun at Darth Vader, Hitler, neu Don Corleone! Daeth sŵn sibrwd, 'Mae o'n *dead!'* o gwmpas y dosbarth. Roedd swyddfa Mr Jackson ryw hanner can llath i fyny'r coridor o'r dosbarth ac ar ôl rhyw bum munud dyma ni'n clywed y rhuo mwya dychrynllyd a yrrodd ias i lawr cefn pob disgybl. Daeth y rhuo'n agosach ac yn agosach nes i ddrws y dosbarth agor a dyma Ian yn hedfan i mewn gan afael yn boenus yn ei law – roedd wedi cael chwe slas efo'r gansen. Daeth Mr Jackson i mewn yn ara deg yn ei glogyn du a'i wyneb fel taran. Heb gydnabod Mr Williams dyma fo'n gweiddi, 'Pwy ddoth â nhw i'r ysgol?' Roedd yr hen Ian wedi gorfod dweud nad y fo ddaeth â nhw i'r ysgol ond doedd o ddim wedi bradychu ei ffrind. Pan fygythiodd Mr Jackson gosbi'r dosbarth i gyd dyma Dafydd, chwarae teg iddo yntau, yn codi ei law.

'Tyrd yma,' rhuodd Jackson, 'a dal dy law allan.'

Roedd gan Mr Jackson dechneg arbennig wrth drin y gansen. Byddai'n ei chwifio i fyny ac i lawr ddwywaith er mwyn cael y momentwm i roi ei holl nerth i'r trawiad. Wrth i'r gynta ddod mi dynnodd Dafydd ei law yn ôl. Mi gafodd ddwrn yn ei ysgwydd a'i siarsio i beidio meiddio symud ei law eto. Mi gafodd Dafydd chwech yn y fan a'r lle o flaen y dosbarth. Wna i fyth anghofio ceisio ysgrifennu wedyn â'm llaw yn crynu fel deilen. Roedd Mr Williams yr athro newydd yn amlwg yn anhapus â ffordd eithafol Mr Jackson o ddisgyblu – y newydd yn cyfarfod yr hen oedd hi. Mi ddaethon i ddeall wedyn fod Mr Williams wedi cwyno ynglŷn â'r gosb a chynyddodd ein parch tuag ato o ganlyniad i hynny.

Mae'n rhaid i mi gyfadde 'mod i wedi mwynhau astudio Daearyddiaeth Lefel A ac roedd Mr Williams yn un hawdd gofyn iddo am gymorth. Mi fyddai'n barod bob amser i roi amser ychwanegol pan fyddai angen – ac roedd angen y cymorth hwnnw arna i'n reit aml.

Mr Huw Gwyn oedd fy athro Cerdd. Roedd ei gariad at gerddoriaeth yn heintus ac yn ein hysbrydoli fel disgyblion. Roeddwn i'n andros o ffodus mai fi oedd yr unig un yn gwneud Cerdd yn y dosbarth Lefel A yn fy mlwyddyn i. Felly, cawn yr holl sylw a byddai amser i wneud pethau ychwanegol yn ogystal â gofynion y maes llafur. Cawn fynd â recordiau adre gan nad oedd siawns iddyn nhw fynd ar goll. Dwi'n cofio'n iawn fel y byddai AC/DC yn blastio un funud a chonsierto gan Mendelssohn i'r ffidil yn swyno y funud wedyn.

Prin bod 'run o'r ddau ohonon ni wedi breuddwydio y byddai fy nyfodol yn y byd cerddorol fel tenor proffesiynol. Doeddwn i ddim wedi canu rhyw lawer yn yr ysgol uwchradd ar wahân i fod mewn côr neu *ensemble* lleisiol mewn cyngerdd Nadolig. Doedd dim Aelwyd yr Urdd yn yr ardal ar y pryd ac roedd hynny'n bechod mawr gan nad oedd llawer o gyfle i gymryd rhan mewn gweithgareddau cerddorol yn lleol. Ar ôl rhoi'r gorau i'r trwmped a bod yn aelod o

Fand Gwynedd, mi ges ddwy flynedd yng Nghôr Gwynedd. Roedd o'n dipyn o gôr, efo Bryn Terfel, John Eifion, Ian Jones (Siop Eifionydd) ac Iwan Parry yn aelodau. Roedd y pump ohonon ni'n dipyn o ffrindiau ac mi gafwyd llawer iawn o hwyl...

Mi basais i'r ddau bwnc Lefel A ac roeddwn ar y ffordd i Goleg Polytechnig Pontypridd i ddilyn cwrs Dyniaethau. Doedd gen i ddim syniad be roeddwn i eisiau ei wneud fel gyrfa. Roeddwn i'n chwarae â'r syniad o ddilyn fy nhad yn yr heddlu, ond mi fyddai o fantais i mi gael gradd yn gynta. Roedd fy nghariad ar y pryd yn mynd i astudio nyrsio yng Nghaerdydd ac roedd tîm rygbi da yn y Polytech ym Mhontypridd. Felly, dyma gychwyn ar bennod newydd yn fy mywyd!

5

Dyddiau coleg

AR ÔL RHYW fis ym Mhontypridd, sylweddolais fy mod wedi gwneud camgymeriad. Roedd y Dyniaethau yn bwnc hollol academaidd ac felly roeddwn i'n teimlo fel petawn i'n astudio er mwyn astudio. Doedd dim sicrwydd o swydd pe bawn i'n cael gradd, a honno'n radd na fyddai ond wedi rhoi sylw arwynebol i amrywiaeth o feysydd gwahanol. Doedd dim dyfnder i'r pwnc. Gan 'mod i'n byw yng Nghaerdydd er mwyn cael bod efo'r cariad, doeddwn i ddim yn rhan o fywyd cymdeithasol y coleg ac felly roedd yn anodd teimlo'n rhan o'r bwrlwm. Mi chwaraeais ryw bum gêm rygbi i'r coleg ac roedd hynny'n brofiad arbennig gan fod y safon dipyn yn uwch na'r gêmau roeddwn i wedi'u chwarae cynt. Erbyn mis Tachwedd, serch hynny, roeddwn i wedi cael llond bol ac mi benderfynais adael y coleg.

A finna'n rhiant erbyn hyn gallaf ddychmygu sut roedd Mam a Dad yn poeni amdana i ar y pryd. Ond wnaethon nhw ddim mynd i banig, na gwylltio, a ches i ddim gorchymyn i fynd adre a chael amser i bwyso a mesur fel y gallwn gynllunio tuag at y dyfodol. Penderfynais aros yng Nghaerdydd. Wrth gwrs, ni fyddai'n bosib cychwyn ar gwrs coleg newydd am ryw ddeg mis arall.

Un peth oedd yn fy mhoeni, sef ble'r oeddwn i am gael chwarae rygbi? Roeddwn i ar dân eisiau chwarae ond doedd gen i ddim cysylltiadau yng Nghaerdydd i 'nghynghori at ba glwb y dylwn droi. Dwi'n cofio mynd at gatiau Parc yr Arfau pan oedd Caerdydd yn chwarae gêm ganol wythnos, i weld a fyddai rhywun yno y gallwn ei holi. Roedd yna ddyn croen tywyll yn ei saithdegau wrth y gât, oedd yn edrych yn dipyn o gymeriad. Dyma godi digon o hyder i fynd ato a chychwyn sgwrs. Roedd yn ddyn hwyliog iawn ac ar ôl sgwrsio am ryw bum munud dyma fo'n awgrymu clwb rygbi'r Cardiff International Athletic Club (CIACS) i lawr yn ardal y dociau a Bute Street. Mi ddywedodd wrtha i am fynd i'r clwb y noson wedyn am 7 o'r gloch ar gyfer ymarfer ac y byddai'n fy nghyflwyno i'r bobl iawn, gan sicrhau y byddai croeso mawr i mi yno.

Roeddwn wedi clywed gan ddigon o bobl fod 'gwehilion' Caerdydd yn byw yn ardal y dociau ac y dylwn gadw draw ar bob cyfri. Ond wyddoch chi be, roedd rhywbeth

65

addfwyn a chyfeillgar iawn am y dyn hwn, ac mi benderfynais fynd i'w gyfarfod, er rhaid cyfadde 'mod i braidd yn nerfus. Roeddwn i'n cerdded drwy stad o dai ddigon difreintiedig i gyrraedd y clwb ac yn meddwl, mam bach, ble'r ydw i? Oedd y dyn wrth y gât ym Mharc yr Arfau yn mynd i fod yno o gwbl? Fyddwn i'n cael croeso? Rhyw linyn trôns o hogyn efo acen Gymraeg gref o'r gogledd oeddwn i – a fyddwn i allan o 'nyfnder yn llwyr yn eu canol?

Pan gyrhaeddais y clwb roedd yr hen ddyn wrth y drws yn aros amdana i, a phan welodd o fi, rhoddodd wên annwyl iawn ac estyn llaw. Es i mewn a chael croeso cynnes gan bawb a gwahoddiad i wylio'r ymarfer a dod i'w gwylio'n chwarae ar y dydd Sadwrn canlynol fel y gallwn fynd i'r ymarfer ar y nos Fawrth wedyn. Doedd neb yn siarad Cymraeg yno ac roedd y cyfleusterau'n dlawd iawn, ond roedd calon yno a chymdeithas glòs. O fewn yr wythnos, roeddwn i'n chwarae i dîm CIACS ac wrth fy modd.

Yn y cyfamser roedd yn rhaid chwilio am ryw fath o waith er mwyn ennill ychydig o arian. Doeddwn i ddim wedi bod mewn Canolfan Waith o'r blaen, felly dyna brofiad newydd arall. Ar ôl rhai wythnosau dyma fi'n cael swydd yn mynd o gwmpas tai yn canfasio am waith i gwmni glanhau dodrefn a charpedi. Dyna beth oedd profiad! Roedd yn amhosib dweud sut ymateb a gawn ar ôl canu'r gloch. Fel arfer cawn wên a 'Dim diolch' digon bonheddig, ond bob hyn a hyn byddwn yn cael ymateb gwahanol a rhyfedd iawn. Weithiau roedd yn amlwg 'mod i wedi torri ar draws ffrae deuluol a byddai'n rhaid denig yn reit sydyn a rhegfeydd a bygythiadau yn fy nilyn. Byddai rhai'n dechrau sôn am eu problemau personol, ac eraill eisiau i mi fynd i mewn atyn nhw am ddrinc bach. Mi ges gynnig cinio gan un ddynes a honno'n edrych yn reit amheus, mae'n rhaid i mi gyfadde. Doedd dim dyfodol i mi yn y swydd honno ac mi rois y gorau iddi cyn mynd adre i'r gogledd ar gyfer y Nadolig. Mi es yn ôl i Gaerdydd am ryw ychydig ar ôl y Nadolig, gan gicio sodlau braidd. Bues i ar y dôl am ychydig ond roeddwn i'n mwynhau'r gymdeithas efo'r CIACS. Ym mis Chwefror, ar drothwy fy mhen-blwydd yn 19, mi ges gynnig mynd i weithio ar fferm fy ewythr yn Nrws Nant, Llanuwchllyn.

O edrych yn ôl ar y cyfnod hwnnw o ryw chwe mis yng Nghaerdydd, roedd fel petai unrhyw gyfrifoldeb a threfn bywyd wedi cael eu rhoi ar *pause* am ennyd. Do, ces gyfle i gymysgu â phobl o gefndiroedd hollol wahanol i mi o ran iaith, diwylliant a moesau, yn arbennig yng nghlwb rygbi'r

CIACS. Yn y gymdeithas hon y digwyddodd llofruddiaeth erchyll Lynette White ac yno'n byw yn eu plith roedd y pump a gafodd eu cyhuddo ar gam ryw dair blynedd yn ddiweddarach. Bues i'n meddwl llawer amdanynt wrth i'r erchylltra ymddangos ar y newyddion dros y blynyddoedd gan i mi gael croeso arbennig iawn gan y gymdeithas yno. Byddai pawb yn edrych ar ôl ei gilydd ar y cae ac oddi arno, yn wir roedd teimlad o gymuned hen-ffasiwn yn bodoli yn eu plith. Gwae chi pe baech yn pechu yn eu herbyn ac oedd, roedd angen cadw'n ddigon pell oddi wrth rai ohonyn nhw. Dwi wedi colli cysylltiad â nhw ers blynyddoedd ond dwi'n hynod ddiolchgar am eu croeso yn ystod y misoedd rhyfedd hynny a finna'n fachgen bach diniwed iawn mewn nifer o ffyrdd.

Felly, roedd yn amser mynd adre, i feddwl am y dyfodol unwaith eto a chael ychydig o drefn ar bethau. Gan 'mod i wedi cael profiadau bendigedig yn ffermio gyda Morris Gwernddwyrhyd, roedd mynd i weithio efo Yncl Idris yn Nrws Nant yn gam hollol naturiol i mi. Mi ges fy nhaflu i mewn i'r gwaith ac roeddwn wrth fy modd, yn gweithio'n galed ac yn edrych ymlaen bob dydd at ginio a swper blasus Anti Ann. Pan fo rhywun yn gweithio'n galed ar ei ben ei hun, ar dractor, yn trwsio waliau neu'n agor ffosydd caiff amser i feddwl a chysidro ac roedd hi'n hen bryd i mi ddeffro a meddwl am fy nyfodol ac am yrfa. Roedd Mam wedi plannu hedyn yn fy mhen i fynd ar ôl gyrfa ym myd addysg ac i fod yn athro ysgol gynradd. Mi dyfodd yr hedyn hwnnw a dyma fynd i edrych ar yr opsiynau. Mi benderfynais fynd i lawr i Goleg y Drindod Caerfyrddin ar ymweliad, i weld sut le oedd yno a sut gwrs roedden nhw'n ei gynnig. Mi hoffais i'r lle'n fawr ac roeddwn i'n hynod o falch i glywed fod yno dîm rygbi da ac roedd Parc y Strade i lawr y lôn, wrth gwrs.

Un o'r hen gymeriadau a dyn arbennig iawn oedd Yncl Idris, y math o gymeriad sydd yn prinhau o ddydd i ddydd. Roedd yn ddyn ffit iawn, yn cerdded mynyddoedd ers pan oedd o'n ddim o beth. Yn wir, byddai'n anodd iawn dilyn ei gam ar brydiau. Dwi'n siŵr y byddwn i'n cymryd dau gam am bob un o'i gamau o. Roedd ganddo ddywediadau gwreiddiol ac roedd o'n hoff o gael hwyl. Dwi'n cofio unwaith, a ninnau yn nôl y defaid i lawr o'r mynydd, ro'n i wedi blino'n rhacs ar ôl cerdded milltiroedd ac yn sefyll mewn bwlch i wneud yn siŵr na fyddai'r defaid yn mynd trwyddo, a'u bod yn pasio yn eu blaenau. Mi aeth rhai o'r defaid heibio i mi gan 'mod i wedi blino cymaint ac yn methu symud bron erbyn hynny. Clywais

Yncl Idris yn gweiddi, 'Syma, y seinpost diawl!'

Roedd Yncl Idris yn dipyn o ganwr, ac yn canu tenor yng nghôr gwreiddiol Godre'r Aran, yntau a Morris Gwernddwyrhyd. Roedd cerdd dant yn ei waed o ac roedd yn chwith ganddo fod Godre'r Aran wedi troi cefn ar y grefft honno. Doedd yna ddim arwydd o gwbl, wrth gwrs, yr adeg honno y byddai canu'n rhan mor bwysig o 'mywyd i yn y dyfodol.

Ond dwi'n hynod o falch ei fod wedi cael byw i 'ngweld i'n ennill y Rhuban Glas. Anghofia i fyth fynd i'w weld ar y ffordd adre efo Dad i ddysgu ail gân ar gyfer y gystadleuaeth ac yntau'n rhoi cyngor ar ei wely angau, 'Rhysyn, cadw dy ddwy droed ar y llawr.' Roeddwn wrth fy modd o gael galw heibio eto ymhen deuddydd i ddangos medal y Rhuban Glas iddo. 'Da iawn, Rhysyn' oedd ei eiriau. Bu farw ychydig wythnosau yn ddiweddarach.

Yn ystod fy nghyfnod yn Nrws Nant ces gyfweliad yng Ngholeg y Drindod. Pe bawn i'n llwyddiannus, dyna fyddai fy nyfodol ac roedd y nerfau'n fy mhoeni'n fawr. Roedd y graddau Lefel A gen i'n barod ac felly roedd popeth yn dibynnu ar wneud argraff dda yn y cyfweliad. Mi aeth pethau'n dda ac mi ges gynnig lle ar y cwrs B.Add gydag Anrhydedd.

Er na fu edliw am y peth, dwi'n siŵr fod cael fy nerbyn yng Ngholeg y Drindod yn ryddhad mawr i fy rhieni. Roedd eu doethineb yn ystod y cyfnod hwn i'w edmygu'n fawr, a dwi'n ei werthfawrogi erbyn hyn. Mi gadwon nhw hyd braich, gan gadw ffydd yn y ffordd roeddwn wedi cael fy magu, ac felly roedd ganddyn nhw'r hyder y cawn drefn ar fy mywyd yn y diwedd.

Roeddwn i'n edrych ymlaen yn fawr iawn at gychwyn tymor cynta fy mhedair blynedd yng Ngholeg y Drindod. Roeddwn i newydd dorri asgwrn yn fy mhigwrn wrth chwarae rygbi i Borthmadog yn erbyn Pwllheli ac felly mi dreuliais Wythnos y Glas mewn plastar. Wnaeth hynny unrhyw wahaniaeth? Ddim o gwbl! Doeddwn i ddim am golli'r hwyl, a byddai'r wythnos gynta yn gyfle gwych i gyfarfod â ffrindiau newydd a chael cyfle i ymgartrefu ar gampws y coleg. Y person cynta welais i wrth i mi ddadbacio oedd y bachgen yn yr ystafell drws nesa i mi, sef Roy James. Roedd bag anferth yn ei ystafell yn dal ei git criced. Dywedais wrtho fod fy ewythr, Alan Jones, wedi bod yn chwarae i Forgannwg ac roedd Roy'n ei adnabod yn dda ac yn cael ei hyfforddi ganddo. Dyna wneud cysylltiad yn syth. Bu profiad bywyd y flwyddyn flaenorol o gymorth mawr i mi wrth ymgartrefu yn y coleg. Roeddwn i wedi aeddfedu'n gymdeithasol, wedi magu hyder i gyfathrebu ac ymdopi â chychwyn bywyd mewn coleg. Lle cartrefol oedd Coleg y Drindod, dim ond rhyw 700 o fyfyrwyr oedd yno ac felly, o fewn dim, roeddwn i'n adnabod bron pawb yno.

Cwrs pedair blynedd roeddwn i wedi ymrwymo iddo a fy mhwnc craidd oedd Cerddoriaeth. Byddwn yn astudio i ennill diploma yn ystod y ddwy flynedd gynta heb ddim gwaith ymarferol yn dysgu mewn dosbarth. Yn ystod y drydedd a'r bedwaredd flwyddyn byddai tri chyfnod o ymarfer dysgu, ac arholiad ar y diwedd. Roedd yn rhaid cael dau offeryn i astudio Cerdd fel prif bwnc ac mi ddewisais i'r piano fel fy mhrif offeryn, gan fy mod wedi pasio Gradd 7. Doedd gen i ddim ail offeryn a dweud y gwir, a rhoddais 'Llais' ar y ffurflen i weld beth fyddai'n digwydd. Byddai arholiad perfformio ar ddiwedd yr ail flwyddyn. Felly, dyma fynd ati i gael gwersi canu gan ddynes arbennig iawn o'r enw Connie Ashton.

Dwi'n cofio'n ymateb Mrs Ashton pan glywodd hi fi'n canu am y tro cynta. Roedd hi wedi gwirioni ac yn gweld addewid mawr yn fy llais. Yn anffodus, roedd fy meddwl i ar bethau eraill ac ni chymerais y gwersi canu o ddifri. Ond, dwi'n cofio rhai o'r ymarferion anadlu y buon ni'n eu dilyn a bydda i'n dal i'w defnyddio heddiw. Cefais gyfleon i berfformio a blasu diwylliant gan fod cwmni noson lawen ganddon ni a bydden ni'n mynd o gwmpas nifer o gymdeithasau yn cynnal nosweithiau. Byddai darlithwyr fel Eira Phillips, Ann Rosser a Mansel Thomas yn ymuno yn yr hwyl.

Roedd tîm rygbi go lew ganddon ni hefyd a byddai gêm bob dydd Mercher gan chwarae fel arfer yn erbyn colegau eraill, ond ar y Sadyrnau byddem yn chwarae yn erbyn clybiau'r Gorllewin a hwythau wrth eu bodd yn cael chwarae'n fudur yn erbyn myfyrwyr. Byddai darlithoedd fore dydd Iau yn broblem yn dilyn y cymdeithasu wedi'r gêmau dydd Mercher. Roedden ni'n meddwl ein bod ni'n fois ffit a chryf, ond anghofia i fyth mo'r sesiwn ymarfer efo neb llai na Gareth Jenkins, hyfforddwr Llanelli. Bois bach, dyna beth oedd *reality check*. Mi chwydais i ddwywaith os nad teirgwaith. Dwi'n cofio meddwl bod fy ysgyfaint yn mynd i ffrwydro, roedd pawb bron â marw a sylwais ar ryw wên fach ddirmygus ar wyneb Gareth Jenkins wrth iddo holi ar ddiwedd y sesiwn oedden ni wedi mwynhau. Roedd Clive Jones-Davies, Prifathro'r coleg ar y pryd, yn falch iawn o dîm rygbi a chriced y coleg. Dwi'n cofio ei weld yn brasgamu ar y cae yn ystod gêm i roi llond ceg i'r reffarî am beidio â chosbi chwaraewr o'r tîm arall am chwarae'n fudur yn erbyn un o'i hogia fo. Roedd pob un ohonon ni ar y cae yn goch at ein clustiau gan embaras, a'r tîm arall yn chwerthin am ein pennau. Disgynnodd y 'niwl coch' drosto y diwrnod hwnnw.

Mantais fawr oedd bod gan Glwb Rygbi Coleg y Drindod statws Undeb Rygbi Cymru ac felly bydden ni'n derbyn dros 50 o docynnau i bob gêm ryngwladol. Mi gofiaf am byth sefyll y tu ôl i'r pyst pan giciodd Paul Thorburn y gic gosb anhygoel honno o'i hanner ei hun yn erbyn yr Alban. Mi welais i gêm ola Terry Holmes i Gymru a chael nifer o atgofion melys wrth deithio i Iwerddon a'r Alban ond caiff yr hanesion hynny aros yn saff yn y cof!

Yn y dyddiau hynny, gan na fydden ni'n dysgu plant tan y drydedd flwyddyn byddai rhai myfyrwyr yn darganfod nad oedden nhw'n medru ymdopi â dysgu a hwythau wedi dilyn y cwrs am ddwy flynedd. Roedd hyn mor greulon ac aeth ambell fyfyriwr yn sâl gan ofid. Erbyn heddiw cânt y profiad o ddysgu yn fuan iawn yn ystod y cwrs a chael cyfle i benderfynu a yw bod yn athro neu'n athrawes at eu dant.

Mi ges i dri chyfnod hapus iawn o ymarfer dysgu, yn ysgolion Drefach, Tymbl a Phontyberem, gan dderbyn croeso cynnes iawn yn y tair ysgol gan y plant a'r athrawon. Ar ôl gweithio'n galed yn ystod y tymor ola mi dderbyniais radd 2ii Baglor mewn Addysg gydag Anrhydedd yn haf 1989.

Mae dyddiau coleg yn ddyddiau arbennig iawn ac yn gyfnod pwysig yn natblygiad person ifanc. Mae'r ffrindiau a wnes yn y cyfnod hwnnw efo fi am weddill fy oes er i mi golli cysylltiad â rhai am flynyddoedd, ond mae'n rhyfedd, wrth eu hailgyfarfod mae'r berthynas yn dal yno. Dau o fy ffrindiau gorau yno oedd Rhys Bleddyn o Lanbrynmair a Bill Vaughan o Iwerddon. Cawson ni'n tri nifer o anturiaethau ond gwell peidio â'u rhoi ar bapur fan hyn!

Pan oeddwn i'n canu yn Carnegie Hall yn ddiweddar daeth dyn o'r enw Bowen Depke i'r cyngerdd a fu yng Ngholeg y Drindod fel myfyriwr cyfnewid am dymor o Central College, Iowa, a doedden ni ddim wedi gweld ein gilydd ers 28 o flynyddoedd. Ar ôl rhyw bum munud roedd ein perthynas yn union fel pe baen ni yn ôl yng Ngholeg y Drindod yn 1985 – yr atgofion yn llifo a'r chwerthin yr un mor uchel.

Alla i ddim gadael fy nghyfnod yng Ngholeg y Drindod heb sôn am gyfaill a mentor arbennig iawn i mi a'm ffrindiau, sef John Japheth. Roedd o'n glust i wrando, yn ddoeth ei gyngor a bob amser yn barod ei gymorth. Mi gychwynnodd fel warden yn yr un tymor ag y cychwynnon ni fel myfyrwyr ac roedd y creadur yn cysgu ar yr un coridor â ni – neu fethu cysgu! Roeddwn i'n hynod o falch iddo gael byw i fod efo fi pan oeddwn i'n derbyn yr anrhydedd o fod yn Gymrawd Coleg y Drindod Dewi Sant.

6

Fy swydd gynta

WRTH EDRYCH YN ôl ar gyfnod yr arddegau hwyr ac ugeiniau cynnar mae'n rhyfedd 'mod i cystal. Meddyliwch am gael ail-fyw'r cyfnod hwnnw efo'r profiadau a'r doethineb sydd gennych erbyn hyn. Mi fyddwn i wedi gwneud llawer iawn llai o gamgymeriadau ac wedi gwneud penderfyniadau doethach, mae hynny'n sicr, er efallai na fyddwn i wedi mentro cymaint chwaith. Yn sicr, fyddwn i ddim wedi cael y profiad o ddysgu wrth wneud camgymeriadau, a byddai bywyd yn wahanol iawn heddiw pe na bawn i wedi gwneud rhai o'r camgymeriadau hynny.

Roeddwn wedi bod yn canlyn merch drwy ran helaeth o 'mywyd yng Ngholeg y Drindod. Mae'n rhyfedd sut mae'n bosib syrthio i'r trap hwnnw o hwylustod ac arferiad mewn carwriaeth. Er ei bod hi ddwy flynedd yn hŷn na mi ac er i ni dreulio'r ddwy flynedd ola yn y coleg ar wahân, gan ei bod hi wedi gadael i fod yn athrawes yn Wrecsam, mi barhaodd y garwriaeth rywsut. Rhyw fynd a dod oedd y cariad rhyngon ni, os mai gwir gariad ydoedd wrth edrych yn ôl, gan i mi ddarganfod gwir gariad yn ddiweddarach.

Heb yn wybod i mi ar y pryd, un o'm camgymeriadau mwya mewn bywyd oedd parhau â'r garwriaeth honno a phenderfynu priodi yn syth ar ôl i mi adael coleg. Ar ôl priodi mi ymgartrefon ni yng Ngharrog ger Corwen – pentre bach llawn cymeriad a llawn cymeriadau. Roeddwn wedi derbyn swydd fel athro, ar fy mlwyddyn brawf, yn Ysgol Pen y Bryn, yn Nhywyn, Sir Feirionnydd. Arwel Pierce oedd y prifathro ac rwy'n hynod ddyledus iddo am ei arweiniad gofalus yn ystod fy mlwyddyn yno. Gan 'mod i'n byw yng Ngharrog ac yn gweithio yn Nhywyn, roeddwn felly'n teithio dros gan milltir yn ddyddiol. Mae'n rhyfedd, wrth edrych yn ôl, sut roeddwn i wedi gallu gwneud y ffasiwn beth ond cawn ddigon o amser i feddwl yn yr hen Ford Fiesta bach disel wrth fynd yn ôl a blaen drwy rai o olygfeydd godidocaf Cymru.

Yn ystod y cyfnod hwnnw, 1989–90, cefais y cyfle i ganu mewn côr meibion am y tro cynta. Roeddwn wedi clywed bod yna gôr meibion yng Nghorwen o'r enw Côr Meibion Glyndŵr. Deuai'r enw â gwên i'r wyneb, wrth gwrs, ond deallais yn ddiweddarach mai'r enw swyddogol oedd Côr Meibion Bro Glyndŵr, rhag ofn y byddai camddealltwriaeth! Dwi'n cofio prynu casét y côr a'i chwarae yn y car bach wrth deithio'n ôl ac ymlaen o Garrog i Dywyn. Roedd sain arbennig gan y côr ac wrth deithio byddwn yn cydganu â nhw ar dop fy llais. Dwi'n siŵr fod pobl yn edrych yn hollol wirion arna i.

Pan ges i fy nerbyn i'r côr gan yr arweinyddes, Ann Atkinson, roeddwn wrth fy modd, a chofiaf am byth y boddhad wrth ganu yn fy ymarfer cynta. Mi ges groeso cynnes iawn gan yr hogia ac Ann. Sylweddolais yn fuan fod ganddi dalent arbennig iawn fel arweinyddes ac fel cantores. Roedd cymeriadau hoffus iawn fel Ian Lebbon, Islwyn Pen Bryn, Dereck y Bwtshar a'r baswr bendigedig Len Atkinson ac eraill yn y côr, a gwnaethon nhw'n siŵr bod fy nghyfnod efo nhw yn un cofiadwy. Wna i byth anghofio'r daith i'r Iseldiroedd yn 1990 a Trebor Edwards ac Alun Jones, y baswr o Gwm Prysor, wedi ymuno â ni fel unawdwyr. Mi gawson groeso anhygoel a phrofiadau gwych, megis canu'r emyn 'Rhys' ym mynwent Arnhem – mae blew fy nghefn yn codi rŵan wrth ysgrifennu'r geiriau hyn. Mynwent sydd yno yn llawn beddau bechgyn ifainc a laddwyd yn eu cannoedd oherwydd iddynt gael eu gollwng o awyrennau yn y man anghywir, gan roi'r cyfle i filwyr yr Almaen eu saethu, a hwythau'n methu amddiffyn eu hunain wrth ddisgyn yn eu parasiwtiau. Anghofia i mo'r cwpled a welais ar fedd Cymro ifanc, deunaw mlwydd oed, yng nghanol y fynwent:

Gresyn i flodeuyn mor deg
Ei fedi cyn fo'i adeg.

A minnau wedi bod yn chwarae rygbi i Borthmadog ac i Goleg y Drindod, roeddwn ar dân i chwarae eto ac roedd rhaid dod o hyd i glwb lleol. Gan fod gen i gymaint o gysylltiadau teuluol yn ardal Llanuwchllyn a 'mod i'n pasio drwy'r Bala ddeg gwaith yr wythnos wrth fynd a dod o'm gwaith, roedd ymuno â Chlwb Rygbi'r Bala yn gam naturiol. Roedd dau dîm cryf iawn yno dan oruchwyliaeth ofalus Rhys Jones, Llandrillo – cymeriad a hanner. Byddai'r ymarfer ar nos Fawrth a byddwn yn galw heibio Nain yn Llanuwchllyn am swper cyn ymuno â'r hogia. Dwi'n falch iawn i mi gael treulio amser efo Nain a chael cyfle i holi am linach y teulu a rhoi'r byd yn ei le. Ond byddai'r sgwrs bob amser yn agor efo Nain yn ceisio 'narbwyllo i fod rygbi'n gêm wirion a pheryg, a bod yn rhaid i mi fod yn ofalus.

Ces groeso cynnes iawn gan hogia Clwb

Rygbi'r Bala. Roedd yn llawn cymeriadau a byddai'r canu ar ôl chwarae yn rhan bwysig iawn o bob gêm. Ar ôl rhyw fis neu ddau yn yr ail dîm mi ges gyfle i fynd efo'r tîm cynta i Fro Ffestiniog fel eilydd. Gêm o dan lifoleuadau oedd hi a dwi'n cofio bod yn nerfus iawn gan 'mod i eisiau gwneud fy marc, a doeddwn i erioed wedi chwarae o dan lifoleuadau cyn hynny. Mi ges fy nghyfle fel cefnwr yn yr ail hanner ac aeth pethau'n dda iawn tan i mi orfod maesu cic uchel. Roedd hi'n noson wyntog ac roedd ceisio gweld y bêl yn erbyn yr awyr ddu yn anodd. Felly, rhwng y gwynt a'r llifoleuadau, wrth fynd i ddal y bêl, a oedd yn hongian yn yr awyr am amser annaturiol o hir a minnau'n ymwybodol bod blaenwyr Bro yn rhedeg ata i fel bustych gwyllt, mi laniodd blaen y bêl ar flaen fy mys canol gan blygu'r bys a'i ddatgymalu. Roedd yn noson mor oer fel na theimlais i'r boen pan roddwyd y bys yn ôl yn ei le. Rhoddwyd tâp amdano a'r gorchymyn, 'Carry on'! Roedd yn brifo drannoeth a'i liw wedi newid i fod yn bob lliw dan haul.

Mae un gêm, un digwyddiad, un foment, un penderfyniad yn aros yn y cof o chwarae i'r Bala. Yn wir, mae'n fy nghythruddo hyd heddiw pan dwi'n atgoffa fy hun ohono. Gêm gwpan oedd hi yn erbyn Nant-y-glo, gêm Cwpan y Bragwyr (The Brewers Cup) ac roedd hi'n gêm dyngedfennol oherwydd roedden ni yn y drydedd rownd a byddai'r enillydd yn cael chwarae yn rownd gynta Cwpan Schweppes y flwyddyn ganlynol. Byddai siawns wedyn o chwarae'n erbyn rhai o'r timau mawr yn y gwpan honno.

Heb os nac oni bai roedd cryfder Bala yr adeg honno yn y blaenwyr. Yn amlach na pheidio roedd yr hogia'n chwalu pac y gwrthwynebwyr yn rhacs – hogia fel Brian 'Yogi' Davies, Arfon Dalgeti, Hywel Rhys Roberts (Hyw Rhys), Dilwyn 'Porcyn' Morgan, y brodyr Emyr ac Arwel Wernfiseg, Euros Puw a Dyfeuty, y capten. Malwrs go iawn. Roedden nhw'n feistri corn ar flaenwyr Nant-y-glo a gyda munud i fynd o'r gêm roedden ni ar y blaen 12–8 pan gafodd Nant-y-glo sgrym ar eu llinell eu hunain. Y gêm ar ben, fwy na heb, ond... enillodd Nant y Glo'r bêl o'r sgrym ac aeth allan i'w holwyr. Roedd gan y gwrthwynebwyr ganolwr oedd wedi bod yn chwarae i Lyn Ebwy ac mi aeth y bêl ato fo, y tu ôl i'w byst ei hun. Mi dorrodd o drwodd hyd at hanner ffordd a phasio'r bêl i'r asgellwr, mi aeth heibio i ddau neu dri a sgorio cais yn y gornel. Methwyd y trosiad ac roedd hi'n 12–13. Roedd y gêm erbyn hyn yn yr amser ychwanegol. Mi gymerais y gic ailgychwyn ac yn syth bron dyma'r reffarî yn rhoi cic gosb i ni yn agos at y llinell 10 metr yn hanner Nant-y-glo, rhwng yr ystlys a chanol y cae. Y fi fyddai'n cymryd y ciciau at y pyst agos, a Brian Yogi'n cymryd y rhai pell. Roedd y gic yma ar eithafion fy mhellter, a doedd amseru fy nghicio y diwrnod hwnnw, am ryw reswm, ddim fel y dylai fod. Ar ôl trafod efo Dyfeuty, y capten, dyma fi'n penderfynu rhoi'r cyfrifoldeb i Yogi. Roedd gan Yogi gic fel mul, yn gallu cicio'n bell ond byddai cyfeiriad y bêl yn anghyson weithiau. Cymerodd Yogi'r gic, roedd y pellter yno ond aeth heibio i'r postyn. Canodd y chwiban, collwyd y gêm a chollwyd y siawns o chwarae yng Nghwpan Schweppes. Be fyddai wedi digwydd petawn *i* wedi cymryd y gic? Fyddai'r amseru wedi bod yn iawn ac a fyddai'r bêl wedi hedfan drwy'r pyst, y fflagiau wedi'u codi, y sgôr terfynol yn 15–13 a Bala yng Nghwpan Schweppes y flwyddyn ganlynol? Dwi wedi cysidro mynd i'r union fan lle rhoddwyd y gic gosb, yn ddistaw bach, heb neb o gwmpas, gosod y bêl a chymryd y gic, er mwyn gweld a fyddwn i wedi llwyddo ai peidio. Mae'n rhyfedd sut mae digwyddiad fel yna'n dal i frifo er bod bron i bedair blynedd ar hugain wedi pasio. Rhaid bod yn rhan o dîm mewn sefyllfa gystadleuol i ddeall hynny.

Alla i ddim peidio â thalu teyrnged i'r

chwaraewr a gymerodd y gic y diwrnod hwnnw, sef Brian Yogi Davies. Dwi'n cofio'r foment y clywais am ei ddamwain erchyll. Mae bywyd, ffawd, trefn rhagluniaeth, galwch o be fynnwch chi, yn gallu bod yn ddirmygus o greulon. Gêm ola'r tymor oedd hi, a honno wedi'i gohirio yn gynharach yn y tymor, a Yogi'n datgan mai dyma fyddai ei gêm ola ac wedi cael ei benodi'n gapten am y diwrnod. Yn gynnar yn y gêm ola honno, chwalodd y sgrym a dymchwel, a Brei'n cael ei blygu'n gam a thorri ei wddw. Mewn eiliad greulon roedd yn ddiymadferth o'i wddf i lawr, ac yn gorfod dibynnu ar beiriant i anadlu drosto am weddill ei oes. Ond roedd o'n graig mewn sgrym ac yn graig hefyd yn wyneb yr erchyllterau oedd yn ei arteithio o ganlyniad i'r ddamwain.

Mae'r achlysur pan es i i'w weld yn yr ysbyty yn Stockport efo Huw Howatson yn fyw yn y cof. Dwi'n cofio poeni, a meddwl be oeddwn am ei ddweud wrtho? Sut roeddwn i'n mynd i geisio codi ei galon? A fyddai o eisiau ein gweld ni? Ond doedd dim angen i mi boeni dim. Yn wir, mi fydda i'n edrych yn ôl ar yr ymweliad fel un o wersi mwya 'mywyd i. Anghofia i fyth mo'r wên ar ei wyneb pan welodd o ni'n cerdded i mewn. Dyna lle'r oedd o'n gorwedd, yn methu symud, peiriant yn anadlu drosto ac yn dweud drwy ei wên ddireidus, 'Sut wyt ti'r diawl?'. Er ei sefyllfa annirnadwy o anobeithiol, roedd yn parhau i fod yn bositif, yn llawn hiwmor ac yn llawn gobaith. Aeth y tynnu coes a'r sgwrsio ymlaen ac wrth gwrs, fel byddai o wastad yn fy atgoffa, y fo ddysgodd fi i ganu ym Mhlas Coch, y Bala, pan fyddai o'n morio canu ar ôl gêm. Mi wnaeth argraff ddofn arna i, fel y gwnaeth ar bawb aeth i'w weld yr adeg honno. Roeddwn i'n mynd i Stockport i geisio gwneud i Yogi deimlo'n well ond fel arall y gweithiodd hi – fe wnaeth Yogi fy ysbrydoli a gwneud i mi deimlo'n well. Mi barhaodd yn hollol bositif tan y diwedd trwy gadw'n brysur yn hyfforddi, a chydlynu trefniadau adeiladu'r estyniad i ystafelloedd newid y tîm yng nghlwb y Bala. Roedd bod yn y gwasanaeth teyrnged ar ddiwrnod cynhebrwng Yogi yn brofiad arbennig iawn ac roedd cael canu yng nghôr y cyn-chwaraewyr yn brofiad ysgytwol. Diolch am y gwersi, Yogi, roeddet yn arwr yng ngwir ystyr y gair. Da chi ddarllenwyr, peidiwch â chwyno am bethau bychain, dibwys mewn bywyd, gallai pethau fod yn llawer iawn gwaeth. Cyfrwch eich bendithion.

Ar ôl blwyddyn o ddysgu yn Ysgol Pen y Bryn, Tywyn a phasio fy mlwyddyn brawf, mi benderfynais chwilio am swydd yn agosach at Garrog. Ar ôl chwilio a ffonio mi welais fod swydd athro yn cael ei hysbysebu yn Ysgol Twm o'r Nant, Dinbych. Mi lenwais y ffurflen gais ac mi ges gynnig cyfweliad. Dwi ddim yn cofio llawer am y cyfweliad hwnnw ond yn cofio'r argraff gafodd awyrgylch hapus, cartrefol yr ysgol arna i wrth i mi ymweld am y tro cynta. Mi ges y swydd ac roeddwn i'n edrych ymlaen yn fawr at gychwyn yno ym mis Medi 1990.

Fel roeddwn i'n ffodus o gael Arwel Pierce i'm harwain a'm meithrin fel athro ifanc yn Ysgol Pen y Bryn, roeddwn i'n ffodus o gael Elis Jones, Gwyneth Ann a Sian Davies yn Ysgol Twm o'r Nant. Mae pawb sy'n adnabod Elis Jones yn gwybod ei fod yn hoff o dynnu coes, ond doeddwn i ddim wedi cael fy rhybuddio am hyn wrth gychwyn ar fy swydd newydd. Ar ddiwedd fy niwrnod cynta roeddwn i'n sefyll wrth ddrws fy nosbarth ac mi welais Elis Jones yn cerdded tuag ata i, a dynes wrth ei ochr yn edrych yn flin arna i. Wrth gyrraedd dyma Elis yn dweud, 'Cerwch i mewn i'r dosbarth, Mrs Jones, mi ddown ni atoch chi mewn dau funud.' Wedi iddi fynd i mewn ac Elis wedi cau'r drws, gofynnodd i mi, 'Be ddiawl wyt ti wedi'i wneud i'w phlentyn hi?' Aeth ymlaen i ddweud bod ei hogyn wedi rhedeg ati'n crio gan 'mod i wedi'i ddamio yn ystod y dydd a'i bod hi eisiau esboniad llawn gen i. Roeddwn wedi gorfod codi fy llais ar un hogyn drwg fel roedd hi'n digwydd. I mewn â ni, a 'nghalon yn pwmpio'n gyflym. Fy niwrnod cynta, a rhiant eisiau gwneud cwyn amdana i! Wrth fynd i mewn i'r dosbarth a cherdded tuag at Mrs Jones, mi welodd y boen ar fy wyneb a dechreuodd chwerthin. Nid rhiant oedd hi, ond Anwen Jones, gwraig Elis, a dyna'i ffordd o o'i chyflwyno i mi. Felly, dyna ddechrau ar berthynas hapus, a llawer o hwyl a llwyddiannau drwy weithio a chydweithio.

Dwi'n cofio talu'n ôl am ei ddireidi, er dwi'n amau nad oedd yn gwybod mai fi oedd y tu ôl i hynny. Âi llwybr cyhoeddus ar hyd ochr cae chwarae Ysgol Twm o'r Nant ac roedd yn boen meddwl mawr i Elis Jones fod perchnogion cŵn yn caniatáu i'w cŵn adael carthion ar dir yr ysgol. Roedd hi'n broblem ddifrifol ac mae'n anodd deall sut mae pobl yn gallu bod mor anystyriol. Roedd Elis yn wallgof am hyn a byddai'n mynd allan i siarad â hwy a'u rhybuddio. Gosodwyd arwyddion ar bob mynedfa i'r ysgol yn datgan y byddai canlyniadau difrifol pe bai cŵn yn baeddu tir yr ysgol. Ond roedd y broblem yn parhau. Yn y diwedd mi gysylltodd Elis â'r *Denbighshire Free Press* a chyhoeddwyd erthygl yn y papur a llun Elis yn edrych yn gas.

Wrth fynd am dro i'r Rhyl y dydd Sul hwnnw mi welais garthion plastig mewn siop jôcs. Es i'r ysgol yn gynnar y bore wedyn a gosod y carthion plastig ar sêt Elis yn ei swyddfa. Roedd yntau ar dân eisiau gwybod pwy oedd y dihiryn, a dwi ddim yn credu bod unrhyw un wedi 'mradychu i. Felly, Elis, dyma fi'n cyfadde a gofyn am faddeuant am fod mor blentynnaidd!

Roeddwn i yng ngofal dosbarth o blant Blwyddyn 5 ac wrth fy modd yn eu gweld yn dysgu ac yn datblygu. Credwn yn gryf yn y tair 'R', sef Mathemateg, darllen ac ysgrifennu. Roeddwn yn argyhoeddedig hefyd fod plant yn elwa drwy berfformio a bod yn aelod o dîm, boed o'n gôr, parti cerdd dant, dawnsio gwerin, parti cydadrodd, cân actol, sioe Nadolig, tîm pêl-droed, pêl-rwyd, rygbi neu athletau. Yn fy marn i, meithrinfa yw ysgol gynradd i ddatblygu personoliaeth a chymeriad, datblygu sgiliau cymdeithasol, sgiliau cydweithio a magu hyder. Wrth wneud hyn bydd y plant yn dod i ddeall gwerthoedd bywyd, yn dysgu parchu pobl eraill a bod yn falch o lwyddiannau eu ffrindiau yn ogystal â bod yn wylaidd wrth lwyddo'n bersonol. Mae addysg wedi bod yn degan politicaidd ers degawdau, a'r cwricwlwm a'r polisïau'n newid cyn cael cyfle i brofi eu gwerth. Mae bodolaeth strategaethau sy'n lefelu plant

Blwyddyn 2 yn fy nghythruddo i'n fawr. Ydyn nhw'n deall eu bod yn rhoi pwysau ar athrawon i weithio tuag at brofion yn hytrach na datblygu'r plant i fod yn bobl gytbwys?

Er 'mod i'n mwynhau bod yn y dosbarth, byddwn yn mwynhau gweithgareddau allgyrsiol hyd yn oed yn fwy. Roedd cyfrifoldebau cerdd a chwaraeon gen i ac mi ges i'r cyfle i gychwyn tîm rygbi yn yr ysgol. Chwarae teg, roedd Elis Jones wedi gweld potensial i'r tîm gan iddo archebu cit newydd i ni yn lliw'r ysgol, sef glas. Mi gawson ni gryn lwyddiant ac mae dau achlysur yn aros yn y cof. Mi enillon ni dwrnament rhanbarthol yr Urdd ac felly aethon ni i Aberystwyth i gystadlu ar lefel genedlaethol. Yng nghystadleuaeth rygbi'r Urdd i oedran cynradd yr adeg honno roedd naw chwaraewr ym mhob tîm, a chaent wthio yn y sgrymiau a thaclo. Roedd yr hogia wrth eu bodd ac mi aethon ni'n daclus iawn drwy rownd y grwpiau, ennill y chwarteri a'r rownd gynderfynol. Roedden ni yn y rownd derfynol yn erbyn tîm o ardal Pen-y-bont, ac roedd yr enwog JPR Williams wedi bod yn eu hyfforddi. Roedden ni wedi sylwi bod eu rhieni'n swnllyd iawn ac yn llawn hyder. Roedd hi'n gêm ddigyfaddawd a'r ddau dîm yn mynd benben â'i gilydd.

Ni oedd ar y blaen ar hanner amser ond roedd ganddyn nhw hogia mwy o lawer na ni ond ein bod ni'n gyflymach na nhw. Felly, dwi'n cofio dweud wrth y tîm am basio'r bêl allan i'r mannau agored cyn gynted â phosib o'r sgrymiau a'r llinellau. Â rhyw ddau funud i fynd roedd Pen-y-bont ar y blaen o bwynt ac mi ddigwyddodd rhywbeth sy'n dal i 'nghythruddo i heddiw, ac yn dangos rhieni ar eu gwaetha. A ninnau ar ei hôl hi o bwynt, mi ddaeth Aled Roberts yn sydyn o hyd i le ar yr asgell chwith tua'r hanner ffordd. Mi aeth amdani. Ar y llinell 25 roedd ganddo un dyn i'w guro, mi ffugiodd i fynd ar y tu fewn ac yna fynd y tu allan iddo gan faeddu ei ddyn. Roedd Aled o leia chwe modfedd y tu mewn i'r ystlys, aeth yr holl ffordd a sgorio cais. Yr ystlys lle'r oedd rhieni a chefnogwyr Pen-y-bont yn sefyll oedd honno a dyma un ohonyn nhw'n codi ei law yn llawn argyhoeddiad a gweiddi, 'Touch, ref! He was in touch,' ac yn syth dyma nhw i gyd yn gweiddi ei fod dros yr ystlys. Roedd y dyfarnwr yng nghanol y cae pan aeth Aled yn agos at yr ystlys ac felly roedd yn amhosib iddo yntau weld. Mi blygodd y dyfarnwr i'r rhai oedd uchaf eu cloch a gwrthod caniatáu'r cais. Mi drowyd y gyllell pan edrychodd rhai o rieni Pen-y-bont ar yr un a gododd ei law gan chwerthin, cyn i hwnnw roi winc ddirmygus. Mi ganodd y chwiban ola ac roedd rhieni Pen-y-bont yn uchel eu cloch, a hogia Twm o'r Nant yn siomedig iawn ac un neu ddau yn eu dagrau. Mi ddywedais wrth y tîm y dylen nhw fod yn falch iawn o'u hymdrech, a'i bod hi'n amhosib curo twyllwyr. Enw Ysgol Twm o'r Nant ddylai fod ar y gwpan y flwyddyn honno.

Mi garion ni'r siom i mewn i gystadleuaeth arall, sef Cystadleuaeth Rygbi'r Ddraig – cystadleuaeth genedlaethol Undeb Rygbi Cymru i ysgolion. Cystadleuaeth Touch Rugby oedd hi. Eto, mi enillon ni'r gystadleuaeth ranbarthol a chawson ni fynd ymlaen i'r rowndiau terfynol yng Nghaerdydd. Naw bob ochr eto a'r tro yma nid oedd taclo na gwthio yn y sgrym ac roedd yn rhaid cynnwys dwy ferch ym mhob tîm. Unwaith eto, mi aethon ni drwy rowndiau'r grŵp yn daclus iawn a churo Llanelli ac Abertawe i fynd i'r rownd derfynol yn erbyn Caerdydd. Y tro hwn mi enillon ni'r rownd derfynol a dod yn bencampwyr cenedlaethol Rygbi'r Ddraig. Mi gawson ni gwpan anferth a gyflwynwyd i ni gan Geraint John. Roedden ni'n teimlo bod rhyw anghrediniaeth fod tîm o'r gogledd wedi dod i'r brig a doedd fawr o ffŷs wrth gyflwyno'r gwpan i ni.

Roedd Ron Waldron yno, a oedd

yn hyfforddi Cymru ar y pryd, ac mi longyfarchodd ni ar ein llwyddiant a gofyn sut roeddwn wedi llwyddo i greu chwaraewyr oedd yn deall y syniad o greu a manteisio ar lefydd gwag. Un peth allweddol a wnaethon ni, yn wahanol i'r lleill, oedd rhoi ein chwaraewyr gwannaf rhwng dau chwaraewr da. Rhoddodd y timau eraill eu chwaraewyr gwannaf ar yr esgyll ac felly doedd neb i roi cymorth iddynt ar y tu allan. Mi fanteision ni ar hynny trwy sgorio nifer o geisiadau allan yn llydan. Da iawn, meddai Mr Waldron. Roeddwn i wedi gobeithio y cawn i wahoddiad i hyfforddi tîm Cymru efo fo, ond ddaeth y gwahoddiad ddim!

Tua diwedd fy mlwyddyn gynta yn Ysgol Twm o'r Nant, mi ddaeth yn hollol amlwg bod fy mhriodas gynta wedi bod yn gamgymeriad, o safbwynt y ddau ohonon ni. Yn fuan, deallon ni'n dau ein bod ni'n hollol wahanol i'n gilydd ac nad oedden ni'n anelu am yr un pethau mewn bywyd. Felly, ar ôl cwta ddeunaw mis o fywyd priodasol mi benderfynon ni wahanu. Ar y pryd roeddwn i'n teimlo rhywfaint o gywilydd ac roedd arnaf ofn 'mod i wedi siomi pobl, yn enwedig Mam a Dad. O edrych yn ôl mae'r holl beth yn hen newyddion sydd wedi mynd ar goll ynghanol tapestri bywyd. Un peth dwi'n ddiolchgar amdano hyd heddiw yw'r ffaith nad oedd ganddon ni blant ac felly, yn y diwedd, doedd neb i'w ystyried ond ni'n dau. Wedi gwahanu a symud i fyw i Ruthun y dechreuodd fy mywyd go iawn.

7

Rhuthun

ROEDD TUDUR PUW, un o fy ffrindiau gorau o Borthmadog, wedi symud i fyw i Ruthun yn y nawdegau cynnar i weithio i ADAS. Roeddwn yn ymddiried ynddo a phan chwalodd y briodas mi ges ymgartrefu efo fo yn Stryd Mwrog, Rhuthun tua mis Mehefin 1991. Roedd y ddau ohonon ni wedi ymuno ag Aelwyd Bro Gwerfyl a Chlwb Rygbi Rhuthun ers rhai wythnosau, ni'n dau o'r un anian ac yn mwynhau'r un pethau sef diwylliant Cymreig, chwarae rygbi a chymdeithasu.

Roedd y tŷ yn daclus iawn ac roedd Tudur yn dipyn o gogydd tra 'mod i wedi arfer, ers dyddiau coleg, byw ar bethau cyffredin fel bîns ar dost, neu sosej, bîns a tships, neu decawê. Bu byw efo Tudur yn agoriad llygad ac roeddwn wrth fy modd yn gwylio Tudur yn coginio, yn defnyddio cynhwysion nad oeddwn i wedi clywed amdanyn nhw cyn hynny. Mi ddaethon ni i ddealltwriaeth yn sydyn iawn mai Tudur fyddai'n coginio a finna'n clirio a golchi'r llestri. Roedd bywyd yn gyffrous unwaith eto a chymaint o bethau i edrych ymlaen atyn nhw.

Pan gychwynnais yn Ysgol Twm o'r Nant ym mis Medi 1990 roeddwn i wedi sylwi ar weinyddes feithrin fach ddigon del. Roedd hi'n hogan glên ac yn edrych yn dda iawn yn ei sgert fach siec, frown – mae'n rhyfedd be sy'n aros yn y cof, yn tydy?! Daeth i mewn i'r ysgol un bore yn edrych yn betrusgar iawn am fod un o olwynion ei char yn fflat ac yn poeni sut roedd am fynd adre. Fel rêl gŵr bonheddig mi gynigiais newid yr olwyn iddi ac mi dderbyniodd fy nghynnig â gwên. Mi ddeallais wedyn fod athro ifanc arall yn yr ysgol, Gareth Roberts, wedi cynnig a'i bod wedi'i wrthod gan ddweud y byddai ei thad yn galw heibio i newid yr olwyn. Ond dyna fo, roeddwn wedi priodi ar y pryd a doedd dim posib gwneud dim, er fy mod wedi cynhesu ati. Dim ond am ryw chwe wythnos y bu hi yno, a gadawodd yr ysgol ar ôl hanner tymor yr hydref.

Byddai Tudur yn mynd i Gôr Rhuthun ac Aelwyd Bro Gwerfyl ac roedd wedi dechrau canlyn alto fach ddel o'r enw Catrin. Byddai Côr Rhuthun yn ymarfer bob nos Iau ac yn dilyn yr ymarfer bydden nhw'n mynd i dafarn y Wynnstay yn Rhuthun i iro'r llwnc ar ôl awr a hanner o ganu. Ces wahoddiad gan Tudur i ymuno â nhw yn y Wynnstay wedi'r ymarfer un noson ac wrth y bar mi gyflwynodd Tudur fi i bawb, gan gynnwys Catrin, ei gariad newydd. Wyddoch chi pwy oedd yno hefyd? Wel, yr hen weinyddes feithrin fach dlws yna o Ysgol Twm o'r Nant nad oeddwn wedi'i gweld ers iddi orffen yn yr ysgol ryw wyth mis ynghynt. A wyddoch chi be? Roedd hi'n chwaer i Catrin, cariad newydd Tudur.

Roedd y penwythnosau fel bod yn ôl yn y coleg unwaith eto – chwarae rygbi i ail dîm Rhuthun yn y dydd ac yna allan gyda'r nos. Byddai criw Côr Rhuthun allan bob penwythnos, a byddai'r noson yn gorffen efo llond bol o chwerthin a chanu. Un nos Sadwrn yn Rhuthun, ym mis Gorffennaf 1991, roedden ni allan yn mwynhau'n hunain fel arfer a'r weinyddes feithrin allan hefyd yn mwynhau'r hwyl. Roedd parti yn nhŷ Tudur y noson honno ac roedd rhai wedi trefnu i aros efo ni yn Stryd Mwrog a dyma fi'n perswadio'r weinyddes feithrin i wneud yr un peth. Yng nghanol yr hwyl mi gollon ni'r lleill, rywsut, a dyna lle'r oeddwn i a'r weinyddes feithrin fach ddel yn cerdded i lawr am Stryd Mwrog i'r parti. Ar y bont, wrth garej Texaco mi arhoson ni am eiliad i edrych ar yr afon, daeth plwc o hyder o rywle, es amdani yn y fan a'r lle ac mi gusanodd Nia a finna am y tro cynta.

Ia, Nia, y weinyddes feithrin fach dlws yw fy ngwraig ers 19 mlynedd bellach.

Diolch byth fod Tudur wedi 'mherswadio i i ymuno ag Aelwyd Bro Gwerfyl achos mae gen i lu o atgofion melys iawn am y cyngherddau, y nosweithiau llawen a'r cystadlu wrth gwrs. Roedden ni mor lwcus i gael arweinyddes heb ei hail, un oedd â'r gallu i drin a thrafod pobl ifanc, ac oedd wedi'i magu yn y pethau, sef Margaret Edwards. Mi gawson ni gyfnod hynod o lwyddiannus yn y nawdegau cynnar gan ennill y darian am yr aelwyd fwyaf llwyddiannus ddwywaith, os nad teirgwaith, a dod i'r brig mewn nifer o gystadlaethau llwyfan. Mi enillodd y Parti Cerdd Dant y wobr gynta saith mlynedd o'r bron, sy'n gamp anhygoel. Byddai'r ymarferion yn llawn hwyl, a hwnnw'n hwyl diniwed. Dwi'n cofio Margaret yn damio'r baswyr un noson gan ddweud eu bod yn canu fel 'bustych'! Daeth yr ymarfer i stop pan ofynnodd Margaret i'w merch, Elin, fynd i helpu ni'r tenoriaid i gael ein nodau yn gywir gan ofyn iddi'n hollol ddiniwed, 'Elin, elli di fynd i godi tenor?' Mae'r cyfnod hwnnw gydag Aelwyd Bro Gwerfyl yn annwyl iawn i mi, cael bod ynghanol diwylliant Cymraeg, creu bwrlwm mewn awyrgylch iach, llawn hwyl, a phawb â pharch dihafal at ein harweinyddes. Dwi'n dal i deimlo'r bwrlwm a'r cyffro hwnnw ar nos Sadwrn Eisteddfod yr Urdd pan fydd yr Aelwydydd yn mynd benben â'i gilydd, er bod bron i ugain mlynedd bellach ers i mi adael Aelwyd Bro Gwerfyl yn 1996. Un o'r uchafbwyntiau oedd ennill cystadleuaeth y pedwarawd yn Eisteddfod yr Urdd Bro'r Preseli efo Nia, Catrin ei chwaer a Huw Hendre.

Yn 1991 mi rois i'r gorau i ganu efo Côr Meibion Glyndŵr gan 'mod i wedi symud o'r ardal a chael gwahoddiad i ymuno â Chôr Rhuthun. Roeddwn i wedi dod i adnabod y criw yn reit dda gan 'mod i'n byw yn Rhuthun ers dau neu dri mis erbyn hynny ac mi ges groeso mawr. Roeddwn wedi clywed llawer am Morfydd Vaughan Evans gan fod Tudur yn cydweithio â hi yn ADAS. Ymunais â'r côr ar adeg gyffrous iawn gan eu bod newydd recordio gwaith newydd Robat Arwyn, *Y Mynyddoedd*. Roedd gen i andros o waith dysgu gan fod y côr eisoes wedi gweithio'n galed ar y gwaith, ond mae cerddoriaeth Robat Arwyn bob amser yn bleser pur i'w dysgu a'i pherfformio.

Fel gyda fy nghyfnod efo Côr Meibion Glyndŵr ac Aelwyd Bro Gwerfyl, dwi'n trysori'r cyfnod efo Côr Rhuthun ac yn sylweddoli bod Morfydd yn arweinyddes arbennig iawn. Roedd ganddi ffordd annwyl o drin y côr a bu'n llwyddiannus oherwydd bod cymaint o barch gan y côr tuag ati. Pur anaml y byddai hi'n gwylltio neu'n mynd yn flin, er bod y merched yn siarad gormod (ha ha!) ac nad oedd yr ymarferion yn cychwyn tan ymhell ar ôl wyth o'r gloch gan fod cymaint yn cyrraedd yn hwyr. Pan fyddai pethau'n mynd yn ben set roedd ganddi ei bygythiadau. Pan fyddai un o'r pedwar llais ddim yn canu fel y dylen nhw, mi fyddai'n bygwth gwneud i bawb yn yr adran honno ganu ar ei ben ei hun. Un bygythiad arall, pan nad oedd digon o sglein ar y canu a phan nad oedden ni wedi dysgu'r darnau o fewn rhai wythnosau cyn eisteddfod neu gyngerdd mawr, oedd y byddai'n bygwth tynnu allan. Nid dweud wrth y côr yn blwmp ac yn blaen y byddai hi, gan ei bod mor annwyl, ond troi yn hytrach at Robat Arwyn wrth y piano gan ddweud, 'Os na fyddan nhw wedi dysgu'r darn erbyn wythnos nesa, fyddwn ni ddim yn mynd, yn na fyddan, Arwyn?' Dwi ddim yn meddwl iddi erioed wireddu'r un bygythiad; doedd dim rhaid iddi, roedd y bygythiad yn ddigon.

Felly, gyda fy mhrofiadau yng Nghôr Eifionydd, Aelwyd y Drindod, Côr Meibion Bro Glyndŵr, Aelwyd Bro Gwerfyl a Chôr Rhuthun roeddwn wedi cael fy nhrwytho

yn y 'Pethe' ac roedd canu yn fy ngwaed, er
nad oeddwn i wedi llawn ystyried hynny ar
y pryd.

8

Cariad, gŵr a thad

HEB OS NAC oni bai mae ganddon ni i gyd, dwi'n siŵr, ryw ddigwyddiad arbennig sydd wedi cael dylanwad anferth ar ein taith trwy fywyd. Rhyw eiliad, rhyw benderfyniad, rhyw ganlyniad nad oedden ni'n sylweddoli ar y pryd y byddai'n dyngedfennol i'n hanes ar y ddaear yma.

Roeddwn i yng nghanol fy mhedwaredd flwyddyn fel athro ers gadael Coleg y Drindod yn 1989, ar fy nhrydedd flwyddyn yn Ysgol Twm o'r Nant ac yn 26 mlwydd oed. Clywais fod Dafydd Roberts, prifathro Ysgol Pentrecelyn, yn symud i fod yn brifathro Ysgol Bryn Coch, Wrecsam. Dwi'n cofio ei longyfarch yn un o ymarferion Côr Rhuthun, gan ei fod yntau hefyd yn aelod brwd o adran gryfa'r côr, sef y tenoriaid!

'Diolch i ti,' medda fo. 'W't ti am drio am swydd prifathro Pentrecelyn?'

Dwi'n meddwl mai rhyw chwerthin wnes i, a'i ddiystyru.

Ymhen rhai wythnosau mi ofynnodd i mi eto gan ddweud y byddai'n gyfle gwych, hyd yn oed petai dim ond i mi gael profiad o gyfweliad. Mi ategodd fod gen i brofiad a llwyddiant yn y pethau roedden nhw'n chwilio amdanyn nhw, sef cerdd a chwaraeon. Ar ôl meddwl yn ddwys, a gofyn am gyngor gan Elis Jones, fy mhrifathro yn Ysgol Twm o'r Nant, dyma benderfynu mynd amdani.

Mae noson y cyfweliad yn dal yn glir iawn yn y cof. Roeddwn i'n eithriadol o nerfus wrth yrru i'r cyfweliad, gan wybod bod tri ohonon ni ar y rhestr fer a bod rhyw saith neu wyth wedi ymgeisio. Wrth eistedd yn y swyddfa mi sylweddolais nad oedd gen i ddim i'w golli. Mi gysurais fy hun mai dim ond 26 mlwydd oed oeddwn i – pa hawl oedd gen i i fod yn y ffasiwn le yn mynd am y ffasiwn swydd? Pe bawn i'n ddigon lwcus i'w chael hi, byddai'n wych, ond os na, wel, mi fyddai wedi bod yn brofiad.

Y fi oedd yr olaf i fynd i mewn i'r neuadd a dwi'n cofio bod tua dwsin o bobl barchus yn eistedd mewn hanner cylch a chadair i mi yng nghanol yr hanner cylch hwnnw. Dwi ddim yn cofio'r cwestiynau ond dwi'n cofio 'mod i'n siarad bymtheg y dwsin ac yn ateb eu cwestiynau'n onest, yn frwdfrydig ac yn bositif.

Ar ôl y cyfweliad buon ni'r ymgeiswyr yn eistedd yn y swyddfa am ryw chwarter awr yn aros am benderfyniad. Yn sydyn, agorodd drws y swyddfa a gofynnwyd i'r ddau ymgeisydd arall fynd gydag un o'r llywodraethwyr. Eisteddais yno ar fy mhen fy hun am ryw funud. Yna, dyma gynrychiolydd y sir a Chadeirydd y Llywodraethwyr yn dod i mewn a'm llongyfarch ar gael swydd prifathro Ysgol Gynradd Pentrecelyn. Anghofia i fyth ffonio adre, 'nhad yn ateb y ffôn a finna wedyn cael y pleser o ddweud wrtho eu bod wedi cynnig y swydd i mi. Roedd distawrwydd am ryw ychydig, gan ei fod yn amlwg dan deimlad, cyn iddo ddweud, 'Mi fyddi di'n iawn, rŵan. Da iawn ti.' Mae gwybod bod eich rhieni'n falch ohonoch chi yn deimlad braf iawn. Roedd gen i rhyw bum mis i baratoi cyn mis Medi a dechrau fy swydd newydd. Mae'n rhaid i mi ddiolch i Dafydd Roberts am ei gyngor ac i Elis Jones am ganiatáu i mi fedru treulio ambell ddiwrnod efo Dafydd yn Ysgol Pentrecelyn i ddysgu mwy am y swydd ac am yr ysgol.

Roeddwn i wedi bod yn byw efo Tudur yn Stryd Mwrog ers bron i ddwy flynedd ac roedd o erbyn hynny wedi dyweddïo â Helen Bodfan. Mae'r ddau yn briod ers blynyddoedd bellach ac yn byw efo'u teulu bach ym Mhorthmadog. Roedd y ffaith i mi dderbyn swydd prifathro Pentrecelyn yn golygu y byddwn i'n ennill digon o gyflog i fedru fforddio prynu tŷ. A dyna fu. Ar ôl mynd i weld ambell dŷ, penderfynu prynu 112 Bro Deg, Rhuthun. Tŷ bychan digon taclus oedd o, tair ystafell wely a gardd ddigon o faint i mi yn y cefn. Roedd Nia a fi wedi bod yn canlyn ers ryw ddwy flynedd a dros ein pennau a'n clustiau mewn cariad. Er nad oedd unrhyw sôn am briodi, cafodd hi dipyn i'w ddweud yn y broses o ddewis tŷ ac yn dawel bach, gwyddem y byddai dyfodol i ni efo'n gilydd.

Yn ystod yr haf hwnnw aeth Nia a fi ar wyliau i Corfu a chael amser bendigedig, er y bu Nia bron fy lladd i ddwywaith! Mi aethon ni am ddiwrnod ar gefn beic modur, y fi yn dreifio a Nia ar y cefn. Roedden ni'n mynd ar hyd yr arfordir, â golygfeydd godidog dros y môr, ac er bod y tywydd yn boeth roedd awel yn ein cadw'n cŵl braf wrth i ni deithio. Wrth fynd ar hyd y clogwyni arfordirol roedd troad sydyn i'r chwith, ac wrth gwrs, roedden ni'n teithio ar ochr dde'r ffordd. Wrth droi i'r chwith rhaid 'bancio' i'r chwith efo'r troad. Be wnaeth Nia, gan ei bod hi'n rhy nerfus i wyro efo'r beic, oedd gwyro yn erbyn y troad. O ganlyniad, doedd y beic ddim yn troi ac yn mynd yn syth yn ei flaen am y dibyn. Rhwng y ffordd a'r dibyn roedd lle parcio, a graean ar ei wyneb yn hytrach na tharmac, ac wrth frêcio sglefriodd y beic am y dibyn. Defnyddiais y brêcs a 'nhraed i geisio'i stopio a daeth y beic i stop ryw lathen o ochr y dibyn. Roedd angel yn edrych ar ein holau y diwrnod hwnnw, heb os nac oni bai, oherwydd dwi'n dal i fethu deall sut y llwyddais i atal y beic mewn pryd. Do, mi gafodd Nia ei damio ac roeddwn i'n flin, ond ar ôl rhyw gwtsh bach a sws, ymlaen â ni!

Ar ddiwrnod arall bu'r ddau ohonon ni'n gwylio pobl wedi'u cysylltu wrth barasiwt yn cael eu tynnu y tu ôl i gwch ac yn codi i'r awyr yn osgeiddig. Roedd Nia'n awyddus iawn i drio ond byddai'n rhaid disgyn i'r môr ac roedd hi'n poeni am hyn gan nad oedd hi'n nofwraig hyderus. Teimlai'n hapus o wybod bod y ddau ohonon ni'n gallu mynd efo'n gilydd, ac y byddwn ni'n gwisgo siacedi achub. Felly, i ffwrdd â ni. Roedd yn brofiad bendigedig, a'r golygfeydd yn hyfryd. Roedden ni wedi derbyn cyfarwyddiadau ac wedi ymarfer ar y lan, ac wedi cael ein siarsio mai'r peth cynta i'w wneud wrth ddisgyn i'r môr fyddai tynnu'r parasiwt trwy ddatgysylltu dau glip. Gweithred syml iawn ond pwysig. Wrth i ni lanio yn y dŵr be wnaeth Nia? Lapio ei breichiau a'i choesau'n dynn amdana i. Roeddwn i odani ac o dan y dŵr. Doedd hi ddim am adael fynd, a dyna lle'r oeddwn ni o dan y dŵr yn straffaglu i'n datgysylltu ni'n rhydd o'r parasiwt. Rywsut neu'i gilydd mi lwyddais i ac yna ei pherswadio i dynnu ei breichiau a'i choesau oddi arna i. Mi ges i ddiod neu ddau yn y gwesty y noson honno i geisio anghofio am y profiad erchyll. Ond, mi gawson ni bythefnos hapus dros ben yn Corfu, ag atgofion melys iawn, ninnau'n gariadon a'n bywyd o'n blaenau.

Buan iawn y daeth mis Medi 1993 a'm cyfnod fel prifathro yn Ysgol Pentrecelyn yn cychwyn. Weithiau mewn bywyd, 'dan ni'n ddigon ffodus i fod yn y lle iawn ar yr amser iawn. Dyna'n union ddigwyddodd i mi pan dwi'n edrych yn ôl ar fy nghyfnod yn Ysgol Pentrecelyn. Roedd hi'n ysgol mewn lleoliad hyfryd, a ffenest y swyddfa yn edrych allan ar Ddyffryn Clwyd yn ei holl ogoniant. Roedd tua chwe deg pump o blant yno o gefndiroedd gwahanol a'r rhan helaeth o gefndir amaethyddol. Ond y prif reswm roeddwn i mor lwcus, ac wedi gallu ymgartrefu'n llwyr, oedd y staff. Nid staff oedden ni, mewn gwirionedd, ond teulu a ffrindiau. Bydd rhai ohonoch efallai yn meddwl 'mod i'n rhamantu, ond pe baech chi wedi bod yno, byddech chi'n deall 'mod i'n dweud y gwir.

Roedd dwy athrawes amser llawn, sef Nerys Hughes yn y Babanod a Gwenda Owen yng ngofal Blwyddyn 3 a 4. Roeddwn i yng ngofal Blwyddyn 5 a 6 yn nhŷ'r ysgol oedd wedi'i addasu i fod yn rhan o'r prif adeilad. Hefyd, roedd Nia Roberts yn weinyddes feithrin, Beti Evans efo'r plant Meithrin, Morfydd Berth yn edrych ar ôl y plant amser cinio, Olwen Cricor ac Eirian yn gogyddion, a Margaret Jones a Michael Jones yn ofalwyr.

Beth sy'n gwneud athrawon da? Yn fy marn i mae'n rhaid i'r gwaith fod yn alwedigaeth yn hytrach na swydd. Mae'n rhaid bod diddordeb cynhenid gan yr athrawon yn natblygiad emosiynol ac addysgol y plant. Roedd y rhinweddau hyn yn sylfaenol i ni fel athrawon yn Ysgol Pentrecelyn. Cawn ymrwymiad llwyr gan Nerys a Gwenda i'w cyfrifoldebau fel athrawon, ac roedd ganddyn nhw falchder diamod yng nghyraeddiadau a llwyddiannau'r plant oedd o dan eu gofal.

Ysgol ddwyieithog oedd hi gyda pholisi iaith tebyg i ysgol benodedig Gymraeg. Ni châi'r Saesneg ei dysgu tan oedran cynradd, ac erbyn i'r plant adael i fynd i'r ysgol uwchradd roedd gan bob un ddwy iaith gynta, yn hytrach na iaith gynta ac ail iaith. Roedd perswadio rhai rhieni Saesneg fod hyn yn gweithio yn anodd iawn ar brydiau, yn enwedig teuluoedd Seisnig dosbarth canol, yn aml yn byw yn yr ardal oherwydd y lleoliad bendigedig, ac yn teithio rhyw awr i gyrraedd eu gwaith yn Lerpwl, Caer neu Fanceinion.

Bydden ni'n gweithio fel tîm ym Mhentrecelyn, ac roedd gan y tri ohonon ni ein cryfderau a'n gwendidau, a ninnau'n fodlon cydnabod hynny. Felly, fyddai datgelu gwendidau ddim yn fygythiad nac yn cael ei weld fel diffyg. Roedd Nerys yn wych mewn gwaith Celf, Gwenda wrth drin Hanes a finna'n hybu Cerdd. Am ddau brynhawn bob wythnos byddai Nerys yn dysgu Celf, Gwenda yn dysgu Hanes a finna'n dysgu Cerdd drwy'r ysgol. Roedd manteision di-ri i'r strwythur hwnnw. Deuai'r tri ohonon ni i adnabod holl blant yr ysgol, a'r plant i'n hadnabod ninnau, ac yn y pynciau dan sylw mi gâi'r plant yr athro mwya addas i'w dysgu. Bydden ni wedyn fel athrawon yn gallu trafod pryderon am blant penodol gan fod pob un ohonon ni'n eu dysgu. 'Simples' fel mae'r hen *meerkat* yn ei ddweud yn yr hysbyseb!

Byddai eisteddfodau'r Urdd yn bwysig iawn i ni yn Ysgol Pentrecelyn. Mi fuon ni'n llwyddiannus iawn efo gwaith celf a gweithgareddau llwyfan, gan ennill y darian am yr ysgol fwyaf llwyddiannus yn yr Eisteddfod Sir ddwywaith gan weithio fel tîm unwaith eto. Yr uchafbwynt i mi oedd bod yn fuddugol efo'r côr yn Eisteddfod Bro Maelor yn 1996 gyda'r gân 'Llygoden Eglwys'. Yn goron ar y cwbl, mi ddewisodd Alun Guy ein perfformiad ni fel uchafbwynt yr wythnos ar S4C.

Rydyn ni mor lwcus o'r Urdd yng Nghymru. Mae'n unigryw ac mor bwysig i ni fel Cymry o safbwynt sicrhau dyfodol i'r iaith drwy ddiwylliant. Mae'r profiadau a gaiff ein plant drwy'r eisteddfod yn amhrisiadwy ac mae'n sefydliad sy'n eu paratoi yn gymdeithasol drwy ddatblygu personoliaethau a chymeriadau sy'n medru delio â'r siom o golli a'r gorfoledd o ennill. Cawn weld pobl ar eu gorau ac ar eu gwaethaf mewn eisteddfod. Mae'n anghredadwy ambell waith sut mae rhai rhieni'n delio â siom. Beth sy'n rhaid i bawb ei gofio yw mai barn bersonol y beirniad sy'n cyfri yn y diwedd. 'Dan ni i gyd o bryd i'w gilydd yn teimlo bod ein plant wedi cael 'cam' ac mae'r ffordd 'dan ni fel oedolion yn delio â hynny mor bwysig. Bydd rhai rhieni'n rhoi gormod o bwysau ar eu plant. Trist yw gweld rhieni'n gwylltio yn gyhoeddus am na wnaeth eu plant berfformio fel roedden nhw wedi gobeithio. Druan ohonyn nhw, ni ellir ond eu pitïo.

Ar ôl rhyw chwe mis o weithio fel prifathro roeddwn i'n teimlo ei bod hi'n bryd i mi wneud Nia'n ddynes briod, barchus. Mae'n rhaid i mi gyfadde nad ydw i'n teimlo'n falch o'r ffordd y gofynnais i Nia fy mhriodi. Caf fy atgoffa o hynny bob tro bydd rhywun yn gofyn y cwestiwn mewn ffordd ramantus mewn ffilm neu ar y teledu. Roeddwn wedi gobeithio cael priodi Nia yn weddol gynnar yn ein carwriaeth ond roeddwn am aros tan y byddwn i'n weddol ffyddiog y cawn ateb cadarnhaol ganddi. Roeddwn wedi prynu tŷ ym Mro Deg, Rhuthun ers bron i flwyddyn a byddai Nia'n treulio dipyn o'i hamser yno. Felly, dyma fi'n penderfynu gofyn y cwestiwn. Roeddwn wedi bod yn rhyw holi'n ddigon ddi-ffŷs pa gerrig roedd hi'n eu hoffi ar fodrwyau ac ar ôl gwneud fy ymchwil mi es draw i Gaer yn syth ar ôl ysgol un noson i chwilio. Rhamantus, yndê! Roedd Nia wedi ffonio'r ysgol yn ystod y dydd i weld be fyddwn i'n ei wneud ar ôl ysgol y diwrnod hwnnw, a rhaid oedd dweud celwydd golau wrthi, drwy ddweud y byddwn i'n gweithio'n hwyr. Mi welais yr union fodrwy oedd gen i yn fy meddwl ar ôl rhyw awr o chwilio. Saffir glas, a diemwntiau o'i amgylch. Adre â fi â'm gwynt yn fy nwrn er mwyn ffonio Nia i ofyn iddi ddod draw i Ruthun. Heb yn wybod i mi roedd Nia wedi ffonio'r ysgol ac mi atebodd Gwenda'r ffôn gan ddweud 'mod i wedi mynd i Gaer i siopa. Mae gan ferched ryw chweched synnwyr pan 'dan ni'r dynion yn cynllunio rhywbeth, yn does? Felly, roedd Nia wedi amau a rhoi dau a dau at ei gilydd pan ffoniais hi i ofyn iddi ddod draw.

'Lle w't ti 'di bod?' gofynnodd.

'Gweithio'n hwyr,' medda fi. 'Ti am ddod draw heno?'

'Na, dwi'm yn meddwl,' meddai'n ddireidus. 'Wedi blino braidd,' a hithau'n synhwyro'r hyn oedd ar y gweill.

Ar ôl tipyn o berswâd, mi gytunodd i ddod draw. Roedd fy nghalon yn pwmpio a'r nerfau'n mynd â 'ngwynt. Mi gyrhaeddodd, a dyma ni'n eistedd i wylio *Pobol y Cwm*. Roedd y fodrwy mewn bocs yn fy mhoced a 'nwylo i'n chwysu gan ofn. Er 'mod i'n credu y byddai hi am fy mhriodi, allwn i byth bod yn berffaith siŵr. Roeddwn wedi penderfynu gofyn iddi ar ôl i'r rhaglen orffen. Wrth i'r gerddoriaeth gloi'r rhaglen dyma fi i mewn i 'mhoced a thynnu'r bocs allan yn araf. Doeddwn i ddim wedi meddwl sut i ofyn y cwestiwn ac felly mi ddywedais y peth cynta ddaeth i'r meddwl. Rhoddais y bocs yn ei chôl a gofyn iddi sut y byddai'n hoffi bod yn Mrs Jones? Mi agorodd y bocs yn wên o glust i glust a dweud,

'Ww, neis.'

'Wel...?' medda fi.

'Wel be?' meddai hi ac yna'n syml, 'O, iawn. Ocê 'ta!'

Doedd yna ddim tân gwyllt, na feiolin rhamantus, ond roedd y ddau ohonon ni â'n boliau ar dân.

Rhaid oedd mynd i Rydgaled i ddweud wrth deulu Nia. I ffwrdd â ni yn y car yn gymysgfa o gyffro a nerfau. I mewn â ni i gartref Nia, Tŷ'r Ysgol, a dyma hi'n dangos y fodrwy. Dwi wedi chwerthin yn aml ar beth ddwedais i bryd hynny. 'Mae gen i ofn ein bod wedi rhoi'r cart o flaen y ceffyl braidd,' medde fi, gan feddwl nad oeddwn i wedi gofyn caniatâd Glyn, tad Nia, cyn gofyn iddi hi. Am eiliad, dwi'n siŵr eu bod nhw'n meddwl bod Nia'n disgwyl! Ond, roedd pawb wrth eu bodd a lledodd y newyddion fel tân gwyllt o amgylch y fro.

Mi briodon ni ar 8 Ebrill 1995 yng Nghapel Pentre Groes ger Dinbych. Roedd yn achlysur hapus iawn ac yn ddiwrnod braf. Tudur Puw oedd fy ngwas priodas ac roedd ei holl drefniadau'n berffaith. Rhyw dair wythnos cyn hynny roedd tua 17 ohonon ni wedi mynd i Iwerddon am benwythnos stag. Roedd yn benwythnos a hanner yng nghwmni ffrindiau a theulu. Diolch byth bod Dad, Glyn (tad Nia) ac Yncl Gwyn efo ni i gadw trefn. Roedd Cymru'n chwarae rygbi yn erbyn Iwerddon yng Nghaerdydd ac mi aethon ni i Ddulyn i wylio'r gêm.

Roedd hwylio draw yn dipyn o artaith gan ei bod hi'n stormus ddychrynllyd. Mi chwythodd weipars y bws i ffwrdd wrth fynd ar yr A55, ac roedd pob cwch yng Nghaergybi wedi'i ganslo ar wahân i un. Felly, bu'n rhaid i bawb wasgu ar yr un cwch hwnnw. Aeth rhai yn sâl yn syth. Anghofia i byth mo Clwyd Bryn Pistyll yn llwyd fel wal ac yn dweud, 'Arglwydd, mae'n *rough!*' a ninnau'n dal yn yr harbwr. Roeddwn wedi clywed sôn am bobl yn troi'n wyrdd oherwydd salwch môr. Wel, roedd Robat Arwyn yn wyrdd! Mi gymerodd y fordaith naw awr, ond roedd pedwar ohonon ni'n hollol iawn ac wedi gorffen y *kitty* erbyn cyrraedd Iwerddon.

Mi gawson ni benwythnos stag llawn hwyl diniwed ac mae'r atgofion am y briodas yn llifo'n ôl wrth edrych drwy luniau'r brecwast a'r parti yn y Kinmel Manor. Mi aethon ni i Bortiwgal ar ein mis mêl a chael amser bythgofiadwy.

Bum mis yn ddiweddarach daeth Nia ata i, ym mis Medi 1995, i ddweud ei bod hi'n disgwyl. Dyna eiliad lle mae pwrpas bywyd yn taro dyn. Dyna pryd mae bywyd yn dechrau gwneud synnwyr a bod pwrpas a phwysigrwydd i fywyd y tu hwnt i'r unigolyn bellach. Dyna pryd y gwnaeth y teimlad o gael teulu fy sobri. Roeddwn i'n mynd i fod yn dad ac yn benteulu. Daeth Osian i'r byd ychydig ar ôl hanner nos, 14 Mai 1996, yn fabi iach, swnllyd, a diolch am hynny.

Yn ystod fy nhymor cynta yn Brifathro Ysgol Pentrecelyn, roeddwn i'n dal i chwarae rygbi i Ruthun. Un dydd Sadwrn ym mis Hydref mi safodd chwaraewr ar fy llaw ac mi dorrwyd asgwrn a rhaid oedd mynd i'r ysbyty i gael triniaeth. Yn ystod yr wythnosau hynny mi benderfynais roi'r gorau i chwarae rygbi. Byddwn i'n gorfod colli ymarferion oherwydd roedd cymaint o waith gen i fel prifathro ac roedd hi'n berffaith amlwg erbyn hynny nad oeddwn i'n mynd i ennill cap dros Gymru! Hefyd, mae ochr gymdeithasol y gêm mor bwysig ac roedd yn rhaid i mi gallio gan 'mod i'n byw yng nghanol bro'r ysgol.

Mi fwynheais bob munud o dros ddeng mlynedd yn chwarae rygbi. Mae'n gêm sydd yn tynnu pob math o bobl at ei gilydd, o wahanol gefndir a galwedigaethau. Wrth droedio ar y cae, mae'r tîm yn uno a phawb ar yr un lefel ac yn rhannu'r un weledigaeth. Diolch i glybiau Porthmadog, CIACS, Coleg y Drindod, y Bala a Rhuthun am yr atgofion, yr hwyl a'r profiadau.

Ond, ar ôl gorffen chwarae rygbi,

doeddwn i ddim yn segur yn fy amser sbâr, cofiwch. Roeddwn i'n lwcus iawn o Aelwyd Bro Gwerfyl a Chôr Rhuthun yn y cyfnod hwnnw. Mi ges i gyfleon i ganu rhyw ychydig fel unawdydd. Fi oedd yn arwain 'Cân y fflyrt' efo Aelwyd Bro Gwerfyl. Roedd fy nhad wedi bod yn ledio'r gân honno hefyd efo Côr Meibion Dwyfor. Cân llawn hwyl a direidi ydy hi, yn gwamalu am anturiaethau carwriaethol dychmygol ag aelodau o'r gynulleidfa. Câi'r gân dderbyniad da bob amser wrth i'r gynulleidfa ei mwynhau. Roedd Morfydd Vaughan Evans wedi rhoi llinell unigol i mi yn y gân 'Teilwng yw yr Oen' hefyd, ac roeddwn i'n llawer mwy nerfus wrth ganu honno na 'Chân y fflyrt'.

Yn ystod y cyfnod hwnnw dechreuodd Tudur Puw a minnau fynd o gwmpas yn cynnal nosweithiau o ganu, dweud jôcs, perfformio sgets neu ddwy ac yn y blaen. Dwi ddim yn meddwl y gwnawn ni anghofio'r noson yng nghwmni Côr Merched Edeyrnion. Tudur aeth ymlaen gynta ac roedd fel mynd i mewn i ffau'r llewod. Cyn iddo ddweud gair roedd y merched yn gweiddi, 'Get 'em off, get 'em off, get 'em off!' ac yntau wedi dychryn am ei fywyd!

Erbyn y cyfnod hwnnw roeddwn wedi cael blas ar ganu fel unawdydd ac mi es at Morfydd a Penri am ychydig o wersi i baratoi at eisteddfodau lleol. Y gân gynta i mi ei dysgu oedd 'Y Bugail' ac roedd Penri'n rhoi tips da i mi, fel creu cytseiniaid efo'r tafod a'r dannedd. Dwi'n ei gofio fo'n dweud wrtha i hefyd am ganu â channwyll o flaen fy ngheg a gwneud yn siŵr na fyddai'r fflam yn symud wrth i mi ganu. Dyna'r camau cynta cyn cyrraedd y brig ac ennill y Rhuban Glas.

9

Y Guildhall

DYMA NI, ROEDDWN i wedi'i gwneud hi rŵan, wedi ennill y Rhuban Glas yn Eisteddfod Genedlaethol Llandeilo yn 1996. Ar ôl dychwelyd adre dechreuodd y ffôn ganu'n ddi-stop a bu'n rhaid i mi wneud cyfweliadau i bapurau lleol, siarad ar y radio a daeth ceisiadau i ganu mewn cyngherddau di-ri. Roedd ambell un wedi sôn wrtha i y dylwn ystyried gyrfa broffesiynol cyn Eisteddfod Llandeilo. Kenneth Bowen oedd un, a ddaeth ataf ar ôl beirniadu yn Eisteddfod Llanbedr Pont Steffan yn 1995 a dweud fy mod yn ei atgoffa o Nicolai Gedda gan ofyn a fyddai gen i ddiddordeb mewn gyrfa broffesiynol. Roeddwn wedi dechrau trafod hynny efo Nia cyn Eisteddfod Genedlaethol Llandeilo ac mi benderfynon ni na fydden ni'n ystyried y peth os na fyddwn i'n ennill y Rhuban Glas, sef y wobr amatur bwysica yng Nghymru. Ond rŵan, gan 'mod i *wedi* ennill y Rhuban Glas roeddwn wedi ticio'r bocs cynta ar y siwrne honno.

Mi ges i flas ar y byd proffesiynol wrth ganu mewn gwlad dramor am y tro cynta, ym mis Hydref 1996. Rhan o wobr ennill y Rhuban Glas y flwyddyn honno oedd cael gwahoddiad i ganu fel unawdydd mewn gŵyl Geltaidd. Yn lle, meddech chi? Wel yn Barbados, cofiwch! Ychydig ar ôl ennill y Rhuban Glas ces i brofiad arall o fyd canu proffesiynol pan ddaeth galwad ffôn gan Terence Lloyd yn cynnig bod yn asiant i mi. Roedd o eisoes yn asiant i Shân Cothi ac wedi sefydlu cwmni Viva. Mi dderbyniais ei gynnig a bu'n gymorth mawr i mi dros y ddwy flynedd wedi i mi ymuno ag o. Roedd Terence yn rhan o drefniadau'r Ŵyl Geltaidd ym Marbados a bu hwnnw'n brofiad arbennig iawn. Roedd Côr Meibion Cymru Llundain yno hefyd ac yno y cyfarfûm gynta â Jeremy Wood sydd erbyn heddiw yn ffrind da. Anghofia i fyth gael fy nhywys mewn Limo gwyn o'r gwesty i neuadd gyngerdd Frank Collymore yn Bridgetown i ganu. Terence Lloyd oedd yn cyfeilio i mi ac o be dwi'n gofio roedd o'n llawer iawn mwy nerfus na mi.

Dwi'n cael ias hyd yn oed rŵan wrth feddwl mor anferthol oedd y penderfyniad a'm wynebai bryd hynny. I roi pob dim yn ei gyd-destun, roeddwn i'n brifathro deg ar hugain mlwydd oed efo gwraig a mab bychan. Roedd ganddon ni forgais i'w dalu a bywyd wedi'i roi mewn bocs yn saff, yn doedd? Wedi sicrhau swydd prifathro'n ifanc, byddai potensial i symud i ysgol fwy a chodiad cyflog sylweddol. Roedd sustem pensiwn da yn ei le a chyflog sefydlog bob mis.

Roedd Nia a fi angen cadarnhad y byddwn yn llwyddo cyn mentro ond doedd hynny ddim yn bosib, wrth gwrs. Byddai'n newid ein byd, yn gam anferth ac elfen o risg ynddo a doeddwn i ddim am iddo fod yn gam gwag. Mi benderfynais ofyn barn arbenigwyr yn y maes cyn mentro.

Mi drefnodd Peter Massochi, a oedd wedi bod yn rhan o gorws Opera Cenedlaethol Cymru ers rhai blynyddoedd, i mi gael cyfarfod â Carlo Rizzi. Carlo Rizzi oedd Cyfarwyddwr Cerdd Cwmni Opera Cenedlaethol Cymru ar y pryd, felly, pwy allai fod yn fwy addas?

Roedd yn brofiad cerdded i mewn i adeilad ymarfer y WNO, cyfarfod â Julian Smith, Pennaeth Cerdd y WNO ar y pryd, a chael ymarfer sydyn ar y darn roeddwn am ei ganu, ac yna i mewn â ni i'r brif ystafell ymarfer i gyfarfod â Mr Rizzi. Roeddwn wedi clywed ei fod yn gallu siarad rhywfaint o Gymraeg felly dyma fi'n ei gyfarch yn Gymraeg ac yntau'n ateb yn Gymraeg. Ond dywedodd y byddai siarad Cymraeg yn ormod o ymdrech feddyliol iddo, gan ei fod wedi blino ar ôl wythnos hir, felly dyma ni'n troi i'r Saesneg.

Dwi'n cofio canu aria Macduff o'r opera *Macbeth* gan Verdi. Roedd Carlo Rizzi i'w weld yn hapus, er nad yw'n berson sy'n dangos lot o emosiwn a does dim llawer o ffỳs na ffrils yn perthyn iddo. 'A' uchel yw'r nodyn uchaf yn y darn roeddwn i'n ei ganu ac roedd am glywed nodau uwch, felly dyma ailadrodd y diweddglo gan fynd â fo'n uwch fesul hanner tôn nes cyrraedd 'C' uchel.

'You've got it,' medda fo.

'Should I consider pursuing a professional singing career?' holais i.

'It would be a sin if you didn't,' oedd ei ateb. Eto i gyd, mi ychwanegodd fod gen i lawer i'w ddysgu ac mai deunydd crai da iawn oedd gen i a bod angen puro'r deunydd crai hwnnw. Roedd dwy ffordd o wneud hynny, meddai. Mi fyddai'n gallu cynnig lle i mi yng nghorws Cwmni Opera Cenedlaethol Cymru yn syth, a fyddai'n fy ngalluogi i gael rhywfaint o hyfforddiant a'r posibilrwydd o gael darnau unigol bach i ddechrau. Wedyn, ymhen rhyw ddwy flynedd byddwn yn barod i adael y corws a mynd amdani fel unawdydd. Byddai hyn yn golygu cyflog sefydlog ond ni fyddai'r hyfforddiant mor drwyadl â'r ail opsiwn.

Yr ail lwybr oedd mynd ar gwrs opera a

chael hyfforddiant llawn mewn awyrgylch dysg efo myfyrwyr eraill. Mi gawn hyfforddiant lleisiol, dysgu ieithoedd, dysgu actio, dawnsio, cael perfformio golygfeydd a pherfformio mewn operâu llawn. Mynd i goleg fyddai'r opsiwn gorau i mi yn ei farn o, pe gallwn fforddio hynny. Felly, roedd cyfarfod â'r Maestro Carlo Rizzi yn brofiad positif a chyffrous iawn.

Yna, ar gyngor Brian Hughes es i Lundain i gyfarfod â'r tenor rhyngwladol Ryland Davies. Mi dreuliais fore efo Ryland yn ei gartref o gwmpas y piano, yn canu a sgwrsio. Mi ganais nifer o ganeuon ac arias iddo ac roedd o hefyd yn hynod o bositif. Roedd o'r farn y dylwn fynd i goleg am ychydig i gael hyfforddiant actio a dod i ddeall ieithoedd y byd canu clasurol sef Eidaleg, Almaeneg a Ffrangeg.

Felly, roedd patrwm yn yr holl gynghorion a gefais, sef y dylwn fynd amdani ar bob cyfri, a dilyn cwrs opera i ddysgu sgiliau sylfaenol perfformio cyn mentro i'r byd mawr fel petai. Y cwestiwn mawr oedd, pa goleg a pha gwrs? Roeddwn i'n gwybod bod Bryn Terfel wedi mynychu'r Guildhall yn Llundain ac wedi'i glywed yn canmol ei gyfnod yno. Penderfynais ofyn iddo am ei gyngor ynglŷn â pha goleg a pha gwrs fyddai orau i mi. Roedd Bryn yn deall fy sefyllfa i'r dim. Fedrwn i ddim treulio blynyddoedd yn derbyn hyfforddiant gan fod gen i deulu a morgais i'w dalu ac mi soniodd am y cwrs Opera yn y Guildhall, cwrs dwy flynedd hollol ymarferol. Roeddwn i'n hapus iawn â hynny oherwydd roeddwn i wedi cael llond bol ar arholiadau a phrofion ysgrifenedig.

Mi edrychodd Brian Hughes a finna ar brosbectws y Guildhall ac yn benodol ar y cwrs Opera dwy flynedd. Roedd y cwrs yn union beth oedd ei angen arna i – hyfforddiant hollol ymarferol ar bob agwedd o berfformio opera, hyfforddiant lleisiol o'r safon uchaf a nifer o sesiynau hyfforddiant ar ddehongli gan hyfforddwyr cydnabyddedig oedd yn gweithio yn y byd opera. Yr unig beth, wrth gwrs, oedd bod y cwrs yn un anodd iawn sicrhau mynediad iddo. Dim ond lle i ryw ddwsin fyddai ar y cwrs a byddai dros fil yn ceisio am leoedd a'r rheiny'n dod o bob cwr o'r byd. Roedd angen iddyn nhw roi lle i wahanol leisiau hefyd er mwyn cael cydbwysedd i berfformio golygfeydd yn y flwyddyn gynta ac operâu llawn yn ystod yr ail flwyddyn. Ond dyna fo, fyddwn i ddim am fentro os nad oeddwn i'n ddigon da i gael fy nerbyn ar y cwrs a phetawn i'n methu, mi fyddai'n neges digon clir i mi aros fel prifathro a chanu yn fy amser hamdden.

Felly, ar ôl trafod efo Nia eto, dyma

anfon am ffurflen gais ar gyfer cwrs opera'r Guildhall School of Music and Drama yn Llundain. Ymhen ychydig cyrhaeddodd y dyddiad ar gyfer clyweliad. Roedd tair rhan i'r broses ymgeisio. Yn gynta roedd y ffurflen gais yn bwysig gan y bydden nhw'n derbyn dros fil ohonyn nhw, yna byddai'r clyweliad cynta ac yna ail glyweliad. Roedd rhai cannoedd yn cael eu clyweld, a dwi'n cofio'r tensiwn a'r gobaith ar wynebau'r rhai oedd yn aros eu tro. Dyma fu bywyd y rhan fwyaf ers pan oedden nhw'n ifanc iawn gan eu bod eisoes wedi mynychu cyrsiau perfformio am ryw bedair neu bum mlynedd. Roedd sicrhau lle ar y cwrs yn hanfodol i wireddu eu breuddwydion o ymuno â'r byd perfformio proffesiynol.

Ar y llaw arall, ar antur roeddwn i, lle na fyddai methiant yn ddiwedd y byd o bell ffordd gan fod gen i fywyd braf, cyffyrddus, hapus gartref a swydd barchus. Rhyw gyfle oedd hwn i geisio dilyn llwybr a gwneud rhywbeth roeddwn i wrth fy modd yn ei wneud yn fy amser sbâr. Rhywbeth fyddai'n dod i mi'n hollol naturiol, rhywbeth a ddeuai o'r galon a rhywbeth greddfol, sef canu.

Dwi'n cofio mynd i mewn i'r ystafell a gweld chwech yn eistedd y tu ôl i ddesg yn barod i wrando arna i. Dwy gân allan o dair roeddwn i wedi'u paratoi roedden nhw am eu clywed – 'Constanza' gan Mozart, aria Macduff o *Macbeth* gan Verdi ac aria Paris o *La belle Hélène* gan Offenbach.

Mi ofynnwyd am y Mozart a'r Offenbach ac roeddwn i'n bles â'r perfformiad. Roedd ganddyn nhw ychydig o gwestiynau wedyn, achos roeddwn i'n weddol unigryw fel ymgeisydd, dwi'n meddwl, gan 'mod i'n ceisio am le ar y cwrs heb unrhyw hyfforddiant ffurfiol mewn perfformio. Roedd gen i radd 7 ar y piano, lefel A mewn Cerddoriaeth, a Cherddoriaeth oedd prif bwnc fy ngradd yng Ngholeg y Drindod. Dwi'n cofio dweud wrthyn nhw cyn gadael yr ystafell fod gen i wraig a phlentyn chwe mis oed, a 'mod i'n brifathro â morgais i'w dalu. Ychwanegais un frawddeg arall cyn gadael:

'I really want to make a go of this, but if you have any concerns or doubts that I would not have a good chance of making a living as a singer, please do not accept me on the course.'

Dyna'n union sut roeddwn i'n teimlo. Mi fyddai digon o gyfleon i mi ganu fel amatur a gallwn barhau fel prifathro. Rhyw freuddwyd oedd cael gyrfa broffesiynol a'r cyfleon di-ri fyddai'n dod yn sgil gyrfa o'r fath.

Ymhen rhyw bythefnos wedyn derbyniais lythyr yn fy llongyfarch ar lwyddo i gael ail glyweliad. Roedd y freuddwyd yn dal yn fyw a chawn ddefnyddio'r un darnau â'r tro cynt, ond y tro hwn mi fyddwn yn canu ar lwyfan y brif theatr. Sefais ar ganol llwyfan y theatr a'r goleuadau yn fy llygaid, a phrin y gallwn weld pwy oedd yn gwrando arna i yn y theatr dywyll. Mi ganais yr Offenbach a'r Verdi iddynt a dyna fo, doedd dim llawer o sgwrs yn dilyn y perfformiad y tro hwn. Ces daith o gwmpas y coleg a chyfle i weld yr adnoddau cyn troi am adre. A wir i chi, roedd y lle'n fwrlwm o weithgaredd. Mae'r lle'n llawn o ystafelloedd ymarfer bach a rhywun ym mhob un ohonyn nhw'n gweithio'n ddiwyd ar ei dechneg. Roedd pob math o gerddoriaeth ac offerynnau a chanu i'w clywed – clasurol, jazz, roc, sioe gerdd – yn wir, roedd y lle'n fy atgoffa o'r gyfres *Fame* ar y teledu yn yr wythdegau. Roedd pawb â'u breuddwydion a'u storïau unigol am sut roedden nhw wedi cyrraedd y coleg arbennig hwn. Roedd y Guildhall wedi cydio yn fy nychymyg ac es adre'n llawn gobaith a chyffro am y posibilrwydd y cawn gyfle i ymuno yn y bwrlwm.

Aeth rhyw dair wythnos heibio, a finna wedi bod yn disgwyl am ateb ers rhai dyddiau. Roedd Nia a fi'n gwybod y byddai ein bywydau'n newid, yn wir, yn cael ei chwyldroi am byth pe cawn i ymateb cadarnhaol gan y Guildhall. Byddai'r postman yn cyrraedd ganol bore fel arfer ac felly fyddwn i ddim yn derbyn y post tan ar ôl i mi ddod adre o'r gwaith.

Roedd hi'n fis Tachwedd 1996 a dyma'r ffôn yn canu amser chwarae'r bore. Nia oedd yno'n dweud bod llythyr wedi cyrraedd â stamp y Guildhall arno. Doedd hi ddim am ei agor heb i mi fod yno, ond fyddwn innau byth wedi gallu byw yn fy nghroen drwy'r prynhawn heb gael gwybod beth oedd cynnwys y llythyr. Felly, dyma fi'n dweud wrthi y byddwn yn picio adre amser cinio. Mi esboniais i'r sefyllfa wrth Gwenda a Nerys, fy nghyd-athrawon, ac roedden nhw mor gyffrous â fi i gael gwybod fy nhynged. Ac felly, ar ôl hel y plant am eu cinio, neidiais i'r car a dreifio'r tair milltir adre. Amlen wen oedd hi â stamp dosbarth cynta a stamp The Guildhall School of Music and Drama arni. Dyma ni, roedd ein calonnau'n curo fel injan trên a'r anadl yn fyr ac yn gyflym. Dwi'n cofio hefyd fod fy nwylo'n chwysu. Reit, roedd yn rhaid ei hagor yn sydyn achos byddai'n rhaid mynd yn ôl i'r ysgol. Agorais y llythyr a'r geiriau cynta a welais oedd 'I am pleased to inform you...'. Oeddwn, roeddwn wedi cael fy nerbyn ar y cwrs Opera yng Ngholeg Cerdd a Drama'r Guildhall yn Llundain. Byddai ein bywydau'n newid am byth.

10

Paratoi at ymadael

MI LEDODD Y newyddion fel tân gwyllt. Ysgrifennais at lywodraethwyr yr ysgol a'r Cyngor Sir i ddweud y byddwn yn gadael swydd prifathro Ysgol Pentrecelyn ym mis Gorffennaf 1997. Byddai pobl yn fy llongyfarch ar y stryd ac yn dymuno'n dda i mi pan fyddwn yn canu mewn cyngherddau ar hyd a lled Cymru. Roeddwn i'n dechrau sylweddoli y byddai llygaid Cymru arna i ar hyd y daith yn ystod y fenter hon.

Un peth oedd derbyn y cynnig i fynd i'r Guildhall, peth arall oedd ceisio codi digon o arian i dalu am yr hyfforddiant. Roedd y cwrs yn costio dros £4,000 y flwyddyn, byddai angen lle i aros, a byddai'r costau teithio'n ddrud oherwydd bwriadwn ddod adre bob penwythnos at y teulu. Roedd sawl ffordd o godi'r arian. Ysgrifennais at nifer o gwmnïau preifat, cwmnïau mawr a sefydliadau ond ni ches unrhyw lwc. Roedd hyn yn siomedig ond gallaf ddeall hefyd pam nad oedd cwmnïau am roi arian os na chaent rywbeth yn ôl ar ôl buddsoddi. Dyna hanfod busnes, wrth gwrs, ac ar y pryd doedd dim unrhyw sicrwydd y byddwn yn llwyddo.

Sylweddolais fod nifer o ysgoloriaethau ar gael yng Nghymru ar y pryd. Roedd gan S4C ysgoloriaeth i berfformwyr ifanc a dwi'n cofio mynd lawr i Gaerdydd i ganu i'r panel a chael cyfweliad. Mae 'nyled i'n fawr i S4C achos mi ges i gynnig ysgoloriaeth o £8,000 dros y ddwy flynedd yn y Guildhall a fyddai'n talu costau'r coleg. Ychydig feddyliais bryd hynny pa mor bwysig y byddai S4C yn fy mywyd, a hoffwn feddwl bod y buddsoddiad hwnnw yn 1997 wedi talu ar ei ganfed iddyn nhw. Mi ges gyfraniadau teilwng iawn hefyd gan Ymddiriedolaeth Pantyfedwen a Chronfa Ryan Davies.

Mae'n rhaid i mi rannu stori am fy nghlyweliad i gael cyfraniad gan Gronfa Ryan Davies yn 1997. Yn un o gêmau cartref tîm rygbi Cymru ym Mhencampwriaeth y Pum Gwlad yn 1995 oeddwn i, ac roedd Beverley Humphreys yn canu'r Anthem Genedlaethol ym Mharc yr Arfau. Es lawr i'r gêm gyda fy ffrind, Tudur Puw. Ar ôl y gêmau cartref byddai'n sialens ceisio mynd i mewn i westy'r Angel, lle byddai'r chwaraewyr i gyd yn ymgynnull. Byddai'n rhaid cael tocyn ac roedd dynion mawr, peryg yr olwg, yn gwneud yn siŵr nad oedd neb yn sleifio i mewn heb docyn.

Roedd Tudur a finna'n aros y tu allan er mwyn gofyn i rai oedd yn gadael am eu tocynnau. Pwy welais yn dod allan, oedd neb llai na Paul Thorburn. Es ato a gofyn a gawn i ei docyn i fynd i mewn. Chwarae teg iddo, mi welodd fod Tudur efo fi ac mi alwodd ar ei ffrind a dyma'r ddau'n rhoi eu tocynnau i ni. I mewn â ni a theimlo'n ddeg troedfedd wrth gerdded heibio'r bownsars. Roedd y ddau ohonon ni'n teimlo allan o le braidd. Es i'n syth i'r toiled a dychryn pan ddaeth Robert Norster i sefyll wrth fy ochr. Roedd yn deimlad reit od sefyll yn fan'no, yn gwneud beth oedd raid, ac yn trafod y gêm yn hollol naturiol gyda'r cawr hwnnw. Roedd Tudur a fi'n gegagored yng nghwmni'r chwaraewyr, dynion roedden ni'n eu heilunaddoli, a'r rheiny'n barod iawn i sgwrsio â ni. Yn sydyn, pwy welson ni yno ond Beverley Humphreys a dyma ddechrau siarad â hi a'i chanmol am ganu'r anthem mor dda. A chyn iddi fedru dweud gair dyma Tudur a fi'n mynd i lawr ar un pen-glin a chanu'r 'Border Bach' iddi. Roedden ni wedi arfer ei chanu mewn nosweithiau llawen ac roedd yr harmonïau'n gweithio'n hyfryd. Er ei bod hi'n ymddangos fel petai wedi mwynhau'r perfformiad, rhaid cyfadde nad ydw i'n siŵr am y safon, gan ein bod ni wedi mwynhau diwrnod hir o 'gymdeithasu'! Drwy gyd-ddigwyddiad, pan gerddais i mewn i'r ystafell i ganu i banel Cronfa Ryan Davies, pwy oedd y wyneb cynta a welais? Ie, Beverley Humphreys! Mi ges i ryw wên fach ganddi ac mi wenais yn ôl, ac er y sioc, mi ges gyfraniad digon anrhydeddus ganddyn nhw, diolch byth.

Derbyniodd pawb yn Ysgol Pentrecelyn y newyddion â theimladau cymysg. Roedd pawb yn falch iawn drosta i ac yn llawn cyffro ar y naill law, ond mi fyddai cyfnod hapus iawn yn dod i ben, a'r pryderon a ddaw yn sgil unrhyw newid i'w hwynebu. Roeddwn i'n edrych ymlaen at gael mwynhau fy chwe mis ola fel prifathro, gan baratoi'n drylwyr hefyd at yr her o gychwyn yn y Guildhall ym mis Medi.

Anghofia i fyth gyrraedd yr ysgol un bore ym mis Ionawr 1997 a mynd drwy'r post fel y gwnawn bob amser cinio. Roedd amlen frown yno a honno'n ymddangos yn un reit ffurfiol. Mi agorais hi, ac mi syrthiodd fy ngên gan daro'r bwrdd. Roedden ni am gael arolwg llawn gan Arolygwyr ei Mawrhydi yn ystod wythnos gynta Gorffennaf, rhyw dair wythnos cyn i mi orffen. Ystyriais efallai fod rhywun yn chwarae tric ond na, wedi edrych ar y gwaith papur yn drwyadl, roedd yr arolwg yn mynd i ddigwydd, a rhaid oedd torri'r newyddion wrth weddill y staff.

Roedd yn dipyn o sioc i ni i gyd, a'r adeg honno byddai archwiliad llawn yn golygu archwiliad trylwyr iawn. Wynebodd rhai o ysgolion yr ardal y profiad o fethu, a deuai hynny â chywilydd mawr yn ei sgil. Byddai'r arolygwyr efo ni yn yr ysgol am wythnos, ond roedden nhw am weld yr holl bolisïau cyn dod, a gweld esiamplau o waith trawsdoriad o blant. Ond dyna ni, wrth edrych yn ôl, roedd o'r peth gorau a allai ddigwydd. Byddai ffocws i fy ngwaith tan y foment ola ac mi gymerais i'r arolwg fel sialens. Roedd ganddon ni lawer o arferion da yn yr ysgol, felly roeddwn i'n ffyddiog y byddai popeth yn iawn. Roedd gen i staff o'r safon uchaf, oedd yn gydwybodol ac yn drylwyr wrth eu gwaith. Mi fyddai'n well pe baent wedi dod heb roi rhybudd i ni, a dweud y gwir. Roedd chwe mis o rybudd yn golygu ei fod yn gwmwl uwch ein pennau am gyfnod hir a theimlwn y dylwn anelu i sicrhau y byddai pob dim mor berffaith â phosib.

Daeth y dyddiad o'r diwedd, ac roedden nhw am weld tystiolaeth ein bod yn gweithredu ein polisïau a bod y plant yn cael yr addysg orau bosib. Mae'n deimlad digon anghyffyrddus cael rhywun yn eistedd efo chi am wythnos yn gwylio pob dim, yn holi'r plant i wneud yn siŵr eu bod yn deall y gwaith ac i weld a oedd yr hyn roedden ni'n ei honni yn digwydd o ddifri. Mewn ysgol lle nad oes ond tri yn dysgu, roedd un o'r tri arolygwr efo pob athro bob awr o'r dydd. Roedd adroddiadau yn y cyfnod hwnnw am arolygwyr yn gwneud i athrawon grio, yn ymddangos yn hunanbwysig a gwneud yr holl brofiad yn un erchyll. Roeddwn i wedi ceisio paratoi fy staff drwy eu sicrhau bod yr hyn a oedd yn digwydd yn Ysgol Pentrecelyn yn rhoi sylfaen gadarn i'r plant. Pe bai'r arolygwyr yn dod o hyd i feiau, yna mi fyddai'n rhaid iddyn nhw hollti blew achos roeddwn i'n hollol ffyddiog yn ein dulliau o addysgu'r plant.

Doedd dim angen poeni yn y diwedd. Mi deimlodd yr arolygwyr yn syth yn y gwasanaeth boreol ar y bore dydd Llun fod Ysgol Pentrecelyn yr adeg honno yn ysgol arbennig iawn. Ni chawsom unrhyw deimladau nac agwedd negyddol ganddyn nhw, yn wir, roedden nhw'n gwenu ac yn ymddangos fel petaen nhw'n mwynhau bod yno. Mi gawson ni un o'r adroddiadau gorau a welsai'r Sir. Roedd o'n deimlad braf iawn cael gorffen ar nodyn mor bositif. Byddai un neu ddau o'r rhieni'n creu trafferth i ni oherwydd ein polisi iaith dwyieithog ac yn rhoi bai ar yr iaith Gymraeg pan fyddai unrhyw blentyn yn cael trafferth ag unrhyw agwedd o'r gwaith. Yn rhyfedd iawn, ni ddaeth y rhieni hynny i'n llongyfarch wrth i ni dderbyn clod yr arolygwyr. Lleiafrif bychan oedden nhw a doedd ganddyn nhw ddim sail o gwbl i'w beirniadaeth. Felly, dyma ddweud ffarwél wrth bennod hapus iawn o 'mywyd a throsglwyddo'r goriadau i Mr Emlyn Hughes.

Yn y Bala roedd yr Eisteddfod Genedlaethol y flwyddyn honno ac roeddwn wedi rhoi fy enw i gystadlu am Ysgoloriaeth W. Towyn Roberts. Roedd yr ysgoloriaeth yn werth £3,000 ac roedd ei wir angen o arna i wrth i mi fentro yn ôl i fyd y myfyriwr yn Llundain. Roedd Brian Hughes a finna wedi bod yn gweithio ar raglen ers rhai misoedd, a byddwn yn gwneud llawer o fy ymarferion yn neuadd Ysgol Pentrecelyn wrth aros yn hwyr ar ôl ysgol i weithio ac i baratoi ar gyfer yr arolygwyr.

Roedd yn rhaid paratoi rhaglen o ugain munud ar gyfer y gystadleuaeth ac roedd angen dewis darnau yn ofalus. Roedd yn rhaid cael cyferbyniad rhwng y darnau a dangos ystod y llais heb ddangos y gwendidau. Hefyd, byddai'n rhaid paratoi ar gyfer cyfweliad, sy'n rhan bwysig o'r broses. Roeddwn wedi paratoi pedair cân – 'De miei bollenti spiriti' o'r opera *La Traviata* gan Verdi, 'Y Dieithryn' gan Morgan Nicholas,

'Yn Wyryf Pur' o'r *Greadigaeth* gan Haydn a 'Der Neugierige' gan Schubert. Y beirniaid oedd Doreen O'Neill, Philip Thomas ac Ian Barr. Roeddwn i wrth fy modd â'r darnau ac mi ganais gystal ag y gallwn yn y rhagbrawf.

Dewiswyd pedwar i ymddangos ar y llwyfan ac roedd yn rhyddhad mawr pan ddarllenwyd fy enw ymhlith y cantorion hynny. Byddai'r pedwar a gafodd eu henwi yn enillwyr gan fod gwobr ariannol o £500 i'r pedwerydd hyd yn oed. Ond roedd y pres mawr a'r anrhydedd o ennill y Towyn Roberts yn rhywbeth gwerth ymladd amdano. Brwydr oedd hi mewn gwirionedd a ninnau'n pedwar yn mynd i roi popeth o fewn ein gallu i'r perfformiad yn y gobaith o ennill. Ian Barr oedd yn traddodi ac mi wrandewais yn astud ar bob gair. Mi ddywedodd fod y tri beirniad yn unfrydol mai fi oedd yn haeddu'r Ysgoloriaeth.

Roeddwn i bellach wedi ennill dwy brif gystadleuaeth yr Eisteddfod Genedlaethol ac felly ni fyddai'n rhaid i mi gystadlu byth eto. Byddai Ysgoloriaeth W. Towyn Roberts yn cael ei hychwanegu at y CV, a byddai'r arian yn gwneud pethau dipyn haws i ni fel teulu. Roeddwn wedi bod ar newyddion ITV Wales, ac wedi ymddangos mewn amryw o gyfweliadau ar S4C ac ar Radio Cymru yn sôn am y fenter oedd o fy mlaen. Beth fyddai fy nhynged? Beth fyddai fy ffawd yn y byd newydd yma? Roeddwn i'n bryderus ond roeddwn i'n cael cryfder oherwydd 'mod i'n teimlo bod pobl Cymru yn fy nghefnogi. Teimlwn gynhesrwydd pobl ar y stryd, mewn cyngherddau ac yn y cannoedd o gardiau a dderbyniais yn dymuno'n dda i mi. Roeddwn i'n barod amdani.

11

Myfyriwr unwaith eto

CYRHAEDDODD Y DIWRNOD mawr, y diwrnod pan aeth Nia ac Osian â fi i'r orsaf yng Nghaer i ddal y trên am Lundain. Dyma siwrne y byddai Nia'n gallu ei gwneud yn ei chwsg dros y blynyddoedd nesa. Roedd criw ffilmio wedi bod efo ni y diwrnod cynt ac roedden nhw am ein ffilmio ni'n ffarwelio yn yr orsaf hefyd. Wrth ail-fyw'r sefyllfa roedd hyn yn gymorth gan fod ein meddyliau ar y ffilmio yn hytrach nag ar yr achlysur dirdynnol. Roedd dweud ffarwél y diwrnod hwnnw fel rhyw olygfa mewn ffilm ramantus. Dyna lle'r oeddwn i, yn pwyso allan drwy ffenest drws y trên yn ffarwelio â Nia, ac Osian yn ei chôl, a'r dagrau'n powlio wrth iddynt fynd yn llai ac yn llai yn y pellter. Mi glywais yn ddiweddarach fod y criw cynhyrchu hefyd yn eu dagrau.

Roeddwn wedi penderfynu aros mewn YMCA yn y Barbican yn Llundain, rhyw bum munud o waith cerdded o'r Guildhall. Roedd gorsaf danddaearol yn agos iawn ac felly roedd yn gyfleus iawn. Ystafell fechan ar y chweched llawr oedd gen i, dim ond gwely, desg a sinc ynddi a hwnnw'n hen wely bychan a'r matres yn denau iawn. Roeddwn i'n gorfod rhannu toiledau a chawodydd efo'r gweddill oedd yn byw ar yr un llawr a'r rhan fwyaf o'r rheini rhwng 16 a 21 oed, a doedd glanweithdra ddim yn uchel iawn ar eu hagenda. Ceisiwn berswadio fy hun fod hyn yn rhan o'r antur, a finna'n edrych ymlaen at fynd i'r coleg y diwrnod wedyn.

Mae rhyw awra yn perthyn i'r Guildhall. Y peth cynta 'dach chi'n ei weld wrth fynd i mewn yw rhestr o enwau cyn-fyfyrwyr sydd wedi ennill y Fedal Aur am berfformio. Cawn fy ysbrydoli bob tro yr edrychwn arni wrth weld enwau fel Bryn Terfel, Wynford Evans a David Lloyd, fy arwr wedi'u cynnwys. Cawsom gyfle i gyfarfod â'n cyd-fyfyrwyr a'r staff yn ystod y bore cynta. Clive Timms a Steven Metcalf oedd y ddau fyddai'n rhedeg y cwrs opera, ac roedd yn ddiddorol gwrando arnyn nhw'n sôn am y cyfrifoldeb oedd ar bob un ohonon ni a pha mor freintiedig oedden ni i gael ein dewis i ddilyn y cwrs. Roedd hi'n ddyletswydd arnon ni i wneud yn fawr o'n cyfleon dros y ddwy flynedd nesaf.

Mi ddaethom i adnabod ein gilydd yn sydyn iawn wrth gael ein taflu i mewn i wersi drama. Dyw gwersi drama ddim yn lle ar gyfer pobl swil, yn enwedig ar y dechrau, wrth i'r deuddeg ohonon ni ddechrau dod yn gyfarwydd â'n gilydd. Roedd pump o Loegr, un o'r Eidal ac un o'r Almaen, un o Awstralia, Sweden, Rwsia ac Iwerddon a finna o Gymru. Yn y gwersi drama roedden ni'n gorfod chwarae rôl yn unigol, efo partner ac mewn grwpiau, felly mi ddaethon i adnabod ein gilydd yn eitha cyflym. Un peth y sylweddolais i'n syth oedd 'mod i ar ei hôl hi o ran fy ngwybodaeth am y byd opera, yn enwedig o ran dealltwriaeth am operâu, cyfansoddwyr a pherfformwyr. Mi ddeallais yn sydyn hefyd fod agwedd ambell un uchel-ael o Loegr yn ddigon anffafriol tuag ata i, gan i mi gael fy nerbyn ar y cwrs heb hyfforddiant ffurfiol o fath yn y byd. Dwi'n cofio gwneud camgymeriad elfennol wrth drafod cyfansoddwr a gwneud rhyw jôc fach am y peth. Mi welodd pawb yr ochor ddoniol, heblaw am un a oedd wedi bod yn astudio Cerdd yn Rhydychen a drodd at y grŵp a dweud, gan gyfeirio ata i, 'Ignorance is not a virtue.'

Roeddwn i eisoes wedi bod yno dros yr haf i gyfarfod â fy athro canu newydd, David Pollard – dyn hynod o annwyl ac athro penigamp. Ef oedd athro Gwyn Hughes Jones a byddai Gwyn yn ei ganmol i'r cymylau. Dwi'n cofio'r diwrnod pan es i lawr i'w gyfarfod yn ei gartref y tro cynta cyn i'r coleg gychwyn. Roedd Nia efo fi, a wna i fyth ei anghofio fo'n troi at Nia ar ôl i mi ganu a gofyn iddi, 'Do you know how lucky you are?' a dyma Nia'n ei ateb yn syth, 'Well, he's lucky too, you know!' Chwerthin mawr wedyn, wrth gwrs.

Pan sylweddolais gymaint o waith oedd gen i i'w wneud, mi sefydlais ail gartref i mi fy hun yn y llyfrgell. Dyna i chi beth oedd llyfrgell! Roedd miloedd o CDs yno, cannoedd o fideos, a sgôr pob opera ac oratorio ar gael i'w hastudio unrhyw bryd. Mi dreuliais oriau yn gwylio operâu ar fideo a gwrando ar rai o leisiau gorau'r byd ar CDs. Roeddwn wrth fy modd.

Mae'r gefnogaeth a dderbyniais gan y coleg, oherwydd fy sefyllfa deuluol, yn rhywbeth y bydda i'n hynod ddiolchgar amdano am byth. Byddai ein hamserlen ar y cwrs yn cael ei chynllunio'n wythnosol, a chan fy mod i'n mynd adre bob penwythnos gwnaent ymdrech i wneud yn siŵr y byddai dydd Llun neu ddydd Gwener yn rhydd. Byddai hyn felly yn golygu llai o oriau rhydd tra oeddwn i yn y coleg, ond croesawn hynny, beth bynnag. Weithiau, byddai dydd Llun a dydd Gwener yn rhydd ac roedd hynny'n fonws. Roedd y siwrne adre ar y trên yn rhywbeth yr edrychwn ymlaen ato, a'r drefn oedd y byddwn yn ffonio Nia tua hanner awr cyn cyrraedd Caer. Roedd gweld y Peugeot bach yn dod o bell ac wyneb Osian yn goleuo pan fyddai'n fy ngweld yn gwneud i mi sylweddoli beth oedd yn bwysig mewn bywyd. Mae cariad a chefnogaeth teulu yn amhrisiadwy a dyma oedd yn fy sbarduno yn ystod y cyfnod heriol hwnnw, nid yn unig cefnogaeth Nia, ond hefyd Mam a Dad, a Glyn a Glenys, rhieni Nia.

Bues i'n lwcus iawn o Terence Lloyd yn ystod y cyfnod hwn. Byddai Terence yn gweithio'n galed drosta i fel asiant a byddai cyngerdd gen i bron iawn bob penwythnos. Bu hyn o gymorth mawr i ni'n ariannol ac roedd yn gyfle i mi ddatblygu fel artist ac i ymarfer y technegau y byddwn i'n eu dysgu yn Llundain. Roeddwn wedi dechrau cael gwaith ar S4C hefyd. Dwi'n cofio bod yn westai i Shân Cothi yn ei chyfres gynta a chefais y fraint o berfformio ar y gyfres *Noson Lawen* am y tro cynta yn 1997. Yn wir, mae *Noson Lawen* wedi bod yn driw iawn i mi dros y blynyddoedd. Dwi'n cofio'r tro cynta ar fferm Gwern Elwy, Henllan ac yn ymddangos ar y rhaglen arbennig honno hefyd roedd Meibion Twm o'r Nant, Glyn Owens, Triawd Caeran, Hogia'r Wyddfa a finna'n canu 'Y Dieithryn' ac 'Elen Fwyn'.

Dwi wedi bod mor lwcus i gael gwahoddiad i berfformio ym mhob cyfres o *Noson*

Lawen ers hynny, cyfres sy'n rhan bwysig o ddiwylliant Cymru ers blynyddoedd. Er bod cymaint o bobl sy'n eu hystyried eu hunain yn 'cŵl' yn bychanu'r rhaglen, mae cynulleidfa werthfawrogol iawn iddi. Os nad yw'n eich cyffroi, wel gwyliwch *X Factor* neu *The Voice* 'ta! Mae gan nifer o Gymry ryw ofn fod diwylliant traddodiadol yn hen-ffasiwn a bod eu *street cred* yn mynd i ddioddef os na fyddant yn ei fychanu. Mae gan bob gwlad ei diwylliant traddodiadol, rhywbeth y dylai pob gwir Gymro uniaethu ag o ac ymfalchïo ynddo. Oes, mae yna snobyddiaeth ym myd cerddoriaeth glasurol ond mae'r un snobyddiaeth hefyd yn erbyn diwylliant traddodiadol gan yr union rai sy'n cwyno am snobyddiaeth y byd clasurol. Gwerthfawrogwch bob *genre* a pheidiwch â dilyn y ffasiwn o fychanu fel defaid.

Tra 'mod i'n sôn am y cyfnod cynnar yma yn fy ngyrfa mae'n rhaid i mi gyfeirio at ffrind a chyd-weithiwr annwyl iawn i mi sydd fel craig bob amser wrth fy ymyl. Pwy? Wel, Annette Bryn Parri wrth gwrs. Dyma i chi gyfeilyddes a cherddor amryddawn y mae'n bleser pur gweithio efo hi. 'Dan ni wedi cael hwyl, colli dagrau, ysbrydoliaeth a gwefr yn ein profiadau lu ar lwyfannau ar draws Cymru. Yr hyn sydd mor arbennig am Annette fel cyfeilydd yw'r ffaith y bydd hi'n perfformio efo mi fel unawdydd. Mae hi'n gwrando ac yn gallu synhwyro sut rydw i'n dehongli cân. Mae'n rhaid i mi gyfadde na fydda i'n perfformio'r un gân yn union yr un fath bob tro. Fel perfformiwr, mae gen i egni gwahanol bob noson, mae'r awyrgylch yn amrywio ac mae hyn i gyd yn dylanwadu ar sut y bydda i'n dehongli cân. Gall Annette ymateb i hyn, yn wir, bydda i'n dweud wrthi weithiau fod ganddi chweched synnwyr gan y bydd hi a fi bob amser ar yr un donfedd.

Gan fod Shân Cothi a finna yn yr un stabl efo Terence Lloyd, roedd o'n gallu cynnig y ddau ohonon ni fel pecyn. Mi gawson ni lawer o hwyl yn perfformio ar hyd a lled Cymru ar ddiwedd y nawdegau a bydd hi'n bleser hyd heddiw gael y cyfle i rannu llwyfan â Shân. Mae hi mor fyrlymus ac egnïol, yn llawn bywyd, a chaiff hynny effaith bositif ar y bobl fydd yn rhannu llwyfan â hi.

Mi hedfanodd y flwyddyn gynta yn y Guildhall. Y rheswm am hynny, dwi'n siŵr, yw'r ffaith i mi fod mor brysur. Byddwn yn defnyddio pob eiliad yn gweithio ac yn ceisio dysgu'r wybodaeth oedd eisoes gan weddill y myfyrwyr ac yna byddwn yn dychwelyd i Ruthun ac yn perfformio ar y penwythnosau, fel arfer. Doedd dim amser i bwyllo nac ymlacio. Mi arhosais yn y YMCA am dymor, ond ar ôl y Nadolig cynta yno roeddwn wedi trefnu i rannu tŷ â rhai o'm cyd-fyfyrwyr. Un ohonyn nhw oedd tenor arall ar y cwrs Opera, sef Lorenzo Caròla. Mi ddaethon ni'n dipyn o ffrindiau ac roedd o, fel fi, yn hŷn na gweddill y criw ac yn rhannu'r un diddordebau ym myd chwaraeon. Roeddwn i'n hynod o ffodus ei fod yn gogydd heb ei ail ac yn rhyfedd iawn mae ganddo bersonoliaeth debyg iawn i'r cogydd o dras Eidalaidd, Gino D'Acampo.

Ar ddiwedd y flwyddyn gynta mi fues i'n ddigon ffodus i gael bod yn un o dri a gafodd eu dewis i ymuno â chorws cwmni opera Glyndebourne dros yr haf. Roedd hyn yn gyfle gwych i dreulio amser yn y theatr er mwyn cael y profiad o weld y broses gynhyrchu a chael profiad o fod yn rhan o lwyfannu opera. Yr opera oedd *Simon Boccanegra* gan Verdi a bu'n brofiad gwych ar sawl lefel. Yr arweinydd oedd yr athrylithgar Mark Elder, un o arweinyddion gorau'r byd, yn arbennig fel dehonglwr gweithiau Verdi. Mae Mark Elder yn ddyn sy'n gwybod be mae o eisiau, a chaiff y gorau gan ei berfformwyr am fod ganddynt barch mawr at ei allu. Byddai'n arwain yr opera anferth yma gan ddibynnu'n gyfan gwbl ar ei gof. Hollol anhygoel! Ond, byddai'n mynnu bod y sgôr yn agored ac yn ei lle ar y podiwm cyn dechrau pob perfformiad.

144

Yna, byddai o'n dod i mewn i'r pit, yn troi at ei gynulleidfa i dderbyn eu cymeradwyaeth ac yna'n troi at y gerddorfa, edrych ar y sgôr a'i chau'n araf fel bod pawb yn ei weld. Oedd angen y seremoni bob tro? Gweithred ddramatig a theatrig oedd hi, mae hynny'n ffaith. Ond roedd yn brofiad gwych i mi a thenor ifanc arall o Gymru, Andrew Rees o Gaerfyrddin. Mae yntau'n fachgen hynaws iawn ac rydyn ni wedi parhau'n ffrindiau ers hynny.

Mi aeth yr ail flwyddyn yn y Guildhall yn gyflym iawn hefyd. Roedd yn flwyddyn gyffrous a daeth nifer o gyfleon gwych o bob cyfeiriad. Tra oeddwn i yn Glyndebourne câi'r holl gorws gyfle i wneud clyweliad i ymgymryd â darnau unigol y flwyddyn ganlynol. Mi fues i'n ddigon ffodus i gael cynnig rhan Edmondo yn *Manon Lescaut* gan Puccini – rhan hyfryd sy'n ymddangos drwy'r olygfa agoriadol. Felly, roeddwn wedi sicrhau fy rhan gynta mewn opera, fel canwr proffesiynol, yn syth wedi gorffen y cwrs. Teimlad braf fu cael cychwyn yr ail flwyddyn yn hyderus ar ôl derbyn y newyddion, a braf hefyd oedd gweld y rhai a fu'n ddigon dychanol ohona i ar ddechrau'r cwrs, am nad oedd gen i'r cymwysterau academaidd, yn gegrwth ac yn llawn eiddigedd.

Albert Herring gan Benjamin Britten oedd

yr opera gynta i ni ei pherfformio yn y coleg ac roeddwn i'n chwarae rhan y Maer. Mae'n rhan ddoniol iawn a rhan lle'r oedd yn rhaid cael cymeriadu da. Roedd trefn y paratoadau a'r ymarferion yn union fel y byddai'r broses o gynhyrchu opera y tu allan i'r coleg, a honno'n drefn weddol reolaidd ar draws y byd. Ar y cychwyn, am ryw ddiwrnod neu ddau, bydd yn rhaid mynd drwy'r gerddoriaeth efo'r cyfarwyddwr cerdd cyn i'r actio a'r gwaith cynhyrchu llwyfan gychwyn, er mwyn gwneud yn siŵr fod y cast yn gwybod eu gwaith ac yn gallu canu'r rhan. Yna, mi fydd y cyfarwyddwr dramatig yn cyflwyno ei syniadau am gynllun y llwyfan, y gwisgoedd a phopeth sydd yn ymwneud â'r cynhyrchiad. Caiff hyn ei wneud fel arfer ar ffurf model a lluniau fel bod ganddon ni ddarlun clir yn ein meddyliau. Yna, mi fyddwn ni'n dechrau ar yr ymarferion cynhyrchu a allai gymryd rhwng pedair a chwe wythnos, a phan fyddai'r cyfarwyddwr cerdd yn dymuno, câi ymarferion cerddorol eu trefnu yn achlysurol hefyd.

Byddai'r ymarferion hyn mewn stiwdio neu ystafell ymarfer bwrpasol ond yna, mi fyddwn ni'n symud i'r theatr ryw bythefnos cyn y noson agoriadol. Ymarferion technegol fydd ar y llwyfan gynta, gwneud yn siŵr fod pawb yn cyfarwyddo â'r set a'r gwisgoedd, ond fiw i'r cyfarwyddwr cerdd ymyrryd na cheisio cael amser i fynd dros bwyntiau cerddorol yn yr ymarferion hynny. Codai ambell ffrae rhwng ambell gyfarwyddwr cerdd a chynhyrchydd wrth i'r naill neu'r llall ymyrryd pan na ddylai. Tua'r cyfnod hwn mi fyddwn yn cael yr hyn a gaiff ei alw yn Sitzprobe, sef ymarfer efo'r gerddorfa. Ymarfer cerddorol yw hwn, dim ond sefyll a chanu i wneud yn siŵr fod pawb yn deall ei gilydd. Yna, mi fydd rhyw dair neu bedair sesiwn ymarfer ar y cynhyrchiad gyda cherddorfa, Dress Rehearsal, a dyna ni, byddwn yn barod am y noson gynta. Ar ddiwedd pob ymarfer llwyfan mi fyddwn ni'n derbyn nodiadau dramatig, cerddorol a ieithyddol. Bydd arbenigwr ar ynganu ym mhob cynhyrchiad i roi cymorth i'r artistiaid. Bwriad y cynyrchiadau yn y coleg oedd dilyn y fformat hwn i'n paratoi ni'n drylwyr ar gyfer y byd mawr.

Yr ail opera i ni ei pherfformio ar ddechrau 1999 oedd *Cherevichki* gan Tchaikovsky, *Tsarina's Slippers* yn Saesneg. Roeddwn i'n teimlo cryn densiwn gan fod Nia'n disgwyl ein hail blentyn unrhyw funud ac roedd pawb yn deall pe cawn yr alwad ffôn bwysig, yna byddai'n rhaid i mi fynd. Roedd hi'n anodd canolbwyntio'n llwyr ar fy ngwaith

147

ac roeddwn wedi cael caniatâd i gael fy ffôn symudol yn yr ymarferion, rhag ofn. Roeddwn newydd gael fy ffôn symudol cynta erioed – ffôn mawr iawn o'i gymharu â rhai heddiw. Ond roedd y babi bach yn deall y sefyllfa, yn amlwg, gan i Elan gael ei geni ar ddydd Sadwrn, 13 Chwefror. Roeddwn adre ac mi aeth popeth yn llyfn iawn. Yn wir, mi ges i'r pleser o'i harwain i'r byd, unwaith roedd y pen allan yn daclus. Wna i fyth anghofio wyneb Nia pan ofynnodd y fydwraig i mi, 'Would you like to deliver the baby?' Mi wnes ac roedd yn brofiad emosiynol. Trefnwyd 'mod i'n cael rhyw dridiau adre cyn dod yn ôl i'r coleg i ailgydio yn yr ymarferion.

Ar ôl perfformiadau *Cherevichki*, ces gyfle i gyfarfod a chanu i gyfarwyddwr castio Cwmni Opera Cenedlaethol Lloegr, John Berry. Roedd cael cyfarfod a chlyweliad gydag yntau ar ddechrau fy ngyrfa fel canwr yn arwyddocaol ac yn dipyn o brofiad. Roedd o'n amlwg wedi mwynhau'r hyn a glywsai ac mi ges gynnig lle fel un o'i unawdwyr ifanc ar y Jerwood Young Singers Programme. Roedd hyn yn ddatblygiad gwerth chweil i mi, cael canu rhannau unigol a derbyn hyfforddiant pellach o dan adain cwmni cenedlaethol.

Erbyn hyn hefyd roedd Terence Lloyd a chwmni Viva yn dechrau colli stêm ac roedd yn rhaid i mi chwilio am asiant arall. Mi ges gynnig ymuno â Doreen O'Neill a chwmni Harlequin, ond mi wrandewais ar gyngor nifer o bobl oedd yn y proffesiwn yn lle gwrando ar fy ngreddf fy hun a mynd at gwmni mawr yn Llundain, Askonas Holt. Felly, erbyn i mi gychwyn ar y cynhyrchiad olaf yn y coleg roeddwn wedi cael rhan Edmondo yn *Manon Lescaut* yn Glyndebourne, cael cytundeb dwy flynedd efo Cwmni Opera Cenedlaethol Lloegr, cael asiantaeth fawr yn fy nghynrychioli ac yn dad i ail blentyn bach hyfryd, sef Elan. Roeddwn yn fy seithfed nef.

Yn Saesneg roedd y ddwy opera gynta y gwnaethon ni eu perfformio yn y Guildhall. Roedd y drydedd, a'r ola, yn Ffrangeg sef *Pénélope* gan Gabriel Fauré. Dyma opera a roddodd fy nhraed yn ôl ar y ddaear ar ôl yr holl lwyddiannau diweddar. Dyma pryd y sylweddolais faint o waith yw dysgu prif ran mewn iaith estron. Doedd yr hyfforddiant ieithyddol ar y cwrs opera ddim yn ddigonol, gan i weddill y myfyrwyr wneud y gwaith hwnnw cyn ymuno â chwrs y Guildhall.

Mi gymerodd oriau ac oriau o waith caled yn ceisio cyfieithu hen Ffrangeg barddonol libretto'r opera i'r Saesneg. Doedd dim Google Translate bryd hynny, ac roedd yn rhaid defnyddio geiriadur, air am air bron. Gyda hyfforddiant a gwaith caled mi ddatblygodd yn brofiad gwych y gwnes i ei fwynhau'n fawr, gan dderbyn canmoliaeth gan feirniaid papurau newydd mewn adolygiadau. Felly, daeth fy amser anhygoel yn y Guildhall i ben. Ond roedd un siom. Mi gofiwch i mi sôn am yr enwau oedd wedi ennill y Fedal Aur yn eu categorïau offerynnol, actio a chanu. Mi fyddwn wedi bod wrth fy modd yn cael cynnig am yr anrhydedd. Ni chefais y cyfle oherwydd bod yn rhaid i'r ymgeisydd fynychu'r coleg am o leiaf dair blynedd.

Felly, allan â fi i'r byd mawr creulon y tu allan i'r coleg. Oeddwn i wedi gwneud y penderfyniad iawn? Roedd hi'n edrych felly, a chynigion yn dod o bob man. A minnau wedi gorfod teithio'n ôl ac ymlaen i Ruthun bob penwythnos, roedd yn ymddangos y byddai hynny'n parhau am ddwy flynedd arall o leiaf, wrth i mi dderbyn lle efo Jerwood Young Singers yr ENO.

12

Naid i'r gwyll

Felly, ym mis Mehefin 1999 doedd dim
amser i fynd adre i fod yng nghwmni'r teulu,
rhaid oedd mynd yn syth i Glyndebourne
i gychwyn ar yr ymarferion. Llwyddais i
rentu tŷ bach to gwellt fel y byddai Nia a'r
plant yn gallu dod i aros. Roeddwn i'n cyfro
Edmondo am y pum sioe gynta ac yna'n
perfformio am y pedwar perfformiad ola.
Roedd hyn yn ymddangos yn berffaith gan
y cawn astudio sut y byddai'r tenor arall yn
perfformio'r rôl ac, wrth gwrs, fyddai dim
pwysau arna i yn ystod y noson gynta pan
fyddai'r *critics* yn dod i weld yr opera.

Doeddwn i ddim wedi cael profiad o ganu
efo cerddorfa mewn opera ar lwyfan mawr
mewn theatr cyn hynny, felly roedd hyn yn
naid i'r gwyll go iawn. A ches i ddim ymarfer
ar y llwyfan gan mai ymuno ar ganol y
perfformiadau roeddwn i. Ond roeddwn
wedi perfformio efo sawl cerddorfa mewn
cyngerdd, a byddwn i'n sefyll wrth ymyl
y gerddorfa ac yn gallu eu clywed, felly
doedd dim angen dibynnu gormod ar yr
arweinydd. Theatr fach iawn oedd yn y

Guildhall ac felly roedd y gerddorfa yn agos iawn ata i.

Mewn rhan helaeth o rôl Edmondo roedd yn rhaid i mi ganu rhwng canol a chefn y llwyfan ac felly roeddwn i 'mhell oddi wrth y gerddorfa. Yn ystod fy mherfformiad cynta, teimlwn nad oedd pethau'n union fel y dylen nhw fod pan sylwais fod yr arweinydd yn edrych yn betrusgar ac yn chwifio'i freichiau fel petai'n ceisio dal fy sylw. Y broblem oedd 'mod i'n canu efo'r hyn roeddwn i'n ei glywed o'r cyfeiliant ac felly roeddwn ar ei hôl hi drwy'r amser. Mae sain yn cymryd amser i deithio, yn tydy? Mae sain y gerddorfa'n teithio'n syth allan i'r gynulleidfa ac mae'n rhaid i lais y canwr gyrraedd y gynulleidfa ar yr un pryd. Erbyn i mi yng nghefn y llwyfan aros i glywed sain y gerddorfa mi fyddai fy llais yn cyrraedd y gynulleidfa yn hwyrach na'r cyfeiliant, ac felly ar ei hôl hi.

Dyna un o sgiliau anodda canwr opera pan fydd yn sefyll yn agos at gefn llwyfan wrth berfformio. Mae'n rhaid canu fymryn ar y blaen i'r gerddoriaeth er mwyn i'r gynulleidfa glywed y llais a'r cyfeiliant efo'i gilydd. Chwarae teg i'r arweinydd, pan ddeallodd pa mor amhrofiadol oeddwn i, mi aeth â fi i'r ystafell ymarfer fawr a daeth pianydd efo ni. Mi safodd efo'r piano ym mhen draw'r ystafell a finna'n sefyll yn y pen arall er mwyn ymarfer dilyn arweinydd o bellter. Dyna'r hanner awr orau o hyfforddiant technegol ymarferol i mi ei chael erioed. Roedd gweddill y perfformiadau yn iawn a'r amseru'n berffaith.

Mae gen i un stori ddoniol ac un stori frawychus am y cyfnod yn Glyndebourne. Roedd Mam, Dad, Wncwl Gwyn ac Anti Rhian wedi trefnu i ddod i weld un o'r perfformiadau. Roeddwn wedi sôn fod toriad hyd at ryw awr a hanner yn ystod hanner amser, er mwyn i'r gynulleidfa fynd allan i gael picnic. Rŵan 'ta, 'dan ni ddim yn sôn am bicnic arferol! Byddai'r ceir a ddeuai i mewn yno'n anghredadwy: Rolls Royce, Austin Martins, Bentleys, a byddai rhai'n cyrraedd mewn hofrenydd hyd yn oed. Tra oedd aelodau'r gynulleidfa yn mynd i weld y sioe, byddai eu morynion a'u staff yn gosod byrddau ac yn rhoi canwyllbrennau arian a chyllyll a ffyrc a bwydydd anhygoel arnyn nhw. Daeth fy nheulu i â brechdanau *pre-packed*, pacedi o greision a blanced sbâr o'r gwesty i'w rhoi dros un o'r byrddau picnic. Ond, mi gawson nhw lot o hwyl yn bwyta'n hapus ynghanol y crach.

Doedd dim byd yn ddoniol, serch hynny, yn y profiad gafodd Nia un prynhawn yn y bwthyn bach to gwellt. Roedd hi allan yn rhoi dillad ar y lein ac roedd Osian yn chwarae yn yr ardd. Mi drodd Nia at Osian ac wrth droi mi sylwodd ar ddyn yn sefyll yr ochr arall i'r ffens yn eu gwylio. Doedd o ddim yn gwneud dim byd, dim ond sefyll yno'n syllu. Roedd ganddo farf a gwallt blêr ac roedd o'n sefyll ynghanol y drain a'r mieri gwyllt. Mi deimlodd Nia ryw ias oer yn treiddio drwy ei chorff, gollyngodd y dillad, codi Osian, nad oedd ond yn ddwy a hanner oed, rhuthro i'r tŷ lle'r oedd Elan, chwe mis oed, a chloi'r drysau. Ar ôl ychydig mi ddiflannodd y dyn a welson ni mohono wedyn tra oedden ni yno.

Mi anghofion ni bopeth am y digwyddiad tan i ni glywed y newyddion brawychus o ardal Glyndebourne ar y teledu a'r papurau newydd am Sarah Payne ac am yr anghenfil a'i lladdodd, Roy Whiting. Roedd llun ohono yn un o'r papurau a nodyn yn dweud y byddai barf yn arfer bod ganddo fo. Dwi'n cofio dod adre ac roedd Nia yn llwyd fel wal. Roedd hi'n argyhoeddedig, ar ôl gweld y llun yn y papur, ac mae hi'n dal i gredu hyd heddiw, mai y fo oedd yn sefyll yn syllu arnyn nhw dros y ffens yn Glyndebourne.

Yn dilyn Glyndebourne roeddwn i'n cychwyn yn syth ar fy ngwaith fel tenor efo'r ENO o dan adain y Jerwood Young Singers Programme. Ces ran *maître d'* yn *Der Rosenkavalier* yn y Coliseum, sef cartref y cwmni. Roeddwn hefyd yn cyfro rhan y Canwr Eidalaidd a chanddo chwip o aria fawr yn yr olygfa gynta. Mi ges fy nhaflu i'r pen dwfn yma hefyd. Ar brynhawn y Dress Rehearsal mi ges alwad ffôn gan John Berry, y cyfarwyddwr castio, yn dweud eu bod wedi diswyddo'r tenor a chwaraeai'r rhan ac mai fi felly fyddai'n cymryd ei le. Yn yr opera mae'r Canwr Eidalaidd yn canu i'r Marschallin a phwy oedd yn chwarae'r rhan honno? Wel, Yvonne Kenny a oedd wedi cael y mawrion yn perfformio'r Canwr Eidalaidd o'i blaen, gan gynnwys Pavarotti. Yr arweinydd oedd cyfarwyddwr cerdd y cwmni ar y pryd, sef Paul Daniel. Felly, roedd cryn dipyn o bwysau arna i.

Dwi'n cofio bod yn yr ystafell newid efo aelodau eraill o'r cast a merched y wigs a'r colur. Dyma hen ddyn yn dod i mewn a edrychai'n dipyn o gymeriad ac roedd golwg braidd yn flêr arno. Doedd gen i ddim syniad pwy oedd o a dyma fo'n dweud wrtha i,

'Hello, I'm Jonathan.'

'Hia, I'm Rhys,' meddwn innau'n ôl.

'Jonathan Miller?' meddai â gwên.

'Rhys Meirion?' medda fi.

Doeddwn i ddim yn ei adnabod. Pwy oedd o? Wel, yr athrylithgar Syr Jonathan Miller, un o'r cyfarwyddwyr enwocaf ac uchaf ei barch yn y byd. Fo oedd cyfarwyddwr gwreiddiol y cynhyrchiad ac roedd wedi galw draw i weld y Dress Rehearsal i wneud yn siŵr fod pob dim yn iawn. Mi welodd ochr ddoniol y sefyllfa, mi ddymunodd yn dda i mi a rhoi un neu ddau o gyfarwyddiadau munud ola. Ymhen amser mi ddaethon ni i adnabod ein gilydd yn dda drwy gydweithio, a chwerthin llawer am ein cyfarfod cynta.

Mi aeth y perfformiadau'n dda iawn, ond roedd dilyn Mr Daniel yn dipyn o dasg gan ei fod yn un o'r arweinyddion yma sy'n arwain â steil, a'i freichiau bron yn troi mewn cylchoedd, ac mae'n anodd gweld yn union lle mae'r curiad.

Yn dilyn y cyfle hwnnw, daeth cynigion gwych i'm rhan gan Gwmni Opera Cenedlaethol Lloegr. Yn ystod y blynyddoedd cynnar hyn mi ges gyfle i gael dosbarthiadau meistr gan gantorion fel Thomas Hampson, Catherine Malfitano, Thomas Allen, a'r actores Fiona Shaw. Anghofia i fyth eiriau cynta'r soprano Catherine Malfitano wrth ryw chwech ohonon ni ar ddechrau wythnos o ddosbarthiadau: 'Singing is like sex. I enjoy singing and I enjoy sex!' Ffordd wahanol o'i chyflwyno ei hun, am wn i!

Roedd y sesiynau actio efo Fiona Shaw yn wych. Mi gawson ni'r cyfle i'w gweld yn actio Medea yn Llundain cyn treulio diwrnod yn ei chwmni. Mi ddysgodd rywbeth defnyddiol iawn i mi fel arf wrth actio. Awgrymodd y dylen ni fynd yn ôl i'n gorffennol a defnyddio profiadau personol wrth ddod o hyd i'r emosiwn cywir ar gyfer gwahanol *scenarios*. Gofynnais iddi sut y gallen ni wneud hynny os nad oedden ni erioed wedi profi'r emosiwn arbennig hwnnw. Dywedais wrthi fod llawer o rannau tenor mewn operâu lle mae ei gariad yn marw. Mae golygfeydd hir, llawn emosiwn, er enghraifft, yn *La Bohème* a *La Traviata* lle mae Mimi a Violetta yn marw. Doedd gen i, ar y pryd, ddim profiad o brofedigaeth ddwys ac felly sut y gallwn fynd o dan groen y cymeriad a throsglwyddo'r emosiwn i'r gynulleidfa? Ei hateb oedd, os nad oeddwn i wedi profi'r emosiwn hwnnw fel oedolyn i fynd yn ôl i'm plentyndod. A oeddwn wedi colli anifail anwes pan oeddwn i'n blentyn? Mi oeddwn i, fel mae'n digwydd, a minnau wedi torri 'nghalon. Mae'n rhyfedd pa mor fyw ydy'n profiadau fel plant a'u bod yn dal ynddon ni, dim ond i ni chwilio amdanyn nhw.

'Defnyddia'r atgof yna fel allwedd i bortreadu'r emosiwn cywir,' meddai.

A wyddoch chi be? Mi weithiodd. Er ei fod yn tynnu ychydig o'r *grandeur* i ffwrdd, efallai, rhaid i mi gyfadde mai meddwl am

Rex, fy hen labrador du, fydda i wrth ganu'n llawn emosiwn yn *La Bohème* a Mimi'n marw yn fy mreichiau.

Mi aeth y cyfnod cynnar hwn yn gyflym iawn, a minnau fel petawn ar rolercoster a phopeth yn newydd ac yn gyffrous. Mewn fflat yn Cricklewood roeddwn i'n byw ar y pryd, a oedd yn gyfleus iawn o ran teithio i adeiladau ymarfer ENO a thŷ fy athro, David Pollard. Byddai'r gwahoddiadau i fod mewn operâu yn dod un ar ôl y llall, a hefyd i wneud cyngherddau lu. Cefais brofiadau bythgofiadwy mewn rhai o'r cyngherddau hyn, gan gynnwys canu am y tro cynta mewn cyngerdd yn yr Eisteddfod Genedlaethol, Eisteddfod Llangollen, yn yr Albert Hall, Neuadd Dewi Sant, Caerdydd, Neuadd Pritchard Jones, Bangor ac mewn nifer o gyngherddau eraill.

Dwi'n cofio bod yn rhan o opera pan fu'n rhaid i ni lefaru deialog am y tro cynta, yn *The Magic Flute*. Er fy mod wedi treulio dipyn o amser erbyn hyn yn Llundain ac yn siarad Saesneg y rhan fwyaf o'r amser, roedd fy acen Gymreig yn dal yn dew. Roeddwn i'n gorfod llefaru llinellau fel,

'Not even for the love of a beautiful woman.'

'Why are you here?'

Roedd yr acen Gymreig yn dod trwodd yn

naturiol, yn doedd? Ond, ymhen ychydig, dechreuais ddatblygu acen Seisnig. Yn y cast hefyd roedd soprano o Ogledd Iwerddon, dau fariton o Swydd Efrog ac Awstralia, a baswr o Newcastle. Roedd y cyfarwyddwr druan yn tynnu gwallt ei ben. Yn y diwedd mi waeddodd yn un o'r ymarferion, 'Do your own fxxxing accents!' A wyddoch chi be? Mi weithiodd hynny'n iawn hefyd.

Gan fod gen i fy fflat fy hun, medrai Nia ddod i lawr i weld rhai o'r perfformiadau. Dwi'n ei chofio hi'n dod i weld y noson gynta o *La bohème* gan Leoncavallo. Oes, mae dwy *La Bohème*! Mi gychwynnodd Leoncavallo a Puccini roi'r ddrama i gerddoriaeth ar yr un pryd ac mi drodd yn dipyn o ras. Puccini enillodd a chael perfformiad llwyddiannus iawn o'r opera cyn i Leoncavallo orffen ei fersiwn o. Ar ôl llwyddiant rhyfeddol *La Bohème* Puccini doedd dim lle i'r ail, er bod y gerddoriaeth yn wych. Mi benderfynodd ENO wneud fersiwn Leoncavallo ac roeddwn i'n chwarae rhan Marcello, yr arlunydd (Rodolfo, y bardd, wrth gwrs, yw rhan y tenor yn *La Bohème* Puccini). Roedd yr ymarferion yn llawn tensiwn gan fod problemau mawr efo'r cyfieithiad. Roedd y cyfarwyddwr, Tim Albery, wedi gofyn i'w ffrind wneud cyfieithiad Saesneg o'r Eidaleg gwreiddiol ac wrth i mi ei ddysgu a gweithio arno efo Brian Hughes deuai'n fwyfwy amlwg ei fod yn gyfieithiad sâl. Roeddwn wedi gofyn i'r ENO a fyddai'n bosib i mi newid ychydig ar y cyfieithiad i'w wneud ychydig yn fwy canadwy. Na oedd yr ateb, gwna iddo weithio.

Gan ei fod yn gynhyrchiad newydd sbon roedd chwe wythnos o ymarferion. Mi dreulion ni'r dair wythnos gynta yn newid 80% o'r cyfieithiad ac yna 'blocio'r opera', sy'n derm yn y byd theatr am yr hyn sy'n digwydd ar y llwyfan yn ystod y cynhyrchiad. Felly, roedd yn rhaid nid yn unig ddysgu geiriau newydd ond hefyd anghofio'r hen eiriau a'r rheiny erbyn hynny'n gadarn yn y cof. Mae canu prif ran mewn opera yn ddigon anodd, heb orfod wynebu'r fath lanast. Wrth gwrs, dyw'r gynulleidfa na'r beirniaid yn ymwybodol o unrhyw drafferthion yn y broses o baratoi cynhyrchiad. Mi gafwyd noson gynta lwyddiannus iawn ac felly roeddwn i'n falch iawn fod Nia wedi gallu dod i weld y perfformiad a chael bod yn rhan o rwysg a mawredd y Première ym myd opera.

Ar ôl y perfformiad roedd yn rhaid i mi fynd i dderbyniad i'r noddwyr. Mi gafodd Nia ddod hefyd a chael agoriad llygad. Roedd y ddau ohonon ni'n sefyll â gwydraid o *champagne* yn ein llaw pan ddaeth gwraig un o'r prif noddwyr atom gan ddweud wrtha i, mewn acen Seisnig gain iawn,

'You were singing Marcello, weren't you?'

'Yes,' meddwn i.

'Yes... very good... shame about the accent... Bryn Terfel was the same when he did Figaro here!'

Wir i chi! Roedd Nia'n gegrwth. Yna, daeth un o'r noddwyr eraill draw a chanmol fy mherfformiad cyn troi at Nia a gofyn iddi ai hi oedd y soprano yn y cynhyrchiad.

'No, I'm Rhys's wife,' meddai Nia.

'What do you do, then?'

'I'm at home at the moment looking after the children,' meddai Nia.

Mi ddisgynnodd ei wyneb ac wrth edrych tuag at ei draed gwnaeth ryw sŵn 'Ugh' a cherdded i ffwrdd, wedi colli pob diddordeb.

Dwi'n ffodus fod y gallu gen i, diolch byth, i chwerthin ar ben y fath agwedd ond roedd Nia wedi'i siomi a'i chythruddo ac mi sylweddolais o'r foment honno na fyddai ganddi'r amynedd na'r ewyllys i geisio cymysgu â'r fath bobl. Ond pobl fel hyn, yn anffodus, sy'n cynnal cerddoriaeth glasurol ym Mhrydain gan nad yw'n derbyn cyllid gwladol fel y gwna yng ngweddill gwledydd Ewrop.

Fel mae'n digwydd, mae gen i nifer o brofiadau tebyg dros y blynyddoedd. Un sy'n dod i'r cof yw achlysur lle'r oeddwn i'n gwneud datganiad i'r noddwyr. Mi ofynnodd un o'r noddwyr, a hithau â chysylltiad â Chymru, a oeddwn yn gwybod 'My Little Welsh Home' ac a fyddwn i'n fodlon ei chanu yn y *recital*. Wrth gwrs, oedd yr ateb ac mi orffennais y perfformiad trwy ddweud fy mod wedi cael cais am y gân. Ar ôl gorffen roeddwn i'n cymysgu efo'r noddwyr gan ddiolch am eu caredigrwydd a'u hewyllys da a daeth y prif noddwr ata i gan gynnig ei law. Mi ysgydwais ei law yn ddigon naturiol, ac mi ddywedodd wrth ddal fy llaw'n dynn, 'Yes, very good, apart from that sentimental Welsh rubbish at the end!' Ceisiodd rhai o'i gwmpas awgrymu mai tynnu 'nghoes i roedd o, ond roeddwn i'n edrych i fyw ei lygaid ac roedd hi'n amlwg i mi ei fod yn meddwl pob gair. Mi fyddwn wedi gallu ymateb mewn sawl ffordd, ond mae'n rhaid pwyllo yn y fath sefyllfa. Penderfynais beidio â dweud gair, dim ond gwenu, a rhoi rhyw wasgiad bach anghyfforddus i'w law.

Rhaid i mi ychwanegu, serch hynny, mai eithriadau ar y cyfan yw'r fath bobl, ond hefyd nad yw'n ormod dweud, o 'mhrofiad i, fod y Cymry'n cael eu hystyried yn israddol yn y fath gylchoedd. Nid yw'n amlwg bob amser, ond mae o yno, yn mudferwi o dan yr wyneb trwy ryw edrychiad bach, neu chwerthiniad a rhyw dinc o gydymdeimlad amhriodol ynddo. Mae'n hawdd iawn dehongli cymeriad a phersonoliaeth person wrth eu cyfarfod am y tro cynta, yn ôl y cwestiwn cynta y byddan nhw'n ei ofyn i chi. Fel arfer maen nhw un ai'n holi o ble 'dach chi'n dod neu be 'dach chi'n ei wneud. Os mai o ble 'dach chi'n dod yw'r cwestiwn, mae'r person fel arfer â diddordeb diamod ynddoch chi ac eisiau cynnal sgwrs. Os mai 'What do you do?' yw'r cwestiwn neu, yn waeth byth, 'What do *you* do?' mi fydd y person hwnnw'n penderfynu a oes ganddo ddiddordeb ynddoch chi ar ôl gweld beth yw eich statws, ac ydy hi'n werth trafferthu gynnal sgwrs ar ôl cymharu'r statws hwnnw â'i statws o.

Daeth gwahoddiadau i berfformio operâu – *Gianni Schicchi* gan Puccini, *Das Rheingold* gan Wagner ac yna *Lady Macbeth of Mtsensk* gan Shostakovich. Roedd Mark Wigglesworth yn gyfarwyddwr cerdd a David Pountney yn cyfarwyddo *Lady Macbeth* ac roedd hwn yn gynhyrchiad oedd â chast mawr a chantorion uchel eu parch, gan gynnwys y baswr anhygoel, Gwynne Howell, sy'n ddyn annwyl a hynaws iawn, bob amser

163

yn barod i roi cyngor i ganwr ifanc. Roedd yr ymarferion yn cychwyn ar 16 Mai 2001, y perfformiad cynta ar 15 Mehefin a babi arall i fod i gyrraedd yr hen fyd yma ar 18 Mehefin. Felly, fel y gellir dychmygu, roeddwn i o dan dipyn o bwysau. Rhyw bythefnos wedi dechrau'r ymarferion mi gollais fy llais yn llwyr. Roeddwn i'n teimlo'n iawn, dim annwyd na salwch, ond doedd gen i ddim llais o gwbl. Roedd Mark Wigglesworth yn gefnogol tu hwnt ac wedi clywed be roedd o eisiau ei glywed yn yr ymarferion cerddorol, medda fo.

'Rwyt ti wedi colli dy lais oherwydd emosiwn ac ofn y byddi di'n colli'r enedigaeth,' meddai. 'Paid â phoeni dim, unwaith bydd y babi wedi cyrraedd mi ddaw dy lais yn ôl.'

Roeddwn i'n cysgu'n braf yn fy ngwely pan ganodd y ffôn am bump y bore ar ddydd Iau, 7 Mehefin. Edrychais pwy oedd yn galw... Nia! Atebais y ffôn ac roedd Nia'n bwyllog iawn, chwarae teg, yn dweud bod ei dŵr wedi torri ac yn erfyn, 'Tyrd adre rŵan.' Roeddwn ar y ffordd ymhen llai nag ugain munud yn yr hen Peugeot 306 disel a dwi'n cofio pasio car heddlu ar yr M1 yn gwneud tua 90 milltir yr awr. Roeddwn i'n hanner gobeithio y byddai'n fy nhynnu i'r ochr er mwyn i mi fedru dweud wrtho fod fy ngwraig ar fin rhoi genedigaeth ac efallai gael *police escort* i Ysbyty Glan Clwyd! Ond fy anwybyddu wnaeth yr heddlu ac roeddwn wrth ochr Nia erbyn 8:20am – roedd y Peugeot bach wedi gweithio'n galed. Cafodd Erin ei geni am 9:44am. Mi ges i ryw ddiwrnod neu ddau adre, daeth y llais yn ôl, ac aeth noson gynta *Lady Macbeth of Mtsensk* yn wych. Roedd Mr Wigglesworth yn teimlo fel y Japanî hwnnw oedd yn gwybod pob peth – Udis i do!

13

I ffau'r llewod

AR ÔL DWY flynedd o gael y diogelwch o berfformio fel canwr ifanc efo cynllun Jerwood, roedd y rhwyd ddiogelwch honno'n diflannu ar ddechrau tymor newydd ENO ym mis Medi 2001. Roedd y tymor yn edrych yn un cyffrous iawn gan 'mod i'n mynd i berfformio tair rôl a oedd yn *repertoire* unrhyw denor o bwys, sef Rodolfo yn *La Bohème* gan Puccini, Alfredo yn *La Traviata* gan Verdi a Nemorino yn *L'elisir d'amore* gan Donizetti. Roeddwn i mor lwcus, ac yn gorfod pinsio fy hun weithiau. Dim ond pedair blynedd yn ôl roeddwn i'n brifathro a rŵan roeddwn i'n brif denor Cwmni Opera Cenedlaethol Lloegr ac yn edrych ymlaen at ganu tair o'r rannau mwyaf poblogaidd i denor yn y byd opera.

Bu'r holl astudio ac ymarfer yn waith caled, ond yr un mor galed hefyd fu addasu fy ffordd o fyw. Roedd y teulu'n gyflawn erbyn hyn – Osian yn bum mlwydd oed, Elan yn ddwy a hanner ac Erin yn gwta dri mis oed. Roedd pob math o emosiynau a chymhlethdodau cyfrifoldebau teuluol yn gymysg â chyffro a gorfoledd y llwyddiant anhygoel yma a ddeuai i'm rhan. Doeddwn i na Nia ddim am i'r teulu symud i Lundain i fyw gan fod cymdeithas arbennig yn Rhuthun, a theulu a ffrindiau wrth law, felly byddai codi pac a byw yn Lloegr wedi bod yn amhosib. Doedd dim i'w wneud ond parhau â'r drefn o deithio'n ôl ac ymlaen i Lundain bob penwythnos.

Uchelgais pob canwr a pherfformiwr, mae'n siŵr, yw cael recordio albwm. Mi ges i'r profiad arbennig o recordio fy albwm gynta efo cwmni Sain yn ystod y cyfnod hwn. Bu'r broses o ddewis caneuon a chael cydweithio gydag Annette Bryn Parri yn brofiad pleserus iawn. Hi gynhyrchodd yr albwm yn ogystal â chyfeilio a rhoddwyd enw gwreiddiol iawn arni, sef *Rhys Meirion*! Recordiwyd amrywiaeth o ganeuon, rhai o fyd yr opera, cân Neapolitaidd a ffefrynnau Cymraeg fel 'Wyt ti'n cofio'r lloer yn codi?', 'Arafa Don', 'Sul y Blodau' a 'Hen Gerddor'. Roedd yr Eisteddfod yn Ninbych yn 2001 ac felly yn lle digon naturiol i'w rhyddhau. Dwi'n cofio cael fy *photo call* cynta hefyd ac mi ddefnyddion ni lun o'r sesiwn honno i'w roi ar y clawr.

Roedd yr Eisteddfod honno yn dipyn o achlysur gan 'mod i'n canu yn un o'r cyngherddau ac yn canu 'Cân y Cadeirio'.

Roedd y cadeirio yn hanesyddol y flwyddyn honno, wrth gwrs, gan i Mererid Hopwood ddod yn fuddugol – y ferch gynta i gael ei chadeirio. Roedd si ar led mai merch fyddai'n ennill ac roeddwn i'n poeni am eiriau gwrywaidd 'Cân y Cadeirio'. Gofynnais am ganiatâd i newid rhai geiriau i fod yn addas i ferch, fel 'ei gadair' i 'ei chadair', ond gwrthodwyd y cais oherwydd byddai'n amlwg 'mod i wedi cael gwybod ymlaen llaw. Felly, ymddiheuriadau mawr i Mererid! Yn dilyn hyn, newidiwyd y geiriau i fod yn addas i enillydd gwrywaidd a benywaidd.

Roedd byw mewn fflat yn Cricklewood yn gostus tu hwnt a doedd Nia na'r plant ddim yn gallu nac am ddod i lawr yn ddigon aml i gyfiawnhau'r gost. Yn wir, roeddwn i'n falch iawn o gael mynd adre i Gymru o'r ddinas fawr ar bob cyfle. Felly, penderfynais chwilio am le i gael bod yn lojar. Drwy ffrind i'r teulu fe'm rhoddwyd mewn cysylltiad â dyn a ddaeth yn ffrind mawr i ni, sef Arthur Wyn Davies. Roedd yn ddyn galluog iawn yn ei faes fel un o brif arbenigwyr y gyfraith yn Fleet Street. Roedd yn gweithio efo'r *Telegraph* ac yn uchel ei barch. Dwi'n ddiolchgar iawn i Arthur am gynnig lle i mi aros yn ei gartref am bron i dair blynedd tra oeddwn ar gontract efo'r ENO. Mi gawson ni lawer o hwyl a sgyrsiau difyr i mewn i'r oriau mân.

Roedd ymarferion *La Bohème* yn cychwyn ar 22 Awst ac roedd y cwmni'n wych iawn, â chantorion a ffrindiau megis Linda Richardson, Iain Paterson a David Kempster yn canu rhan Marcello. Aeth yr ymarferion yn dda iawn ond wna i byth anghofio cerdded i mewn i'r caffi yn yr adeilad lle'r oedden ni'n ymarfer yn ystod toriad amser cinio un diwrnod. Roedd y lle'n ddistaw, pawb yn edrych ar y teledu ag ofn ar eu hwynebau, ac un o'r digwyddiadau mwyaf erchyll mewn cof yn datblygu o flaen ein llygaid. Ie, 11 Medi oedd hi, ac roedd y Twin Towers yn Efrog Newydd wedi cael eu taro gan awyrennau. Cawsom wybod bod awyrennau eraill wedi cael eu cipio a'u bod yn dal yn yr awyr a bod posibilrwydd y byddai'r terfysgwyr yn targedu dinasoedd eraill, gan gynnwys Llundain. Anodd iawn fu dychwelyd i'r ymarfer ac ar ôl rhyw hanner awr mi yrrwyd pawb adre.

Gweithio yn y tŵr yn Canary Wharf roedd Arthur ac roedd o wedi ei frawychu'n ddychrynllyd pan ddiffoddodd y trydan am ryw bymtheg eiliad. Cawsant yr esboniad yn ddiweddarach fod cymaint o gysylltiadau e-bost a ffôn rhwng yr adeilad y gweithiai o ynddo a'r Twin Towers fel y cafwyd *power surge* anferthol, a hynny fu'n gyfrifol am y nam yn y trydan. Bu tipyn o densiwn yn Llundain yn ystod yr wythnosau canlynol, fel y gellir dychmygu.

Roedd yn rhaid i ni ddal ati wrth gwrs i ymarfer, 'the show must go on'. Roedd y cyfarwyddwr gwreiddiol, Steven Pimlott, wedi rhoi rhwydd hynt i'r cyfarwyddwr staff, Michael Walling, a oedd yn gyfrifol am y pumed neu'r chweched cynhyrchiad hwn, i'w newid fel y mynnai. Mi ddaeth i weld beth roedden ni wedi'i wneud yn yr hyn 'dan ni'n ei alw'n 'studio run' sef perfformio'r opera yn y stiwdio cyn dechrau ymarfer yn y theatr, ac roedd o'n hapus iawn. Ond yn ystod yr ymarfer ola efo piano yn y theatr, newidiodd ei feddwl ac roedd am ei berfformio yn union fel y gwreiddiol. Mi fu andros o ffrae ac mi orfodwyd Mr Pimlott druan i adael yr adeilad.

Os ewch chi i'r Coliseum yn Llundain, sef cartref ENO, i weld perfformiad heddiw mi glywch chi sŵn ffôn drwy'r theatr cyn i'r perfformiad ddechrau yn atgoffa pawb i ddiffodd eu ffonau symudol. Mi gychwynnwyd y rhybudd oherwydd un digwyddiad yn ystod Dress Rehearsal i'r sioe hon. Roeddwn i'n barod i ganu'r aria enwog, 'Your tiny hand is frozen' ('Che gelida manina') ond ar yr union eiliad honno o dawelwch dramatig cyn yr aria, canodd ffôn symudol. Mi chwalwyd naws y foment yn gyfan gwbl, a Linda Richardson druan yn trio'i gorau i'w hatal ei hun rhag chwerthin.

Mi ges innau brofiad annifyr yn ystod un o'r perfformiadau yma o *La Bohème* hefyd. Yn yr opera mae hi'n ganol gaeaf ac felly, roedden ni'n gorfod gwisgo cotiau mawr ac ac roedd hi'n boeth iawn ar y llwyfan. Ar un noson arbennig roeddwn i'n chwysu fwy nag arfer, ac yn yr olygfa ola, hynod ddramatig, pan mae Mimi druan yn marw yn fy mreichiau ar lawr mi ges i'r cramp mwya ofnadwy yn fy nghoes. Roeddwn i mewn poen echrydus ond roedd yn rhaid dal ati. Fel arfer byddwn ar fy ngliniau a phen Mimi'n gorwedd yn fy nghôl. Doedd ganddi ddim syniad beth oedd wedi digwydd wrth i mi, yn sydyn, heb rybudd, orwedd ar y llawr efo hi er mwyn sythu fy nghoes. Mewn darn lle nad oedden ni'n canu sibrydais yn ei chlust, 'I've got cramp!' Y rheswm dros y cramp oedd 'mod i wedi colli gymaint o ddŵr a halen wrth chwysu gan achosi i'r cyhyrau glymu. Roedd ymateb y beirniaid yn dda ar y cyfan ac roedd yn brofiad ffantastig cael perfformio rôl mor adnabyddus mewn theatr arbennig iawn.

Cawsom Nadolig i'w gofio y flwyddyn honno – y Nadolig cynta i'r pump ohonon

ni. Er bod Erin yn rhy fach i ddeall ystyr y
Nadolig roedd Osian ac Elan wrth eu bodd a
rhaid i mi gyfadde 'mod innau'n mwynhau'r
Nadolig. Bydda i'n ceisio cadw'r cyfnod dros
y Nadolig a'r Flwyddyn Newydd yn rhydd
am ei fod yn gyfnod amhrisiadwy i'w dreulio
efo'r teulu, yn gyfnod i greu atgofion.

Mae patrwm diwrnod Nadolig wedi'i
sefydlu ganddon ni bellach. Byddwn ni,
ein pump, yn gwylio *Polar Express* noswyl
Nadolig – ffilm hyfryd sydd yn ein cynhesu
ac yn ein paratoi at gyfer yr ŵyl. Cawn ein
deffro gan y plant tua saith o'r gloch a byddwn
yn mynd i lawr y grisiau i agor anrhegion
Siôn Corn, yna brecwast, ac agor potelaid
o *champagne*. Ar ôl brecwast byddwn ni'n
agor y presantau o dan y goeden Nadolig ac
yna af i'r gegin i baratoi'r cinio a bydd Nia'n
gosod y bwrdd – wir i chi, mae'n werth ei
weld bob blwyddyn. Bydda i'n gwrando ar
Radio Cymru a mwynhau rhyw lasiad o win
neu *gin* a tonic wrth baratoi'r bwyd. Cawn
Prawn Cocktail i gychwyn, ond tydy hi ddim
yn hawdd i'w baratoi i bawb, oherwydd
bydd Elan a fi'n cael *Prawn Cocktail* llawn
efo sôs a salad, Osian yn cael *prawns* a sôs
ond dim salad, Nia'n cael salad a sôs ond
dim *prawns* ac mae Erin yn ddigon bodlon
cael bara i'w fwyta. Bydd y cinio Nadolig ei
hun yn dilyn wedyn â'i holl drimings. Nia

fydd yn paratoi'r pwdin Dolig a'r sôs brandi. Ar ôl clirio'r llestri awn i'r ystafell fyw ac o fewn chwarter awr mi fydda i'n chwyrnu'n braf. Bendigedig!

Roeddwn i'n gorfod gweithio rhywfaint dros y Nadolig hwnnw oherwydd bod ymarferion *La Traviata* yn cychwyn yn gynnar ym mis Ionawr. Mae'n rhaid i mi gyfadde mai *La Traviata* yw fy hoff opera – mae'r gerddoriaeth yn fendigedig a'r ddrama a'r gerddoriaeth yn briodas berffaith. Dyma'r tro cynta i mi weithio efo'r bariton o Ferthyr, Jason Howard. Dyma i chi lais arbennig iawn sy'n berffaith ar gyfer dehongli Verdi. Roedd Andrew Rees yn y cast hefyd. Mi ges i lawer o sesiynau ymarfer efo'r Cymro, Philip Thomas wrth baratoi at y rôl hon ac yntau'n athrylith ar ddehongli Verdi ac yn ffodus i fi roedd ar staff yr ENO. Yma cefais y cyfle i weithio am y tro cyntaf efo Jonathan Miller ar ôl y digwyddiad doniol yn ystod *Der Rosenkavalier*. Roedd Linda Richardson yn chwarae rhan Violetta a Sandra Ford yn cymryd y rhan hanner ffordd drwy'r perfformiadau.

Anghofia i fyth mo Jonathan Miller yn rhoi cyfarwyddyd i Sandra pan gâi hi'n anodd treiddio i'r cymeriad yn yr Ail Act. Yn *La Traviata*, putain i'r cyfoethogion yw Violetta a hithau'n dioddef o TB. Mae

Alfredo, sydd o deulu uchel-ael, yn syrthio mewn cariad â hi a Violetta'n disgyn mewn cariad ag o, felly aiff y ddau i fyw efo'i gilydd yn y wlad. Yn yr Ail Act mae tad Alfredo yn dod i weld Violetta ac yn dweud wrthi fod y garwriaeth yn codi cymaint o gywilydd ar y teulu fel eu bod wedi penderfynu diarddel Alfredo pe bai'n parhau â'r berthynas. Dywed y tad wrthi, gan ei bod yn debygol y byddai'n marw o'r TB, ei bod hi'n hynod o hunanol yn parhau'r garwriaeth ag Alfredo ac y dylai orffen y berthynas ar unwaith. Mae Violetta yn ei gwendid yn cytuno ac yn ddiweddarach yn dweud wrth Alfredo ei bod yn ei adael, mewn aria anhygoel o bwerus ac emosiynol. Dyma lle'r oedd Sandra yn cael trafferth wrth ddehongli, doedd hi ddim yn teimlo'r emosiwn, meddai. Cyfarwyddyd athrylithgar Jonathan Miller oedd, 'From the moment you agree to leave Alfredo you are dead for the rest of the opera. You are just a shell, no real emotion, nothing in the eyes, look through him when you tell him you're leaving him, make no eye contact, as if he is not there.' Pan ganodd yr aria yn dilyn y cyfarwyddiadau hyn, roedd yn foment drydanol. Am newid! Dwi'n cael ias oer wrth ei gofio rŵan a minnau'n ysgrifennu'r geiriau hyn. Meistr wrth ei waith.

Yn ystod un o'r perfformiadau mi

ddigwyddodd un peth doniol iawn. Roedden ni yn y Drydedd Act lle mae Violetta wedi fy ngadael ac wedi mynd yn ôl at y Baron i gael ei chynnal. Aiff Alfredo i barti lle mae'n gwybod y byddai Violetta a'r Baron, ac ymhen tipyn mae Alfredo a'r Baron yn dechrau gamblo ar y bwrdd cardiau. Alfredo sy'n cael y lwc i gyd ac mae'n canu, 'A broken-hearted lover has all the luck at gambling', ac yna'n syth mae'r dynion yn y corws yn ateb, 'Has all the luck at gambling'. Cyn canu'r llinell roeddwn i'n gorfod estyn potelaid o win a'i dollti i mewn i wydr. Pan es i nôl y botel doedd dim un yno, felly es i nôl un arall ac wrth dollti'r gwin mi ges i be 'dan ni'n ei alw'n *blank*. Doedd gen i ddim syniad be oedd y geiriau nesa! Mae'r Coliseum yn Llundain yn un o'r theatrau mwyaf ym Mhrydain, yn dal dros dair mil o bobl. Wrth gael *blank*, fel arfer daw'r geiriau'n ôl wrth anadlu i mewn cyn canu ond, y tro hwn, dim byd. Roedd rhaid canu rhywbeth, felly dyma ganu synau, 'Na na na na na, na na na na na gambling' (mi gofies i'r gair ola!) ac, fel un, dyma'r diawlied yn y corws yn ateb, 'Na na na na na gambling.' Roedd tipyn o ganu deialog llawn tensiwn yn dilyn. Ond allai neb ganu nodyn, doedd dim i'w glywed ond sŵn cantorion yn ceisio'u hatal eu hunain rhag chwerthin, rhai yn cychwyn brawddeg ond yn methu ei gorffen. Roedd yn hunllef a barodd am tua munud. Dyna un o'r munudau hiraf yn fy mywyd.

Hwn, heb os, oedd un o fy mherfformiadau mwyaf llwyddiannus fel canwr opera. Roedd nifer o bobl bwysig yno ar y noson gynta, a daeth nifer o gynigion tramor i mi yn dilyn y perfformiad hwnnw, gan gynnwys Perth yn Awstralia, a Frankfurt yn yr Almaen. Doedd dim amser i laesu dwylo nac ymlacio. Roedd perfformiad olaf *La Traviata* ar nos Iau, 7 Mawrth ac roedd ymarferion *The Elixir of Love* yn cychwyn ar y deuddegfed.

Mi fwynheais i'r prosiect yma'n fawr iawn. Comedi yw *The Elixir of Love* a chanolbwynt y gomedi yw Doctor Dulcamara. Roedd ganddon ni athrylith yn chwarae'r rhan, sef Andrew Shore. Roeddwn wedi gweithio efo fo o'r blaen yn yr operâu *Das Rheingold* a *Gianni Schicchi*. Dyma i chi artist sy'n gallu cymeriadu'n wych a chanddo lais mawr cyfoethog. Bu'n bleser cael gweithio ochr yn ochr ag o. Roedd y gyfarwyddwraig, Jude Kelly, wedi'i hapwyntio i gyfarwyddo'r opera a byddai hi'n gofyn am lawer o ymroddiad ac actio naturiol. Roedd yn rhaid bod yn weddol ffit hefyd i fod yn rhan o'r cynhyrchiad gan fod disgwyl i ni redeg llawer. Yn ystod y Dress Rehearsal mi ges i brofiad bythgofiadwy. Roedd Alison Roddy, y soprano fyddai'n canu Adina, yn sâl, a doedd y ferch oedd yn eilydd iddi ddim wedi dysgu'r rhan yn ddigon da. Mae Adina a Nemorino efo'i gilydd yn aml iawn ar y llwyfan a Nemorino druan yn ceisio ei orau glas i'w hennill yn gariad. Mi benderfynwyd rhoi Steven Stead, y cyfarwyddwr staff, i gerdded ac actio rhan Adina a chael yr eilydd i ganu'r rhan gan ddal llyfr. Wel, dyna beth oedd pantomeim! Mae Steven Stead, a fyddai dim ots ganddo 'mod i'n dweud hyn, yn berson *camp* iawn ac mi actiodd Adina i'r dim a finna'n gorfod edrych i fyw ei lygaid yn gariadus wrth ganu'n rhamantus iddo. 'Dan ni wedi chwerthin llawer wrth edrych yn ôl ar hyn. Mi ges fy nisgrifio fel Hugh Grant y byd opera gan un o'r beirniaid yn y papurau newydd yn dilyn y perfformiad ar y noson gynta.

Ar ôl perfformio'r tair rôl fawr am y tro cynta yn syth ar ôl ei gilydd mewn tŷ opera mor bwysig, doedd dim amser eto i laesu dwylo achos roedd antur o'n blaenau fel teulu. Roeddwn wedi derbyn y cyfle i berfformio am y tro cynta mewn gwlad dramor. Nid mewn gwlad yn Ewrop, o na, ond yn Perth, Awstralia. Ces wahoddiad i berfformio *La Bohème*, mewn Eidaleg, a byddai'r teulu'n cael dod efo fi o 31

Gorffennaf hyd 15 Medi. Dyma'r tro cynta i mi ddysgu rôl gyfan mewn Eidaleg. Mi weithiais ar y darn yn festri capel Bethania, Rhuthun – adeilad gwych, acwstig da, digon o le, a finna'n cael llonydd. Fues i ddim yn hir yn ei ddysgu, ac roedd cael ei ganu yn yr Eidaleg gwreiddiol yn hyfryd o'i gymharu â chanu mewn Saesneg clonciog.

Roedd hedfan i Awstralia am 24 awr gyda thri o blant bach 6, 3 ac 1 oed yn dipyn o brofiad. Chwarae teg i Nia, mi gymerodd y cyfrifoldeb drostynt gan fod gen i ymarfer yn syth ar ôl cyrraedd, ac felly roedd arna i angen cwsg. Mi gawson ni groeso bendigedig gan Western Australian Opera, apartment hyfryd ar ochr y parc a'r llyn, a char Rover newydd sbon i'w ddefnyddio. Roedd Cymraes ar y staff o'r enw Marilyn Phillips ac mi ddaethon ni'n dipyn o ffrindiau fel teulu. Dyma pryd y teimlais am y tro cynta, reit, dyma ti, rwyt ti'n ganwr opera proffesiynol rhyngwladol. Mi gawson ni amser hapus dros ben, ac roedd cyfarfod â theulu pell oedd yn byw yno yn ychwanegu at y profiad gwych.

Ym mis Rhagfyr 2002 mi ges i brofiad newydd arall, sef ymuno â chwmni opera i wneud perffformiad o *La Bohème* yn Frankfurt yn yr Almaen, a dim ond tridiau o ymarfer. Roedd hi'n oer iawn yno a'r strydoedd yn llawn o stondinau Nadolig. Roeddwn i'n gwneud dau berfformiad ac ar gyfer yr ail berfformiad fyddwn i ddim yn cyfarfod â'r arweinydd tan ryw awr cyn y cychwyn.

'You watch me and I'll watch you,' meddai.

Dyma beth yw *extreme sports* y byd opera. Roedd yn gyffrous ond mae'n ddigon arferol yn yr Almaen ac mewn gwledydd eraill yn Ewrop. Deuai'r profiadau hyn un ar ôl y llall ac roeddwn i'n teimlo'n freintiedig iawn. Er hyn, mi sylweddolais y gallai'r bywyd hwn fod yn unig iawn, achos doedd pawb yno ddim yn rhugl mewn Saesneg ac roeddwn i'n aros mewn gwesty ar ben fy hun. Roedd gweddill y cast yn byw yno ac yn aelodau parhaol o'r cwmni. Mynd i'w gwaith fydden nhw a finna ar dipyn o antur, yna caent fynd adre at eu teuluoedd tra bod fy nheulu i filltiroedd i ffwrdd yn paratoi at y Nadolig. Chyrhaeddais i ddim adre tan Noswyl Nadolig, wedi colli cyngherddau'r plant yn yr ysgol a'r capel. Roedd Nia wedi'u ffilmio ar fideo, ond dydy hynny ddim yr un peth â'u gweld yn fyw.

Yn ystod 2002 roedd John Berry, cyfarwyddwr castio ENO, a finna wedi bod yn dadlau ynghylch pa operâu roeddwn am eu gwneud yn 2003. Roedd o'n awyddus iawn i mi wneud rôl Cavaradossi yn *Tosca* mewn cynhyrchiad newydd sbon gyda

David McVicar yn cyfarwyddo. Roeddwn i'n teimlo ei bod yn rhy gynnar i mi ymgymryd â'r rôl honno gan ei bod yn rhan mor drwm, y gerddoriaeth i'r gerddorfa mor bwerus a chryf ac yn aml yn dyblu alaw'r llais. Yn y diwedd roedd yn rhaid i mi alw ar rai o hyfforddwyr yr ENO i ddarbwyllo John Berry y byddai Cavaradossi yn gallu niweidio fy llais ac y byddai angen rhai blynyddoedd yn y byd proffesiynol cyn ymgymryd â'r rôl. Yn ffodus, doedd o ddim wedi castio rôl y Dug yn *Rigoletto* ac felly mi dderbyniais i'r cynnig i fod yn rhan o'r opera honno.

Un a fu o gymorth mawr i mi wrth wneud y penderfyniad hwnnw ac, yn wir, ar hyd fy nghyfnod efo'r ENO, oedd dyn arbennig iawn o'r enw Tony Legg – dyn annwyl iawn sydd â blynyddoedd maith o brofiad. Mae wedi gweithio gyda'r mawrion ac yn hyfforddwr heb ei ail. Dwi'n ei gofio'n rhoi cyngor i mi ar sut i ddysgu darn neu rôl am y tro cynta. Dylid, medde fo, ganu'r gerddoriaeth yn gynta ar un llafariad. Mae hynny'n sicrhau bod y gerddoriaeth yn y corff, heb y cytseiniaid i dorri ar lif y canu. Yna, mi ddylwn ganu'r rhan yn defnyddio'r llafariaid yn y geiriau yn unig. Felly, geiriau cynta'r aria enwog yn *La Bohème*, 'Your tiny hand is frozen' fyddai 'ou iy a i oe.' Dim ond ar ôl ymgyfarwyddo'n iawn â'r llafariaid y dylid ychwanegu'r cytseiniaid. Mae angen llawer o fynadd a dyfalbarhad i ddilyn y cyfarwyddiadau hyn, ond mae'n ddull sy'n gweithio, yn bendant.

Yn *Rigoletto* byddwn i'n cael y profiad o weithio efo dau o gewri'r byd opera unwaith eto, sef Jonathan Miller, a'r bariton, Alan Opie, a oedd yn canu rôl Rigoletto. Mae cynhyrchiad Jonathan Miller o *Rigoletto* yn fyd-enwog a'r opera wedi'i gosod ym myd y Gangsters yn America yn y 1950au. Mae rhai yn erbyn newid cyfnod gwreiddiol y ddrama mewn opera, am y gallai fod yn gimic i greu dadl ac ennyn diddordeb er mwyn denu cynulleidfa. Ond roedd y briodas rhwng y cynhyrchiad hwn a'r ddrama a'r gerddoriaeth yn berffaith. Mi gafodd y profiad gwych yma ei suro ychydig gan fod rhaglen ar Channel 4 o'r enw *Operatunity* wedi cael caniatâd i ymuno â ni. Dyma ddechrau ar y ffasiwn o geisio creu cantorion mawr o bobl gyffredin dros nos. Mi rannwyd y wobr gynta rhwng dwy soprano ac roedd un am ganu yn yr hanner cynta a'r llall yn yr ail hanner mewn un o'r perfformiadau. Yn gyffredinol, teimlai'r cwmni ein bod yn gwerthu'n crefft yn rhad ac yn bradychu'r ymdrech a gaiff ei gwneud i greu cantorion sy'n llwyddo yn y maes hynod anodd hwn. Gimic oedd yr holl beth ac mi roddwyd meicroffonau yn eu gwalltiau ar gyfer y teledu. Yn y theatr ni allai'r gynulleidfa eu clywed ond ar y teledu, wrth gwrs, roedden nhw'n swnio mor gryf â ni'r cantorion proffesiynol. Anghofia i fyth mo'r hyfforddwr llais enwog, Mary King, yn dweud ar ddiwedd y gyfres ei bod wedi llwyddo i droi pobl gyffredin yn gantorion a allai ganu ar yr un llwyfan â chantorion opera proffesiynol mewn cwta dair wythnos. Ni chlywyd llawer am y ddwy soprano wedi hynny, er iddynt gael cytundeb recordio oherwydd poblogrwydd y rhaglen deledu.

Roedd cael clywed cymeriad Rigoletto gan Alan Opie bob nos yn fraint o'r mwyaf, a chael canu cerddoriaeth hynod gyffrous y Dug hefyd yn brofiad bythgofiadwy. Roedd yr aria enwog honno 'La donna è mobile' yn digwydd o gwmpas *juke-box* mewn American Diner. Byddwn yn rhoi arian yn y peiriant ac yna byddai'r gerddorfa yn cychwyn y rhagarweiniad. Gwrandewch ar y rhagarweiniad ac mi sylwch fod y gerddoriaeth yn stopio am ryw eiliad cyn cael y cyfeiliant i gychwyn y canu. Yn y tawelwch byr hwnnw roeddwn i'n gorfod rhoi cic i'r *juke-box* fel petai'r record wedi sticio ac yna byddai'r gerddorfa yn cychwyn. Un noson, wrth i mi roi cic i'r peiriant, a 'nghefn at y gynulleidfa, y gerddorfa a'r arweinydd, roedd y chwerthin ymysg y gynulleidfa mor uchel fel na chlywais y gerddorfa yn cychwyn. Mi glywais yr ail guriad gan feddwl mai'r cynta oedd o, a dod i mewn. Mi ddeallodd y gerddorfa beth oedd wedi digwydd ac fel un mi chwaraeon nhw guriad ychwanegol er mwyn i mi ddal i fyny. Doedd neb ddim callach, gan gynnwys fi, tan i'r arweinydd ddweud wrtha i ar ddiwedd y perfformiad. O'r foment honno, byddwn yn troi yn syth ar ôl cicio'r peiriant a chael cysylltiad drwy gornel fy llygad â'r arweinydd.

Ar ôl y perfformiad hwn mi benderfynais newid fy athro llais. Roeddwn i'n meddwl bod David Pollard a finna wedi cyrraedd rhyw *plateau* bach a 'mod i eisiau mewnbwn newydd. Roedd yn brofiad anodd iawn, iawn. Yn wir, bu dweud wrtho yn artaith. Roedden ni wedi bod ar daith andros o gyffrous efo'n gilydd ac roeddwn i'n gwybod y byddwn yn ei frifo i'r byw. Dydw i ddim yn gwybod hyd heddiw a fu hwn yn benderfyniad cywir, ond ar y pryd roedd arna i angen rhywbeth newydd. Dwi'n cofio mynd at y drws deirgwaith i gnocio a methu, a cherdded o gwmpas cyn mynd yn ôl a thrio eto. Roedd yn union fel gorffen efo'ch cariad heb fod yn siŵr pam. Ar y pedwerydd cynnig mi gnociais ar y drws ac mi ddaeth David i ateb. Teimlai nad oedd rhywbeth yn iawn ac fel petai'n hanner disgwyl y newyddion, ond roedd yn hynod o barchus ac mi ddywedodd y byddai'r drws wastad ar agor pe bawn i'n awyddus i fynd yn ôl ato.

Dechreuais gael gwersi efo Gerald Moore a fyddai'n dod i roi hyfforddiant ar *Rigoletto*. Roedd ganddo nifer o bwyntiau diddorol roeddwn i eisiau eu datblygu – mor bwysig oedd sicrhau bod y dechneg yn gywir, yn enwedig yn y dyddiau cynnar hynny. Mae pethau'n newid yn y llais a'r corff wrth i gyhyrau ddatblygu a'r dechneg sefydlu. Beth sy'n beryg bywyd i ganwr neu gantores ifanc addawol yw fod pawb eisiau cael dweud eu dweud, a cheisio rhoi cyngor. Daw canwr i wybod beth sy'n gweithio iddo a beth sydd angen ei osgoi, ond yn y dyddiau cynnar mae'n anodd weithiau didoli'r cyngor da oddi wrth y cyngor sâl.

14

Yn y stiwdio

AR ÔL RHAN y Dug yn *Rigoletto* ces ddwy ran weddol fechan, sef y Morwr yn *Tristan und Isolde* a rhan y Milwr yn *War and Peace*. Roedd rhan y Morwr reit ar ddechrau'r opera ac roedd hi'n para bron i bedair awr. Ar ôl gwneud fy rhan i, gallwn fod adre yn Rhuthun cyn i'r llenni ddod i lawr ar ddiwedd y sioe!

Yn ystod Pasg 2003 cefais y cyfle cynta i gydweithio â Bryn Terfel pan wnaeth S4C gomisiynu perfformiad Cymraeg arbennig iawn o'r *Meseia*. Roeddwn i'n ei adnabod ers blynyddoedd a'r hyn ddaeth yn amlwg iawn, er ei holl lwyddiant anhygoel, oedd nad oedd Bryn wedi newid dim a'i fod yr un person ag yr oedd yn ei arddegau. Roedd Shân Cothi ac Eirian James yn canu rhannau'r soprano a'r alto a Gareth Jones yn arwain Ensemble Cymru. Roedd yn brofiad arbennig iawn ac mae'r perfformiad cyfan ar gof a chadw, gan ei fod wedi'i ddarlledu.

Byddai llawer iawn o'm hamser yn ystod y cyfnod hwnnw yn mynd ar ddysgu cadwyn o ganeuon gan Schubert, *Die Schöne Müllerin*. Mae ugain o ganeuon yn y gadwyn ac roeddwn wedi derbyn cynnig i'w canu yng Ngŵyl Gerdd Gogledd Cymru yn Eglwys Gadeiriol Llanelwy. Heb os nac oni bai dyna'r prosiect anodda i mi ymwneud ag o, hyd hynny. Roedd Annette yn wych ar y piano fel arfer ac mi gawson ni ganmoliaeth yn y *Daily Post*. Oedd yr holl waith yn werth yr ymdrech gan mai dim ond un perfformiad wnaethon ni? Ond roeddwn wedi rhoi tic yn y bocs, roeddwn i wedi perfformio'r gwaith.

Ym mis Tachwedd 2003, recordiais fy ail CD, *Pedair Oed*, casgliad cymysg eto o ganeuon clasurol a chaneuon Cymraeg. Ond dyma'r tro cynta i mi gael cân wedi'i hysgrifennu yn arbennig ar fy nghyfer i, ac mae hi wedi datblygu i fod yn glasur. Priodas berffaith rhwng geiriau Robin Llwyd ab Owain a cherddoriaeth Robat Arwyn yw'r gân 'Pedair Oed'. Roedd Elan yn bedair oed ar y pryd a Robin wedi bod yn chwarae â'r syniad o ysgrifennu'r gân pan oedd ei ferch o, Erin, yn bedair oed. Mae'r geiriau yn arbennig iawn ac mae'r gân wedi dod yn rhan annatod ohonof i, fel rhyw fath o 'signature song'.

Pedair Oed
Mond pedair oed yw oed y byd
A phedair oed ei led a'i hyd,
A'r lloer a'r sêr fu yma 'rioed
I mi sydd ddim, ond pedair oed.

Cynheuaist gannwyll fflam ein serch
A'r fflam a drodd o fam i ferch,
Yn bedwar fflam, down at ein coed
At bedwar fflam dy bedair oed.

Ar dy wefusau iaith ddi-drai
Sy'n newydd sbon, sy'n danlli grai,
Er iddi fod yn hŷn na'r coed,
Be ydy iaith merch pedair oed?

Yr eisin gwyn, y chwerthin iach,
Yn stopio'r byd am funud fach,
Ond haul dy wên, fu yma 'rioed
Sy'n bader rhwydd, yn bedair oed.

Er dy fwyn di a'r eiliad hwn
Y gwnaed y byd a'r cread crwn,
Ti yw'r direidi sydd ar droed,
Dy wawr o wên sy'n bedair oed.

Mi gydiodd y gân yn nychymyg pobl Cymru ac mi hoffwn wybod faint o weithiau mae hi wedi cael ei chwarae ar Radio Cymru dros y blynyddoedd.

Yn weddol sydyn ar ôl recordio'r CD daeth un o'r uchafbwyntiau o ran cyngherddau i'm rhan, sef cyngerdd hyrwyddo CD newydd Bryn Terfel ar y pryd, o'r enw 'Bryn' yn yr Albert Hall, Llundain. Roedd yn dipyn o achlysur, gydag Ensemble Cymru dan arweiniad Gareth Jones, Côr Meibion Cymry Llundain, a Bryn, ac fe'm gwahoddodd i. Roedd y lle dan ei sang, a channoedd wedi dod draw o Gymru a 'nhad wedi trefnu bws ar gyfer teulu a ffrindiau. Roedd dau uchafbwynt i mi yn ystod y noson, sef cael canu'r ddeuawd 'Y Pysgotwyr Perl' efo Bryn, a chanu 'Myfanwy' efo'r côr. Mae tri phennill i 'Myfanwy' ond anaml iawn y caiff yr ail bennill ei ganu. Mae'r pennill hwnnw'n bwysig iawn o fewn cyd-destun y gân ac mi ganais o'n ddigyfeiliant, a'r côr yn canu 'www' yn dawel. Yna, ymunodd pawb i ganu'r pennill ola. Roedd y gymeradwyaeth yn anhygoel o gynnes. Dyma'r geiriau:

Pa beth a wneuthum, o Myfanwy,
I haeddu gwg dy ddwy rudd hardd?
Ai chwarae oeddet, o Myfanwy,
Â thannau euraid serch dy fardd?
Wyt eiddo im drwy gywir amod,
Ai gormod cadw'th air i mi?
Ni fynnaf fyth mo'th law, Myfanwy,
Heb gael dy galon gyda hi.

Dyna ni, aeth blwyddyn arall heibio ac roedd fy ngyrfa'n mynd o nerth i nerth.

Roeddwn eisoes wedi derbyn cynnig i wneud *La Bohème* yn Sydney, Awstralia yn 2005, felly roedd y dyddiadur yn llenwi flynyddoedd o flaen llaw ac roedd hynny'n gyffrous iawn.

Yn 2004 roedd tair opera newydd a thair rôl newydd i'w pherfformio: Tamino yn *The Magic Flute, Ernani* efo'r ENO a *Faust* efo Cwmni Opera Hong Kong. Felly, am y tro cyntaf, ces y brif ran, y Title Role, sef Ernani a Faust. Daw hynny ag ychydig mwy o bwysau gan fod y cymeriad yn ganolbwynt i'r holl ddigwyddiadau ar y llwyfan.

Roeddwn wedi perfformio dwy rôl fechan yn *The Magic Flute* o'r blaen, sef y Dyn Arfog ac un o'r gweinidogion. Roedd popeth yn newid wrth ymgymryd â'r brif ran. Un peth a'm trawodd i'n annisgwyl oedd 'mod i wedi datblygu ofn uchder. Roedd llawr y cynhyrchiad hwn yn ddrych i gyd, ac felly o edrych i lawr ar y llawr gallwn weld uchder y theatr o dan fy nhraed. Teimlwn yn sâl ac roedd yn creu'r bendro arna i. Mi gymerodd ryw dri neu bedwar diwrnod i'r effaith gilio, ond mi wnaeth, diolch byth. Yn ystod yr ymarferion cyn perfformio *The Magic Flute* roeddwn i'n lansio'r CD newydd *Pedair Oed* mewn dwy noson arbennig – un yn y Tabernacl, Machynlleth ar nos Sadwrn yn Chwefror 2004 ac un yng Nghapel Bethania

189

yn Rhuthun. Mae'n rhaid i mi dalu teyrnged i'r Tabernacl ym Machynlleth am fod yr acwstig yn wych, ac mae'r gynulleidfa mor agos at y perfformiwr.

Yng Nghapel Bethania roedd yr ail noson, sef ein capel ni fel teulu. Anghofia i fyth gyflwyno 'Pedair Oed' fel cân newydd sbon ac esbonio ei bod wedi'i chyflwyno i mi ar gyfer y CD oherwydd fod Elan yn bedair oed. Yn y distawrwydd hwnnw rhwng gorffen cyflwyno'r gân a'r piano'n dechrau'r cyfeiliant dyma Elan yn gweiddi dros y capel, 'Ond dwi'n bump oed rŵan!' Roedd hi newydd gael ei phen-blwydd a hithau'n teimlo ei bod hi'n hogan fawr. Wel, mi lanwyd y capel â chwerthin cyn i mi ganu. Diolch, Elan!

Mi aeth y *Magic Flute* yn dda iawn ac yn syth bron ar ôl gorffen roedd ymarferion *Ernani* yn cychwyn. Cynhyrchiad yr amryddawn Elijah Moshinsky oedd o, a ffrind da i mi o'r enw Mark Shanahan yn arwain. Dwi am rannu stori fach rŵan sy'n rhoi blas o'r math o densiynau sy'n gallu bod yn y byd opera. Yn y cynhyrchiad gwreiddiol mi gynigiodd ENO Mark Shanahan fel arweinydd, ond dywedodd Elijah nad oedd Mark yn ddigon da, ac mi gafwyd rhywun arall. Eto i gyd, roedd Elijah'n ddigon hapus i Mark arwain yr ail gynhyrchiad. Ond, tair wythnos cyn i'r ymarferion gychwyn mi ddywedodd un o reolwyr yr ENO wrth Mark fod Elijah wedi'i wrthod fel arweinydd yn wreiddiol am ei fod o'n teimlo nad oedd yn ddigon da. Yn naturiol roedd tensiwn arteithiol yn yr ymarferion wrth i'r ddau wrthod siarad â'i gilydd a byddent yn anfon aelod o'r staff i fynd â neges rhwng y naill a'r llall pan fydden nhw angen siarad, a hwythau ddim ond yn eistedd ddeg troedfedd ar wahân. Wir i chi, roedd angen gras! Roeddwn i'n meddwl 'mod i wedi gadael swydd yn gweithio efo plant!

Roedd y gerddoriaeth yn wych ac yn ddramatig a dwi'n ddiolchgar iawn 'mod i wedi cael cyfle i weithio gyda Mark Shanahan a Philip Thomas yn y rôl hon. Mi ddysgais i gymaint ac roeddwn i'n teimlo 'mod i wedi gwneud sawl cam ymlaen o ran datblygu techneg a dealltwriaeth gerddorol.

Ym mis Medi ces brofiad newydd arall. Roeddwn wedi trefnu i fynd dramor am bum wythnos, pedair wythnos yn Hong Kong i chwarae rhan Faust yn yr opera o'r un enw, ac yna i Melbourne, Awstralia i recordio albwm gyfan o hen ffefrynnau Saesneg efo cwmni Stanza i ddyn o'r enw Marcus Herman.

Faust i ddechrau. Dyma beth oedd profiad,

191

ar sawl lefel. Mae cerddoriaeth Gounod yn fendigedig. Mae o'n gyfansoddwr sy'n deall y llais ac yn deall y llif naturiol sydd yna i frawddegau cerddorol. Yr hyn a'm trawodd gynta yn ystod y profiad hwn oedd y gwahaniaeth yn ein traddodiadau a'n hymddygiad ni ym Mhrydain ac yn Ewrop o'i gymharu â thraddodiadau China.

Yn yr ystafell newid y gwelwn y gwahaniaeth mwyaf, lle byddai staff yno i'n helpu i ddadwisgo ac i wisgo. Roedden nhw hyd yn oed yn mynnu gwisgo'r sanau am 'y nhraed i a chau'r esgidiau. Doedd wiw gwrthod eu gwasanaeth, gan y byddai hynny'n awgrymu eu bod yn rhy israddol i fod o gymorth. Byddai hyn yn gallu bod yn reit rwystredig ar brydiau. Dwi'n lwcus iawn 'mod i'n amyneddgar ac yn weddol ddiffwdan. Americanwr oedd yn chwarae rhan y diafol yn yr opera, a gan ei fod wedi colli ychydig ar ei lais cyn dechrau'r ymarferion, un peth roedd o ei eisiau oedd llonyddwch. Mi gollodd ei dymer wrth i'r cynorthwywyr ffysian a gweiddi arnyn nhw, 'For God's sake, leave me alone!'

Yn ystod y sesiwn nodiadau ar ddiwedd yr ymarfer, mi gollodd y cyfarwyddwr ei dymer efo'r Americanwr oherwydd ei ymddygiad a bu o fewn trwch blewyn i'w ddiswyddo. Yn wir, roedd y cyfarwyddwr wedi gwylltio'n gacwn, ac yn dilyn y dadlau mi sylwais iddo fynd yn ddistaw iawn a'i chael hi'n anodd edrych ar unrhyw un. Roeddwn i'n poeni amdano, ac ar ôl holi, mi ddeallais mai'r peth sy'n codi'r cywilydd mwyaf ar ŵr Tseinïaidd yw colli rheolaeth ar ei dymer. Dywedodd un o'r staff wrtha i, 'Imagine your shame if you would take off all your clothes in front of your colleagues and dance around naked in front of them in a rage, and then have to face them the next day.' Dyna oedd maint ei gywilydd.

Peth arall gwahanol iawn oedd yr amser a gymerai iddynt i roi colur arnon ni. Ar gyfer rôl ramantus fel hon ym Mhrydain, rhyw ddeg munud fyddai hynny'n ei gymryd. Yn Hong Kong byddai'n cymryd rhwng tri chwarter awr ac awr. Byddai pob rhych yn yr wyneb yn cael ei danlinellu ac roedd o bron fel rhoi masg o golur ar ein hwynebau. Oedd, roedd angen mynadd Job a gras Abraham i berfformio yn Hong Kong.

Peth arall a'm trawodd eto oedd pa mor unig y gall y swydd hon fod i berfformiwr mewn gwlad dramor. Bydd y dyddiau cynta yn gyffrous ofnadwy, wrth gwrs, popeth yn newydd, cyfarfod pobl, darganfod pethau wrth ddod i adnabod yr ardal. Ond ar ôl rhyw bythefnos, mae'r newydd-deb yn pylu, ac mae'r dyddiau'n gallu llusgo'n hir heb neb i rannu profiadau, ar wahân i ddieithriaid sydd ddim ond yn ffrindiau dros dro. Roedd gormod o amser i hel meddyliau. Roeddwn i'n dechrau ystyried faint o awydd fyddai arna i i bacio fy magiau, ac am ba hyd y byddwn yn parhau i deithio yn y dyfodol.

Ond parhau wnaeth yr antur hon ar ôl yr opera *Faust* gan fy mod yn mynd ymlaen i Melbourne i recordio albwm o ganeuon. Mi ddaeth y cynnig yn yr haf. Roedd Marcus Herman, sydd wedi bod yn rhan o'r byd recordio yn Awstralia ers y 1950au, am i mi recordio albwm o ganeuon poblogaidd. Pan oedd o yn y tŷ un diwrnod â'r radio yn y cefndir, mi glywodd lais tenor yn canu ac yn ôl ei eiriau ei hun mi ollyngodd o'r hyn roedd o'n ei wneud a gweiddi ar ei wraig, Norma, i ddod i wrando.

'This is the voice I want,' meddai wrthi.

Fy llais i oedd o, yn canu 'Bugail Aberdyfi'. Mi gysylltodd â'r orsaf radio i gael fy enw ac mi fedrodd gysylltu dros y we â Doreen O'Neill yn Harlequin a oedd yn asiant i mi ar y pryd. Mi gysylltwyd y ddau ohonon ni ac ar ôl sgyrsiau di-ri mi benderfynwyd mynd amdani. *The Bluebird of Happiness* fyddai enw'r albwm, a byddai ugain o ganeuon arni, rhai roeddwn wedi'u clywed o'r blaen ond rhai eraill oedd yn hollol ddiarth i mi.

Mi ges groeso arbennig gan Marcus a Norma, ond doedd dim llawer o amser i laesu dwylo. Wythnos oedd ganddon ni i recordio'r albwm a'i chymysgu cyn i mi fynd adre ar 5 Hydref. Ar ôl rhyw ddau ddiwrnod o ymarferion efo'r arweinydd, roedd tair sesiwn o dair awr o recordio'n fyw efo cerddorfa – rhai caneuon â cherddorfa o ryw ugain a rhai â cherddorfa symffonig lawn a chôr. Roedd cyfarfod â Marcus yn brofiad arbennig a hefyd cyfarfod â'i ffrind, Rids Van Der Zee. Pobl bositif iawn oedd y ddau ac roedd gan Rids ryw bresenoldeb ysbrydol anghyffredin. Byddai pethau'n digwydd nad oeddwn i'n gallu eu dirnad. Gallai Rids wneud pethau â chardiau, er enghraifft, nad oedd unrhyw esboniad iddyn nhw. Yn rhyfedd, nid oedd y pethau hyn a wnâi, er eu bod y tu hwnt i bob rheswm, yn fy mhoeni nac yn fy nychryn o gwbl. Roedd ganddo ryw allu annaturiol ond rywsut roeddwn i'n dawel fy meddwl fod y gallu hwnnw mewn dwylo diogel.

Caneuon poblogaidd, caneuon sy'n gwneud i'r gwrandawyr deimlo'n hapus sydd ar y CD, caneuon fel 'Bless this House', 'Be my Love', 'I'll Walk With God', 'The Impossible Dream', 'What a Wonderful World' ac yn y blaen. Ar ôl gorffen recordio roedd ganddon ni ryw ddau ddiwrnod i gymysgu'r cwbl cyn i fi ddal awyren a throi am adre. Mi fuom yn y stiwdio am bron i ugain awr yn ddi-dor cyn gorffen ei chymysgu – sicrhau bod cydbwysedd y gerddorfa yn iawn oedd y gwaith mwyaf anodd. Mi orffennon ni tua chwech o'r gloch y bore, yna ffilmio *promos* ar gyfer marchnata ac yna yn syth i'r maes awyr i ddal awyren am ddeg. Bywyd ar garlam go iawn! Dwi'n siŵr 'mod i wedi cysgu bob munud bron o'r daith bedair awr ar hugain am adre.

Rhyw ddau ddiwrnod ar ôl dod adre a'r *jetlag* yn dal i'm drysu, daeth galwad ffôn gan Universal Records yn cynnig i mi ganu deuawd efo Katherine Jenkins ar ei halbwm newydd *Second Nature*. Enw'r gân oedd 'Vide Cor Meum' ac erbyn hyn mae'r recordiad wedi ymddangos ar nifer o gasgliadau a dros 350,000 wedi gwrando arno ar YouTube. Roedd hyn yn brofiad newydd i mi am fod y gerddorfa a Katherine Jenkins wedi'u recordio eisoes ac felly, mynd i stiwdio roeddwn i a recordio fy llais dros y cyfan. Ces flas o'r cyfoeth sydd yn y byd recordio rhyngwladol gan 'mod i'n recordio yn stiwdio foethus, breifat y cynhyrchydd a honno'n rhan o'i dŷ yng nghanol y wlad yn ne Lloegr. Mi dalon nhw am dacsi i fynd â fi yno ac yn y tacsi es i adre hefyd. Dim ond rhyw awr bues i yn y stiwdio ond roedd o'n brofiad gwych a dwi'n falch iawn o'r recordiad.

Falle fod hwn yn gyfle i gyfeirio at y cantorion recordio clasurol y bydd llawer ym myd yr opera a'r byd clasurol pur mor barod i'w beirniadu. Cwyd dadlau poeth ar brydiau ac aiff rhai mor bell â bychanu'r artistiaid hyn, ond colli parch maen nhw wrth fynd yn hyll o bersonol. Y cwsmeriaid sy'n penderfynu pa mor llwyddiannus yw artist yn y pen draw, y nhw sy'n mwynhau Katherine Jenkins, Russell Watson, Andrea Bocelli, Josh Groban a pherfformwyr tebyg. Y nhw sy'n prynu'r CDs, y nhw hefyd sy'n prynu tocynnau i fynd i'w gweld mewn cyngherddau. Mae'n beryg i'r protestiadau gan rai cantorion clasurol ymddangos fel cenfigen.

Y gwir amdani yw fod yna *genre* newydd wedi datblygu, y *crossover*, sy'n boblogaidd iawn. Ydyn, maen nhw'n recordio fersiynau o ganeuon fel 'Nessun Dorma' heb fod yn bur o ran techneg y llais clasurol, a fyddan nhw ddim yn canu'r gân yn y cywair gwreiddiol yn aml. Pan fydd merched yn recordio 'Nessun Dorma' aiff rhai tenoriaid yn wallgo gan mai dyn yw Calaf yn yr opera *Turandot* wrth gwrs. Ydy hynny'n bwysig mewn gwirionedd? Dwi am bwysleisio ei bod hi'n hollbwysig, yn wir yn hanfodol, sicrhau fersiynau pur o'r cyfansoddiadau hyn, ond eto byddwn i'n dadlau bod lle i artistiaid arbrofi a rhoi rhyw flas newydd, ffres i'r caneuon. Os bydd y fersiynau newydd hyn yn tyfu'n fwy poblogaidd na'r gwreiddiol, mae angen deall pam. Y gwir plaen yw fod yr oes yn newid. Mae bywyd yn rhy fyr, bois bach, felly rhaid ceisio mwynhau'r cyfan sy'n cael ei roi ger ein bron a chofleidio'r hyn sydd orau ganddon ni, heb ddifrïo yr hyn sydd ddim cweit at ein dant.

Bu 2005 unwaith eto'n flwyddyn arbennig iawn ac roeddwn i'n llawn cyffro oherwydd bod un o uchafbwyntiau 'ngyrfa ac un o brofiadau gorau bywyd ar y gorwel, sef recordio albwm o ddeuawdau efo Bryn Terfel. Roedd Bryn wedi sôn ers rhyw flwyddyn y byddai'n beth da i ni wneud CD ar y cyd, ac o'r diwedd mi ddaeth wythnos lle'r oedd y ddau ohonon ni'n rhydd i fynd i'r stiwdio. Mae'n rhaid dweud y bu'r profiad yn bleser pur ac roedd y broses o ddewis caneuon yn un reit hawdd. Mi ddaeth Bryn â rhai dewisiadau fel y gwnes innau ac mi ddewison ni 14 o ganeuon – rhai traddodiadol fel 'Y Ddau Wladgarwr', 'Y Ddau Frython' ac 'Y Ddau Forwr', a rhai tawelach fel 'Y Border Bach' a 'Dwy law yn erfyn'. Mae dwy gân Saesneg arni sef 'Eli Jenkins's Prayer' a 'Perhaps Love'. Dwi'n cofio Bryn yn awgrymu 'Perhaps Love' a chwaraeodd recordiad ar ei iPod o John Denver a Placido Domingo yn ei chanu. Doedd dim rhaid iddo 'mherswadio i, mae hi'n gân hyfryd. Mi gawson ni ddwy gân wedi'u cyfansoddi'n newydd sbon ar gyfer y CD, sef 'Benedictus' gan Robat Arwyn a fersiwn Caryl Parry Jones o 'Salm 23'. Mae 'Benedictus' erbyn hyn wedi dod yn gân boblogaidd iawn a bydd nifer o gorau meibion ar draws Cymru yn ei chanu.

Roedd y broses recordio yn syml iawn a ninnau'n recordio yn Galeri, Caernarfon, efo Annette ar y piano ar gyfer y rhan fwyaf o'r caneuon. Doedden ni ddim wedi gallu cyfarfod i ymarfer cyn recordio, felly'r broses oedd ymarfer rownd y piano ac yna recordio dwy fersiwn o'r gân cyn symud ymlaen at y nesa. Dwi'n cofio meddwl yn ystod y recordio efo pwy arall roedd Bryn wedi canu, a'i fod wedi recordio mewn llefydd anhygoel. Roedd o wedi cyrraedd yr uchelfannau yn y maes a finna 'mhell ar ei ôl o ran profiad a chyrhaeddiad. Ond drwy'r holl broses ni cheisiodd gymryd yr awenau o gwbl, a châi barn y ddau ohonom yr un sylw. Ni wnaeth awgrymu unwaith ei fod o'n fwy profiadol ac y dylem ddilyn ei awgrym o, fel y byddai wedi gallu gwneud yn hollol haeddiannol.

Mi werthodd y CD yn dda iawn, aeth i rif dau yn Siartiau Clasurol Prydain ac mi gafodd ei henwebu ar gyfer gwobr yn y Classical Brits yn Llundain. Ni chafodd ei gwobrwyo, ond mi gafodd criw Sain a minnau drip bach neis iawn i'r Albert Hall.

15

Hunllef Awstralia

Ar 22 Mehefin 2005 roedd Nia, Osian, Elan, Erin a finna'n barod i gychwyn ar antur fawr fyddai'n mynd â ni i Awstralia tan 22 Chwefror 2006. Ond mi drodd yr antur yn hunllef a rhaid oedd dychwelyd adre ar 20 Medi wedi'n siomi'n fawr a'n cynffonnau rhwng ein coesau.

Wedi cael cynnig rhan Rodolfo yn *La Bohème* gyda Chwmni Opera Awstralia oeddwn i ar ôl canu mewn clyweliad yn Llundain i Richard Hickox, y cyfarwyddwr cerdd ar y pryd. Roeddwn wrth fy modd, a hyd yn oed yn fwy cyffrous pan ges gynnig, tua Ebrill 2005, i berfformio dwy brif ran arall iddynt yn ystod yr un tymor, sef Romeo yn *Romeo et Juliette* a Pinkerton yn *Madama Butterfly*. Mi ddywedais wrth Doreen, fy asiant, na fyddwn yn fodlon bod i ffwrdd oddi wrth y teulu am wyth mis ac ar ôl ychydig o drafod mi gynigiodd Cwmni Opera Awstralia dalu i Nia a'r plant ddod hefyd. Wel, roedd yn gynnig na allwn ei wrthod, ac felly ryw dri mis cyn y dyddiad, yn hytrach na 'mod i'n mynd allan ar fy mhen fy hun i wneud un opera am bedwar mis, roedden ni i gyd yn mynd allan am wyth mis a finna'n gwneud tair opera!

Bu'n rhaid sicrhau'r pasborts, cysylltu ag Ysgol Pen Barras a gwneud pob math o fân drefniadau eraill. Ond dwi'n cofio dau neu dri yn y byd opera yn tynnu sylw at y ffaith ei bod hi'n rhyfedd iawn 'mod i wedi cael cynnig gweithio cymaint yno mewn un tymor gan fod rheolau caeth iawn yn Awstralia ynglŷn â hyd y cyfnod y gallai tramorwyr weithio yn y byd adloniant. Chymerais i ddim llawer o sylw achos roedd y cytundeb wedi dod drwy'r post ac roedd popeth i'w weld wedi'i drefnu'n iawn.

Felly, i ffwrdd â ni ar ein taith 24 awr i Sydney yn llawn cyffro. Roedd ceir yn aros amdanon ni yn y maes awyr ac mi gawson ein tywys i'n cartref am yr wyth mis nesaf. Siom! Apartment dwy lofft oedd ganddon ni, ar chweched llawr tŵr o fflatiau yng nghanol rhan brysura Sydney. Roedd pedair ystafell yn y fflat, lolfa a chegin yn un, ystafell ymolchi, ystafell wely ddwbl i Nia a fi ac ystafell â dau wely sengl i Osian, Elan ac Erin. Roedd yn rhaid i Erin ac Elan gysgu ben wrth draed am y tro, ac Elan yn chwech oed ac Erin yn bedair, felly byddai hyn yn bosib am gyfnod byr.

Roeddwn i'n llawn cyffro yn mynd i gyfarfod â phawb ar fy more cynta. Ond o'r foment y cyrhaeddais i roeddwn i'n teimlo nad oedd popeth fel y dylai fod. Doedd Richard Hickox ddim yno, ac ni fyddai'n cyrraedd am rai wythnosau gan ei fod yn gweithio dramor, a rhyw groeso anesmwyth a ges i gan y cyfarwyddwr artistig a'r pennaeth cerdd.

'I hope you're as good as Richard says you are' ges i gan un ac 'Yes, you better be good' gan y llall a dim llawer o groeso yn llais yr un o'r ddau. Mi grybwyllais i fod Elan ac Erin yn gorfod rhannu gwely sengl a'r ateb ges i oedd mai dyna'r gorau y gallen nhw ei gynnig ond pe bai'n datblygu'n broblem byddai'n rhaid i mi adael iddyn nhw wybod.

Mi gafwyd ymarfer cerddorol da iawn ac roeddwn i'n falch o weld bod y cast yn bobl hyfryd, ac mi ges groeso cynnes ganddyn nhw. Roedd y baswr, Jud Arthur, wedi bod yn chwarae rygbi i Otago yn Seland Newydd am flynyddoedd ac mi ddaethon ni'n dipyn o ffrindiau.

O fewn rhyw wythnos ar ôl cyrraedd mi aeth Nia'n sâl. Roedd ei brest yn ddrwg ac mi gollodd ei llais yn llwyr. Gwnaeth hyn bethau'n anodd iawn gan y byddwn i'n ymarfer bob dydd a Nia'n gorfod diddori'r plant a hithau'n sâl. Gellwch ddychmygu'r rhwystredigaeth o gael tri o blant ynghlwm drwy'r dydd mewn fflat fechan ar y chweched llawr ynghanol dinas ddiarth. Byddwn i'n dod adre wedi blino ar ôl diwrnod o ymarfer caled ond byddai'n rhaid i mi geisio diddori'r plant i roi seibiant i Nia, er mwyn iddi drio gwella. Mi barodd salwch Nia am chwe wythnos ac ar ôl rhyw dair wythnos, mi ges i'r hen deimlad hunllefus yna i ganwr, sef dolur gwddw a gwres. Do, mi es i'n sâl hefyd. Gorfod i mi golli rhyw dri diwrnod o ymarfer ond er 'mod i'n teimlo fymryn yn well wedyn, roedd y llais yn gryg iawn.

Rhyw bythefnos oedd cyn y noson gynta ac roedd y llais yn dal i ddioddef. Roeddwn i'n ffyddiog y byddai'n dod yn ôl, ond er mwyn cael cynllun wrth gefn dyma fi'n gofyn a fyddai'n bosib i mi ganu'r aria 'Che gelida manina' hanner tôn yn is, gan wybod bod hynny'n digwydd yn aml iawn. Na pendant gefais i'n ateb a fyddai dim trafodaeth bellach. Roeddwn i'n gweld hyn yn rhyfedd achos roeddwn wedi derbyn canmoliaeth am fy ngwaith yn yr ymarferion cyn i mi fynd yn sâl ond doedd dim diddordeb ganddyn nhw mewn cyfaddawdu o gwbl.

Yr ateb a gefais i oedd nad oedd ganddyn nhw'r rhannau i'r gerddorfa hanner tôn yn is, ac y byddai'n costio gormod i'r cwmni orfod eu llogi. Methai gweddill y cast â deall hyn oherwydd digwyddodd yr union beth rai blynyddoedd ynghynt a doedd dim problem bryd hynny. Aeth un o'r staff i lawr i lyfrgell y cwmni, a gweld bod y rhannau cerddorfaol yno ar gyfer 'Che gelida manina' hanner tôn yn is. Pan soniais i wrth un o'r cyfarwyddwyr am hyn, yr ateb ges i oedd, 'Oh yes, well, they're there just in case we have a star one day who would like to sing it down,' meddai. Ar fy marw!

Wnes i ddim crybwyll hyn wrth y teulu a oedd erbyn hyn yn hiraethu am adre ac wedi cael llond bol ar dreulio diwrnod ar ôl diwrnod yn y fflat neu'n mynd allan i'r Botanic Gardens am dro bob dydd. Roedd y sefyllfa o orfod delio â'r llais wrth ymarfer yn ystod y dydd ac yna geisio cadw'r trŵps yn ddiddig ar ôl dod adre gyda'r nos yn amhosib. Un fflach o oleuni a fu, sef fod Bryn Terfel wedi'n rhoi ni mewn cysylltiad â theulu'r Kugels – ffrindiau mawr ag o. Roedd gan Steve a Lynda Kugel wyth o blant. Roedden nhw'n deulu arbennig o garedig ac mi gawson ni groeso anhygoel o gynnes yn eu cartref. Bydden ni'n treulio pob penwythnos efo nhw. Roedd Steve wedi bod yn ganwr opera ac wedi gweithio efo Cwmni Opera Awstralia yn y gorffennol, ac roedd o'n cydymdeimlo â mi, er nad oedd o'n synnu at y ffordd y cawn fy nhrin. Y syndod mwyaf iddo yntau hefyd oedd i mi gael cynnig cymaint o waith ganddyn nhw mewn un tymor ac roedd o'n amau a oedd hynny'n gyfreithlon.

Mi ddaeth y noson gynta ac roedd y llais yn well, er nad oedd yn iawn. Roedd y cwmni'n awyddus iawn i mi berfformio gan dderbyn na fyddwn ar fy ngorau. Mi gynigion nhw wneud datganiad o'r llwyfan cyn i'r opera gychwyn nad oeddwn i'n holliach. Mi dderbyniais y cynnig ac mi aeth y perfformiad yn dda iawn o dan yr amgylchiadau. Mi ganais yr opsiwn 'A' fflat yn lle'r 'C' uchel yn yr aria a dyna fo. Mi ges feirniadaeth dda iawn yn yr *Herald*, rhywbeth pwysig iawn i mi o dan yr amgylchiadau. Ond fel sydd yn digwydd yn aml wrth ganu pan nad yw'r llais yn berffaith gall waethygu, a dyna ddigwyddodd. Mi es i weld y doctor ar gais y cwmni ac roedd y *vocal chords* wedi chwyddo ac yn llidus. Rhaid oedd eu gorffwys. Mi ddywedais wrth y cyfarwyddwyr fod y doctor yn dweud y dylwn orffwys y llais am tua wythnos i ddeng niwrnod gan ychwanegu ei bod hi'n anodd cael llonyddwch i wella yn y fflat fechan.

Soniais 'mod i wedi clywed bod tŷ tair llofft ar gael ar lan y môr yn Coogee ac y byddai'n haws i mi wella yn fan'no. Chredwch chi byth yr ateb ges i gan ŵr mewn swydd bwysig iawn yn y cwmni, sef 'Oh, coogee coo!' Mi gerddais allan cyn i mi ddweud rhywbeth y byddwn i'n ei ddifaru.

Roedd naw sioe efo'r prif gast, yna byddai rôl yr Arweinydd a Mimi'n newid. Mi benderfynon ni y byddwn i'n cael gorffwys tan hynny. Ddiwrnod cyn y Dress Rehearsal i'r Arweinydd newydd a'r Mimi newydd, mi ges alwad ffôn tua amser cinio yn dweud ein bod am gael ein symud i Coogee ac y byddai ceir yn dod i'n tywys ni yno am bump o'r gloch y prynhawn hwnnw. Felly, roedd Nia a'r plant yn llawn cyffro i symud i lan y môr ac mi aethon ni ati'n syth i bacio. Am hanner awr wedi pedwar dyma ni'n cael galwad ffôn arall yn datgan y tro hwn na fydden ni'n symud wedi'r cwbl, a'u bod nhw wedi penderfynu dod i weld fy mherfformiad yn yr ymarfer cyn i ni symud i Coogee. Dyna lle'r oedden ni i gyd yn sefyll wrth ein bagiau, wedi'n synnu ac wedi'n siomi. Roedd hi'n hollol amlwg y byddai'r ymarfer yn rhyw fath o brawf arna i.

Yn naturiol, roeddwn i'n llawn tensiwn yn mynd i mewn i'r tŷ opera drannoeth. Mi ddechreuon ni'r ymarfer a'r theatr yn wag, ond wrth i'r olygfa fawr yn Act Un rhwng fy rhan i, Rodolfo, a Mimi gychwyn dyma ryw wyth i ddeg o'r staff yn cerdded i mewn ac yn eistedd tua phum rhes o'r blaen yn y canol. Roedd eu hymddangosiad ar ganol y perfformiad yn ei gwneud hi'n anodd iawn i mi a theimlwn densiwn drwy'r corff a'r llais. Ac mi ges wybod ar ddiwedd yr ymarfer gan un o'r staff gweinyddol 'mod i'n cael fy nhynnu allan o'r sioe.

Ar ôl dweud wrth Nia a'r plant roedd y dagrau'n llifo. Y bore canlynol ces alwad ffôn gan Richard Hickox yn ymddiheuro.

'I hope that there's no ill feeling,' meddai, gan ategu nad oedd fy angen i yn *Romeo et Juliette* na *Madama Butterfly* chwaith, ac y bydden nhw'n trefnu trafnidiaeth adre i ni ymhen yr wythnos.

Bu Steve Kugel fel craig yn ystod y profiad hunllefus hwn. Fel roedd o'n awgrymu, roedd y cwbl yn drewi o *constuctive dismissal*. Mae'n debyg na fyddwn wedi cael caniatâd i ganu tair rôl mewn un tymor fel tramorwr yn Awstralia, felly allen nhw byth fod wedi rhoi rhan yn *Madama Butterfly* i mi ond yn gorfod fy nhalu'n llawn. Byddai hynny wedi creu embaras mawr i'r cwmni. Os oedd hynny'n wir roedd popeth a ddigwyddodd yn gwneud synnwyr.

Mi roddodd Steve fi mewn cysylltiad

â chyfreithiwr ac aeth hwnnw â fi at fargyfreithiwr enwog ac uchel ei barch yn Sydney. Roedd yntau'n gweld yn glir fod gen i achos cryf iawn yn erbyn y cwmni opera drwy wneud fy swydd yn amhosib i'w chyflawni'n iawn. Dyma pryd y ces gyngor amhrisiadwy gan fy ffrind Bryn Terfel:

'Tyrd adre, Rhys. Hyd yn oed pe baet ti'n ennill yr achos llys, colli fyddet ti yn y pen draw.'

Roedd Bryn yn llygad ei le. Roeddwn yn emosiynol iawn ar y pryd, ac mae'n hawdd gwneud camgymeriadau pan fo emosiwn yn rhan o unrhyw benderfyniad.

Felly, adre â ni, bedwar mis yn gynt nag roedden ni wedi bwriadu. Roedd cymaint o ffŷs wedi'i wneud o'r ffaith ein bod yn mynd am wyth mis, fel 'mod i'n poeni am yr holl gwestiynau a fyddai'n siŵr o gael eu gofyn ar ôl cyrraedd adre. Dyma'r gnoc gynta i mi ei chael ar siwrnai oedd wedi bod yn llyfn ac yn llwyddiannus dros ben tan hynny. Y sialens nesaf oedd delio â'r siom, cyn symud ymlaen yn fy ngyrfa.

Yn ystod ein cyfnod yn Awstralia mi ddaeth teulu Nia draw atom am ryw bythefnos. Eu bwriad oedd fy nghlywed yn canu, wrth gwrs, ond daethon nhw yn ystod y cyfnod pan oeddwn i'n gorfod rhoi seibiant i'r llais. Er yr holl siom mi gafwyd profiadau bythgofiadwy, a'r uchafbwynt oedd cerdded i ben y bont enwog yn Sydney wrth iddi nosi. O ystyried nad ydw i'n hoff o uchder wnaeth hynny ddim effeithio llawer arna i, diolch byth.

Mi ddaeth nifer o bobl draw i ben draw'r byd a chael eu siomi nad oeddwn i'n canu. Trefnwyd trip mawr yn cynnwys teulu a ffrindiau, ond roedden ni ar ein ffordd adre wrth iddyn nhw deithio allan yno. Ond, mi gawson nhw amser gwych er y siom.

Ar adegau fel hyn mae rhywun yn gweld pwy yw ei wir ffrindiau. Bydd rhai yn ymboeni'n hollol ddidwyll ac eraill eisiau busnesu a physgota am wybodaeth. Mi benderfynon ni gadw'r esboniad yn syml iawn, sef 'mod i wedi dal firws ac wedi colli fy llais am dros chwe wythnos a'u bod wedi cynnig gormod o waith i mi fel tramorwr yn ôl cyfraith y wlad. Cydymdeimlo wnaeth y rhan fwyaf, wrth gwrs, a dymuno'r gorau i'r dyfodol. Nifer fechan wnaeth holi cwestiynau lletchwith:

'O, mi fydd yn glec ariannol i chi?'

'Roedd hi'n siom i'r teulu bach orfod dod adre'n gynnar, dwi'n siŵr?'

'Beth am yr holl bobl a wariodd ffortiwn i fynd draw?'

Mae'n rhaid i mi dalu teyrnged i Doreen O'Neill a Harlequin am y modd y gwnaethon nhw fy nghefnogi yn ystod yr holl helynt. Mi drefnon nhw nifer o gyngherddau i mi yn y cyfnod anodd hwn a oedd yn werth y byd am ddau reswm. Roeddwn i'n ennill cyflog ac o ddisgyn oddi ar geffyl, y peth gorau i'w wneud yw mynd yn syth yn ôl ar ei gefn. A dyna a wnes i.

16

Dewrder Mam

AR ÔL DYCHWELYD adre ces gyfle i recordio fersiwn roc o 'Wele'n sefyll rhwng y myrtwydd' efo Bryn Terfel ar gyfer Undeb Rygbi Cymru i godi arian i'r NSPCC. Bu'n rhaid aros tan fis Mawrth 2006 cyn cael rhan mewn opera wedyn, sef *Madama Butterfly* yn Lithwania. Roeddwn wedi edrych ymlaen yn fawr at hynny oherwydd roeddwn i wedi dechrau dysgu rhan Pinkerton allan yn Awstralia. Roedd hi'n dipyn o brofiad cael mynd allan i Lithwania ond roedd sialensau gwahanol i'w hwynebu, gan nad oedd yr arweinydd na'r ferch a chwaraeai ran Madame Butterfly yn siarad gair o Saesneg. Roedd cyfieithydd ar gael ond mae'n hawdd camddeall wrth geisio trafod trwy gyfieithydd.

Yn Lithwania y digwyddodd un o'r pethau doniolaf yn fy ngyrfa. Roedd y soprano a chwaraeai Madame Butterfly wedi canu'n wych yn un o'r ymarferion llwyfan, ac roeddwn am iddi wybod 'mod i wedi'i mwynhau'n canu. Dywedais wrthi, 'You – superstar.' Edrychodd arna i'n syn, a dywedais wrthi unwaith eto, 'You, superstar.' Dechreuodd chwerthin dros y lle, ac mi aeth at y côr a safai gerllaw ac mi ddechreuon nhw chwerthin. Dwi'n cofio meddwl, be aflwydd dwi wedi'i ddweud rŵan? Yna, daeth bariton ata i a oedd yn gallu siarad rhywfaint o Saesneg.

'What you said?' gofynnodd, a dyma fi'n dweud wrtho ei bod hi'n *superstar*. Dechreuodd o chwerthin hefyd. Roeddwn i'n dechrau poeni rŵan ac esboniodd fod *superstar* yn golygu rhywbeth hollol wahanol yn Lithwaneg.

'Wel, be?' gofynnais.

Mewn Lithwaneg mae'r gair yn golygu 'Rwyt ti wedi taro rhech!' Wel, sôn am chwerthin, ac am weddill fy nghyfnod yno roedd pawb yn edrych arna i ac yn gafael yn eu trwynau fel petai ogla drwg o gwmpas.

Roedd y cynhyrchiad hwn yn un arbennig iawn. Cynhyrchiad newydd gan y cyfarwyddwr ffilm enwog Anthony Minghella oedd o ac mae yna ran bwysig i hogyn bach dwy i dair oed yn yr opera. Nid yw'n gorfod dweud na chanu gair, ac fel arfer bydd plentyn pump neu chwech oed yn perfformio'r rhan. Yn y cynhyrchiad hwn pyped oedd yr hogyn bach ac roedd dau'n trin y pyped ar y llwyfan yn hynod o effeithiol.

Ar ddiwedd yr act gynta roeddwn i, Pinkerton, yn gorfod codi Butterfly yn fy mreichiau a'i chario i mewn i'r tŷ. Roedden ni wedi ymarfer hyn lawer gwaith ac wedi cael ein dysgu sut i'w wneud yn iawn fel na fyddai unrhyw anaf. Yn ystod un o'r ymarferion ola mi benderfynodd hi neidio i fyny i 'mreichiau yn lle gadael i mi ei chodi. Roedd hi'n hogan reit nobl a rhoddodd hyn dipyn o straen ar fy nghefn ac mi deimlais i rywbeth yn symud ac yn rhoi. Roeddwn mewn tipyn o boen ar y pryd, ond fyddai effaith llawn y digwyddiad ddim yn fy 'nharo am rai misoedd. Mi aeth y sioeau'n reit dda er y boen yn y cefn a'r ffaith 'mod i'n dioddef o annwyd.

Eto i gyd, yn ystod fy nghyfnod yno, roedd ambell wirionedd yn dechrau amlygu ei hun i mi yn ymwneud â bywyd canwr opera rhyngwladol. Dangosodd y profiad yn Awstralia nad oedd hi'n hawdd llusgo'r teulu ar draws y byd, ac roedd y cyfnod yn Lithwania yn dangos yn eglur nad oeddwn i'n mwynhau bod am gyfnod hir i ffwrdd oddi wrth y teulu nac ymhell o'r gymdeithas oedd mor bwysig i mi. Bellach, roedd bron i naw mlynedd ers i mi adael am y Guildhall ac roeddwn wedi colli cymaint o'r cyfnodau wrth i'r plant dyfu. Dwi'n cofio darllen hunangofiant José Carreras ac roedd un paragraff yn y llyfr wedi sôn nad oedd ganddo gof o gwbl am ei fab yn ifanc. Mi sylweddolodd un flwyddyn fod ei fab yn ddieithryn iddo. Roedd hyn yn bris rhy fawr i'w dalu, yn fy marn i. Dwi'n cofio hefyd ddarllen hunangofiant Maria Callas, a hithau'n dweud bod gyrfa canwr opera rhyngwladol llwyddiannus yn gorfod bod yn feistres ar bob dim mewn bywyd. Hynny yw, mae'n rhaid rhoi ffocws llwyr ar yr yrfa ac eilbeth yw pob dim arall.

I mi, heb os nac oni bai, y teulu ddaw gynta bob amser ac mae'r syniad o roi fy ngyrfa a fy llwyddiant personol o flaen ennill profiadau a chael atgofion wrth fagu teulu yn wrthun i mi. Roedd sylweddoli nad oedd bod oddi cartre am fisoedd ar y tro yn mynd i fod yn bosib yn rhywbeth a fu'n corddi yng nghefn fy meddwl ers amser. Mi fyddai'r hiraeth a'r euogrwydd yn fy mwyta'n fyw ac yn effeithio arna i'n gorfforol ac yn feddyliol. Does dim byd yn hawdd mewn bywyd, yn nag oes?

Ar ôl dod adre o Lithwania dechreuais yn syth ar yr un cynhyrchiad o *Madama Butterfly* efo'r ENO. Roedd y cefn yn dal i fod yn boenus iawn ar ôl y digwyddiad yn Lithwania, a minnau wedi rhwygo cyhyr dwfn iawn a llawer o nerfau o'i amgylch. Wrth i'r briw chwyddo byddai'n creu sbasms poenus iawn. Byddai'r cyhyr yn symud wrth i mi anadlu ac wrth gynnal y llais ac felly nid oedd yn cael cyfle i wella. Dau berfformiad oedd gen i. Mi lwyddais i berfformio yn y cynta ond rhaid oedd tynnu allan o'r ail. Nid oedd y ffaith i mi wneud y perfformiad cynta yn Llundain a gorfod teithio adre dros nos ar gyfer cyngerdd agoriadol Eisteddfod yr Urdd yn Rhuthun y diwrnod wedyn wedi bod o gymorth, chwaith. Ond roedd y cyngerdd yn un bythgofiadwy, sef cyngerdd teyrnged i Caryl Parry Jones. Roedd Caryl yn y gynulleidfa ac roedd yn un o'r nosweithiau 'I was there!' hynny.

Yn ystod y misoedd nesa bu hen ddadlau rhwng Glyndebourne ac ENO am fy ngwasanaeth. Roeddwn wedi arwyddo cytundeb i wneud rhan Alfred yn *Die Fledermaus* ar daith Glyndebourne ac roedd ENO eisiau i mi wneud Alfredo mewn cynhyrchiad newydd sbon o *La Traviata*. Mi ddywedais wrth ENO 'mod i'n hapus i berfformio *La Traviata* pe bai Glyndebourne yn hapus i'ngollwng o'm cytundeb efo nhw. Mi ddywedodd ENO wrtha i fod Glyndebourne yn hapus ac roedd Harlequin hefyd o dan yr argraff fod popeth yn iawn o safbwynt Glyndebourne ac felly dyma benderfynu mynd am *La Traviata* efo'r ENO.

Ymhen dim ces i a Harlequin lythyr cas

iawn oddi wrth Glyndebourne yn dweud ei
fod yn gywilydd i mi dorri'r cytundeb a'u bod
wedi mynd i gostau anferthol i ddod o hyd i
denor arall i ymgymryd â rôl Alfred. Mi ges
fil o rai miloedd o gostau, ac mi gytunodd
ENO ei dalu, fel roeddwn i ar ddeall. Ond,
clywais si wedyn fod Glyndebourne wedi cael
rhywun i wneud rôl Alfred yn hawdd iawn,
trwy ofyn i'r tenor oedd wedi'i berfformio
eisoes barhau ar y daith. Roedd hynny'n
blentynnaidd a chwerw iawn ar eu rhan,
yn fy marn i, ond does dim angen llawer
o ddealltwriaeth i weld fy mod wedi llosgi
pontydd efo Glyndebourne, oherwydd fod
ENO ar y pryd wedi fy nghamarwain.

Ar ôl cyngerdd cofiadwy o waith Handel
yn Eisteddfod Genedlaethol Abertawe,
ymlaen â fi i ymarferion *La Traviata* efo'r
ENO. Dyma'r ail gnoc yn fy ngyrfa opera.
Roedd y cefn yn dal i ddioddef ac roeddwn
wedi dweud wrth gyfarwyddwyr ENO fod
problem rai wythnosau cyn i'r ymarferion
gychwyn. Mi ddwedodd y cyfarwyddwr
artistig wrtha i am beidio poeni, am gymryd
pethau'n ara deg, ac y bydden nhw'n sicrhau'r
driniaeth orau bosib i mi ar gyfer y cefn yn
Llundain. A dyna a fu. Aeth yr ymarferion
yn dda er na fyddwn yn canu â'm holl egni
bob amser er mwyn gwarchod y cefn. Ond, a
rhyw dair wythnos i fynd cyn y noson gynta,

mi ddaeth cwmwl du droson ni fel teulu a'm hysgydwodd i'r byw.

Yn ystod mis Awst mi gafodd Mam ei phigo gan wenynen ac mi chwyddodd ei gwddf. Aeth wythnosau heibio ac nid oedd y chwydd yn lleihau ac aeth i weld y doctor. Roedd y doctor teulu hefyd yn poeni ac mi drefnodd i Mam i gael profion yn yr ysbyty. Dyna pryd y cawsom y newyddion y mae bob teulu yn cael hunllef o'i glywed. Roedd cancr ar Mam. Roedd ganddi Lymphoma. Doedd dim byd fel hyn wedi digwydd i ni fel teulu ac fe'n lloriwyd yn llwyr. Fel bodau dynol, 'dan ni'n dueddol o feddwl y gwaethaf yn syth. Oedd Mam yn mynd i farw? Mam, o bawb?

Ar ôl pwyllo, rhaid oedd trio bod yn bositif er mwyn bod o gymorth iddi ddod drwyddi. Roedd angen edrych ar ôl fy nhad hefyd achos roedd y newyddion wedi'i siglo yntau. Byddai straen fawr arno i fod yn bositif yng nghwmni Mam ac yntau'n ddarnau ar y tu mewn. Mi gofiwch i mi golli fy llais pan oedd Nia'n disgwyl Erin pan oeddwn i'n ymarfer *Lady Macbeth of Mtsensk*. Wel, mi ddigwyddodd yr un peth eto wrth i'r emosiwn chwarae hafog â'r llais. Roedd fy meddwl a 'nghalon i adre. Adre oedd fy lle i, nid yn Llundain yn chwarae o gwmpas ar lwyfan. Ochr yn ochr â stormydd bywyd go iawn, chwarae plant ydy o, dydy o ddim yn bwysig.

Roedd Mam eisiau cadw ei salwch yn ddistaw ar y pryd, felly roedd yn rhaid i mi ddefnyddio'r cefn fel esgus pam nad oeddwn yn medru canu'n iawn a phenderfynwyd ar y cyd ag ENO mai tynnu allan o'r sioe fyddai orau.

Felly, adre â mi. Bu'n artaith gwylio Mam yn colli ei gwallt oherwydd y cemotherapi. Byddai mynd i'w gweld ar Ward Alaw yn Ysbyty Gwynedd yn anodd iawn, am fod cymaint o bobl yn sâl ofnadwy yno a Mam yn eu canol. Yn ffodus, roedd gen i ddigon o gyngherddau i sicrhau 'mod i'n ennill cyflog, ond bu'n rhaid i mi wneud ychydig o waith cyflenwi fel athro i wneud yn iawn am y colledion o fethu â pherfformio *La Traviata*. Mi fues yn lwcus o gael gwaith yn ysgolion Twm o'r Nant, Rhosesmor, Heulfre a Phenbarras. Ond, byddai rhai pobl yn meddwl 'mod i wedi rhoi'r gorau i ganu yn gyfan gwbl a phenderfynais ddweud 'mod i'n gorfod gorffwyso'r cefn am ychydig a bod yr ymarferion opera yn rhoi gormod o straen arno.

Felly, cyngherddau a gwneud gwaith llanw a aeth â'm hamser tan ei bod hi'n bryd mynd yn ôl i stiwdio Sain i recordio *Celticae*, sef albwm o ganeuon Celtaidd a Brian Hughes wedi gwneud y trefniannau. Roeddwn wedi bod eisiau gweithio gyda Brian ar brosiect fel hyn ers amser a theimlwn fod y cyfnod hwn yn addas, yn arbennig gan fod Mam wedi ymateb yn rhyfeddol i'r cemotherapi. Roedd hi wedi colli'i gwallt yn llwyr, ond roedd hi wedi gorchfygu'r hen glefyd erchyll. Rhaid i mi ddiolch am y gofal gwych gafodd hi gan Dr Alison Niesser, ei GP, i staff, nyrsys a doctoriaid Ysbyty Gwynedd ac i'r holl gymdogion, ffrindiau a theulu fu mor gefnogol iddi. Roedd hi'n methu deall pam roedd pobl ardal Tremadog mor garedig wrthi, a Dad a finna'n dweud wrthi ei bod hithau wedi cynnig cymwynasau i gymaint o bobl dros y blynyddoedd a'u bod hwythau'n cofio ei charedigrwydd.

Roedden ni'n recordio *Celticae* er mwyn ei lansio yn Eisteddfod Genedlaethol yr Wyddgrug. Roedd y CD yn cynnwys caneuon o Gymru, Iwerddon a'r Alban – caneuon cyfarwydd ond â stamp Brian Hughes arnyn nhw. Mae Brian yn feistr ar weld rhywbeth gwreiddiol mewn caneuon traddodiadol.

Edrychwn ymlaen yn fawr at Eisteddfod yr Wyddgrug gan wybod y byddai hi'n wythnos brysur iawn i mi. Roeddwn i'n beirniadu'r Towyn Roberts, yn lansio'r CD, yn canu 'Cân y Cadeirio' ac yn unawdydd yn un o brif gyngherddau'r Eisteddfod.

Bydd pethau'n digwydd mewn bywyd heb yn wybod i ni ar y pryd ei fod yn fan cychwyn i ddigwyddiadau a phrofiadau arbennig. Mae miloedd o bobl ar faes yr eisteddfod a bydd rhywun yn siarad â hwn a'r llall. Ar y Maes y diwrnod hwnnw roedd Jeremy Wood, nad oeddwn wedi'i weld ers rhyw chwe blynedd, dwi'n siŵr. Byddai wedi bod yn ddigon hawdd i ni fethu ei gilydd ar y maes, ond mi ddaethom wyneb yn wyneb ac roedd hi'n braf cael ei gyfarfod o. Roedd o wedi ymgartrefu yn Esquel ym Mhatagonia.

'You must come to Patagonia and sing,' medda fo, gan addo cysylltu ar ôl iddo ddychwelyd i'r Wladfa.

Roedd cystadleuaeth Ysgoloriaeth W. Towyn Roberts yn un wych y flwyddyn honno, ac roedd hi'n bleser ei beirniadu ac roedd hi'n agos iawn rhwng Gwawr Edwards a Catrin Aur. Gwawr Edwards aeth â hi o drwch blewyn ac aeth Catrin Aur ymlaen i ennill yr ysgoloriaeth honno yn 2009.

Erbyn hyn roedd Mam wedi gwella, diolch i'r nefoedd, a bu pob ymweliad ag arbenigwr yn bositif. Ymatebodd Mam yn wych i'r *chemo* a bu'n ddewr ofnadwy drwy'r holl driniaeth. Felly, wedi i'r cwmwl du hwnnw fynd heibio roeddwn i'n edrych ymlaen yn fawr at ddechrau ymarferion *Falstaff* efo Cwmni Opera Cenedlaethol

Cymru. Edrychwn ymlaen yn arbennig at y cynhyrchiad gan fod Bryn Terfel yn chwarae rhan Falstaff ac roeddwn am weld y meistr ei hun wrth ei waith. Chwarae rhan Fenton fyddwn i a bu'n brofiad braf o'r dechrau i'r diwedd.

'Dan ni wedi clywed lawer gwaith am rywun yn disgrifio chwaraewr pêl-droed neu rygbi dawnus trwy ddweud ei bod hi'n ymddangos bod ganddo ddigon o amser ar y bêl, byth yn rhuthro nac ymddangos fel petai dan bwysau. Dyna'n union sut y byddwn i'n disgrifio Bryn Terfel wrth ei waith. Mae meistr wrth ei waith bob amser yn gwneud i'w dasg ymddangos yn hawdd, yn tydy? Roedd hi'n fraint cydweithio â Bryn, ac roeddwn i'n sylweddoli bod rhai pethau na ellir eu dysgu fel perfformiwr gan eu bod yn rhan gynhenid mewn person. Mae Bryn wedi'i eni i fod ar lwyfan opera. Mae'n bosib gweld hyn fel aelod o gynulleidfa i raddau, ond dim ond trwy gydweithio, cydymarfer a chydberfformio ag o mae'n bosib sylweddoli maint ei dalent anhygoel a'i ymroddiad llwyr i'w grefft.

17

David Lloyd

MAE'R TENOR DAVID Lloyd yn dipyn o arwr i mi. Mae'r modd y gwnaeth o ddal dychymyg y werin yng Nghymru, a'r cyferbyniadau anhygoel rhwng yr uchafbwyntiau yn ei fywyd a thristwch yr amseroedd tywyll iawn yn ei hanes yn gwneud ei stori yn un gwerth ei hadrodd. Byddaf yn cael llond bol ar glywed pobl yn siarad yn hyll amdano, y bobl hynny a ddylai wybod yn well. Bob tro y byddai enw David Lloyd yn codi mewn sgwrs, byddai rhai wrth eu bodd yn ei dynnu'n ddarnau trwy ddweud pethau fel 'Roedd o'n yfed, wyddoch chi?' neu 'Ond, roedd o'n alcoholig, yn doedd?' Byddai dirmyg yn eu lleisiau a rhai'n mwynhau tanlinellu agwedd negyddol ei fywyd. Mae'r rhai sy'n mynnu mynd ar ôl yr ochr negyddol wrth siarad am bobl dalentog fel David Lloyd yn fy nghythruddo. Ac, yn aml iawn, pobl a chanddynt bethau negyddol yn eu bywydau eu hunain ydyn nhw ac mae tynnu enwau pobl eraill trwy'r mwd yn ryw fath o therapi. Efallai nad gwylltio ddylwn i ond cydymdeimlo.

Braint o'r mwya oedd i mi gael fy newis fel unawdydd i ganu mewn Cyngerdd Teyrnged i David Lloyd yn Eisteddfod Genedlaethol yr Wyddgrug yn 2007. Dim ond y fi, a chorau meibion unedig yr ardal, dan arweiniad Geraint Roberts, fyddai'n perfformio. Roeddwn i'n hynod o falch bod bron holl docynnau'r cyngerdd wedi'u gwerthu gan ei fod yn hwb amserol i mi ar ôl blwyddyn ddigon anodd i'r hyder. Mi gafwyd ymateb gwych i'r cyngerdd â'r gynulleidfa ar eu traed ar y diwedd. Pwy oedd wrth fy ochr drwy'r noson yn cyfeilio mor feistrolgar ac yn graig o gefnogaeth? Wel, Annette Bryn Parri, wrth gwrs. Gallwn ymgolli'n llwyr yn y caneuon heb boeni dim am y cyfeiliant. Roeddwn i'n gwybod y byddai'n gwrando arna i, yn anadlu gyda mi ac yn dehongli'r un ffordd â mi. Roedd yr awyrgylch yn drydanol a theimlwn fod ysbryd David Lloyd yno'n fyw yn ein mysg.

Roeddwn wedi bod yn trafod gwneud rhaglen ddogfen am David Lloyd efo Cliff Jones ers peth amser, ac mi gawson ni gomisiwn gan S4C drwy gwmni Apollo a'r bwriad oedd dechrau ar y ffilmio ym mis Tachwedd 2007. Roeddwn i'n benderfynol y dylai'r rhaglen ddweud y stori'n gyflawn. Doedd teulu David Lloyd ddim wedi rhoi caniatâd i unrhyw un drafod ei alcoholiaeth cyn hynny, ond roedd hynny'n rhan o dapestri ei hanes ac yn rhywbeth i gydymdeimlo yn ei gylch yn hytrach na'i wneud yn destun gwawd.

Dwi'n cofio mynd i weld Don Lloyd, nai David Lloyd, yn ei gartref yn Nhreffynnon i geisio cael caniatâd i ddweud y stori'n gyflawn. Mi ges groeso cynnes ganddo fo a'i wraig Mairwen, a phaned o de a bisgedi siocled. Roedd Don yn gwybod ein bod am wneud rhaglen ar David Lloyd ac yn ymwybodol y byddwn yn gofyn am lawer o wybodaeth ganddo. Ond dwi'n amau hefyd ei fod wedi dyfalu beth oedd fy amcan y bore hwnnw. Mi ddechreuais drwy bwysleisio ein bod am wneud rhaglen a fyddai'n rhoi ei hanes yn ei gyfanrwydd a 'mod i'n cael llond bol ar bobl yn siarad am ei yfed fel sgandal fawr. Ond, salwch ydy alcoholiaeth fel unrhyw salwch arall, a heb driniaeth does dim gwella iddo. Trwy drio cuddio'r ffaith roedd o'n mynd i gael ei drafod fel sgandal ac mi fyddai pobl yn parhau i'w ddirmygu.

Dwi'n cofio Don yn cytuno â mi ac roedd dagrau yn ei lygaid wrth ddweud, 'Ti'n iawn, Rhys. Os dweud y stori, dweud y stori'n gyflawn.' Roedd hi'n rhyw fath o ollyngdod iddo, dwi'n siŵr, gan fod yr yfed wedi bod yn gywilydd ar y teulu, ond roedd pobl yn sylweddoli erbyn heddiw, diolch byth, mai afiechyd ydyw. A dyna a fu. Mi gawson ni'r Dr Dafydd Huws i drafod y salwch ar y rhaglen a gwesteion fel Stuart Burrows a Rhys Jones.

Dau beth sy'n dal yn fyw i mi am y rhaglen, sef Rhys Jones yn sôn fod rhywun wedi dweud rhywdro am David Lloyd fod deigryn yn ei lais o. Disgrifiad perffaith. Yn ail, yr ias a gefais wrth gloi'r rhaglen â llinellau o'r gân 'Wyt ti'n cofio'r lloer yn codi?', a oedd yn un o'i brif ganeuon sef y cwpled, 'Nes im deimlo gwae a gwynfyd, nef ac uffern bob yn ail'. Dyna grynhoi ei fywyd yn llawn mewn dwsin o eiriau.

Cliff Jones oedd yn cyfarwyddo'r rhaglen a Lona Llywelyn Davies yn cynhyrchu ac mae 'niolch iddynt yn fawr iawn. Mi dreuliodd y ddau gryn amser yn meithrin fy sgiliau cyflwyno ac mi fwynheais bob eiliad o'r profiad. Mi ges flas ar y gwaith a dwi'n cofio meddwl y byddwn wrth fy modd yn gwneud mwy o waith cyflwyno yn y dyfodol. Mi ddarlledwyd y rhaglen ddogfen *Melys Lais* a'r cyngerdd teyrnged o'r Eisteddfod ar yr un noson, sef nos Sadwrn, 10 Mai 2008. Roedd yr ymateb yn ardderchog ac, yn bwysicach na dim, roedd Don Lloyd a'r teulu'n hapus.

Yna, ar ddechrau 2009, mi es ar daith i gynnal cyfres o gyngherddau i goffáu David Lloyd. Y cyngerdd yn yr Eisteddfod

Genedlaethol yn yr Wyddgrug a'r ymateb i *Melys Lais* wnaeth fy ysbrydoli i drefnu'r daith. Roeddwn i wedi dod yn dipyn o ffrindiau efo Don Lloyd wrth baratoi'r rhaglen, ac wrth ymweld ag o unwaith, gofynnais a fyddai ganddo ddiddordeb mewn creu taith o gyngherddau coffa. Y syniad oedd y byddai yntau'n dweud yr hanes a finna'n canu'r caneuon roedd y gwron yn enwog am eu canu, gydag Annette Bryn Parri'n cyfeilio. Roedd o wrth ei fodd efo'r syniad.

Mi wnaethon ni ddeg cyngerdd ar hyd a lled Cymru: Machynlleth, Trelawnyd, Cricieth, Dolgellau, Llangefni, Caerdydd, Rhosllannerchrugog, Licswm, Llanrwst a Phontyberem. Wna i byth anghofio'r cyngerdd yn Nhrelawnyd. Roedd y lle dan ei sang fel y gellwch ddychmygu, gan ein bod o fewn ychydig filltiroedd i gartref David Lloyd yn Ffynnongroyw. Mi ddigwyddodd rhywbeth yno a ysgytwodd Annette a minnau. Wrth i mi gyrraedd diwedd y gân 'Wyt ti'n cofio'r lloer yn codi?' a chyrraedd y geiriau sy'n crynhoi bywyd David Lloyd i'r dim, 'Nes im deimlo gwae a gwynfyd, nef ac uffern bob yn ail', dyma chwa o wynt yn chwythu'r copi oddi ar y piano. Roedd hi'n noson braf a doedd dim drws na ffenest ar agor gan ei bod hi'n fis Chwefror. Mi

227

lwyddodd Annette i ddal y copi a'i roi yn ôl ar y piano a dal ati heb i neb sylwi. Mi welodd mab Don, Arwel, y peth yn digwydd ac roedd o'n methu'n deg â deall. Wedi'r gân honno roedd ganddon ni doriad am hanner amser ac anghofia i fyth wyneb Annette gefn llwyfan. Roedd hi'n wyn fel y galchen a bu'n rhaid iddi gael paned ac amser i ddod ati hi ei hun. Oedd ysbryd David Lloyd efo ni? Pwy a ŵyr? Mae 'na bethau'n digwydd yn yr hen fyd 'ma nad ydyn ni'n medru eu deall na'u hesbonio, a diolch byth am hynny!

Cawson ni groeso bendigedig yn y canolfannau a'r capeli ar y daith. Roedd hi'n bleser o'r mwya gweld y mwynhad a gâi'r bobl o glywed hanes David Lloyd a chlywed ei ganeuon. Bydd gan David Lloyd le cynnes yng nghalonnau'r Cymry am gyfnod maith eto, dwi'n siŵr.

18

Patagonia

YN DILYN YR opera *Falstaff* yn 2008, a Mam wedi gwella'n llwyr, roedden ni i gyd fel teulu wedi trefnu i fynd draw i Batagonia am dair wythnos. Cynnal cyfres o gyngherddau i godi arian i Eisteddfod Trefelin oedd nod y daith a drefnwyd gan Deithiau Tango a Jeremy Wood. Yn Buenos Aires roedd y daith yn cychwyn a chawsom dreulio tair noson efo John Hughes, Llysgennad Prydain i'r Ariannin. Dyna beth oedd profiad. Mae cartref swyddogol Llysgennad Prydain yn Buenos Aires yn anhygoel – y cartref drutaf yn y byd i lysgennad Prydeinig. Mi gawson ni groeso gwych ac roedd hi'n braf gweld Mam yn cael y fath brofiad ar ôl dwy flynedd anodd iawn. Mae'r swper gawson ni yn yr ardd un noson yn achlysur y byddwn yn ei gofio am amser maith – ffiledau o gig eidion maint eich braich a'r gwin coch bendigedig yn llifo. Dwi'n cofio'r Llysgennad ac Osian yn chwarae pêl-droed ar y lawnt ac Osian yn ei daclo nes bod y ddau'n bendramwnwgl ar y llawr, a'r llysgennad yn ei siwt. Roedd pawb yn eu dagrau'n chwerthin.

Ymlaen wedyn i Drefelin ac Esquel am ryw wythnos. Dwi ddim yn gwybod sut i ddisgrifio'r profiad o fod ym Mhatagonia a chyfarfod â'r trigolion sydd yn dal i gynnal yr iaith a'r diwylliant ar ôl saith cenhedlaeth. Mae'n anodd ei roi mewn geiriau. Yr hyn a wnaeth fy nharo gynta oedd y teimlad o berthyn. Roedden ni fel teulu yn teimlo mor gartrefol â phe baen ni adre ymhlith ein cymdogion. Mae'n rhyfedd meddwl bod hanes y bobl hyn yn rhan o'n hanes ni. Yn wir, 'dan ni wedi ein creu o'r un deunydd crai. Ydy, mae'r croeso anhygoel yn gwneud i berson deimlo'n gartrefol, ond mae o'n ddyfnach na hynny yn fy meddwl i.

Mi gafwyd y cyngerdd cynta yn Esquel, y lle'n orlawn, ac roedd yn bleser o'r mwya cael canu 'Pedair Oed' efo Côr Seion. Roedd yn deimlad emosiynol, y dagrau'n powlio, ond teimlwn fod naws gynnes iawn i'r holl achlysur.

Mae'r bore canlynol yn dal yn fyw yn y cof. Rhedodd y plant i'n hystafell wely gan weiddi,

'Mam, Dad, mae'n bwrw eira!'

'Peidiwch â bod yn wirion,' oedd yr ateb yn naturiol, wrth gwrs.

'WIR YR!'

Rhaid oedd codi i weld. Wrth agor y llenni, roedd yn rhaid rhwbio'r llygaid i wneud yn siŵr ein bod yn gweld yn iawn. Oedd, roedd fel petai'n bwrw eira, ond na, nid eira oedd yn disgyn fel plu o'r awyr ond lludw. Roedd llosgfynydd Chaitén wedi ffrwydro dros nos ac roedd y cwmwl lludw wedi dod droson ni. Doedden ni ddim yn siŵr iawn beth i'w wneud. Oedd peryglon? Oedd o'n wenwynig? Dyna'r math o gwestiynau a âi drwy ein meddyliau ar y pryd. Doedd ganddon ni ddim profiad o'r math yma o beth, wrth gwrs, ac felly, er bod cael y profiad o fod yn dyst i'r fath olygfa yn gyffrous, roedd o'n creu pryder hefyd.

Roedd Nia, fi a'r plant yn aros yn Nhrefelin tra bod gweddill y criw cefnogwyr yn aros yn Esquel. Mi aethon ni i gyd i Esquel i gyfarfod â Jeremy ac fe'n darbwyllodd nad oedd unrhyw beryg ond bod popeth a gawsai ei drefnu ar gyfer y diwrnod hwnnw wedi'i ohirio. Aeth pawb ati'n brysur i chwilio am fasgiau i'w rhoi dros ein hwynebau. Er mwyn profi bod materion economaidd yr un peth ym Mhatagonia ag y maen nhw yng Nghymru, mi dreblodd prisiau masgiau dros nos.

Wrth fynd yn ôl i Drefelin tua thri o'r gloch y prynhawn yn y bws mini, mi gawson ni brofiad bythgofiadwy. Yn Esquel roedd hi'n olau dydd a'r awyr yn las er bod y llwch ar y llawr ac ar y ceir fel haen o eira. Wrth i ni deithio am Drefelin, yn sydyn iawn, daeth cwmwl o lwch droson ni ac roedd hi'n union fel petai'n ganol nos, er ein bod ni'n gallu gweld am bellteroedd oherwydd nad oedd y cwmwl wedi disgyn i'r llawr. Bu'n rhaid i'r ceir roi eu goleuadau llawn ymlaen a goleuodd goleuadau'r stryd hefyd. Mi aethon ni i mewn i'r tŷ, cau'r drws a chwarae gêmau drwy'r pnawn.

Yn dilyn yr holl lwch, cafodd yr eisteddfod y noson honno ei bedyddio'n Eisteddfod y Llwch a'r cyngerdd y noson wedyn yn Gyngerdd y Llwch. Bu beirniadu yn Eisteddfod Trefelin yn fraint ac yn bleser ac un rheswm am hyn oedd fod y gwerthoedd mor iach yno – awyrgylch braf, anffurfiol a phawb yn mwynhau eu hunain ac yn perfformio ar eu gorau. Dwy gystadleuaeth a wnaeth fy nharo i, ac a oedd yn adlewyrchu'r lle i'r dim, sef y canu sol-ffa ar y pryd a'r gystadleuaeth i'r teulu. Yn y gystadleuaeth canu sol-ffa ar y pryd câi'r pedwarawdau emyn benodol wrth ochr y llwyfan ac yna bydden nhw'n gorfod canu'r harmoni ar ffurf sol-ffa. Gwych iawn. Yn y gystadleuaeth i'r teulu, byddai teulu yn dod i'r llwyfan i berfformio unrhyw gân. Mi wrandewais i ar daid ac wyres fach yn canu deuawd; teulu o wyth yn canu cân ysgafn i gyfeiliant offerynnau; pedwarawd o fam, dau frawd a merch yn canu emyn ac yn y blaen. Diwylliant Cymraeg a chymuned Gymreig ar eu gorau a hynny dros bum mil o filltiroedd o Gymru.

Ddiwrnod ar ôl yr Eisteddfod, roedd ganddon ni gyngerdd arall yn Nhrefelin. Roedd y llwch yn gwaethygu ond mi gafwyd cynulleidfa wych. Mi ges i'r fraint o ganu cân o'r Ariannin sef 'El día que me quieras' efo'r ddau frawd, Alejandro a Leonardo Jones a chanu 'Dwy law yn erfyn' efo Alberto Williams. Roedd hi'n bleser mawr gallu cyflwyno elw'r ddau gyngerdd i'r Eisteddfod, ac roedd eu gwerthfawrogiad yn deimladwy ac yn ddidwyll dros ben.

Wedyn mi aethon ni ar draws y paith a chael croeso'r un mor gynnes gan bobl Trelew, Gaiman a Phorth Madryn. Roedd y cyngherddau yno dan eu sang ac roeddwn i'n ffodus i gael cymorth fy mhlant gan 'mod i wedi dal annwyd, ac roedd effaith y llwch ar y llais. Felly, bu'n rhaid i mi ddethol caneuon yn ofalus. Mi fwynheais ganu 'Dwy law yn erfyn' fel deuawd efo Osian, y mab ac roedd y gynulleidfa wrth ei bodd.

Mi gawson ni'r fraint o ymweld ag Ysgol yr Hendre. Roedd yn dipyn o brofiad gweld y plant yn gweithio drwy gyfrwng y Gymraeg. Mi ddaeth yn hysbys i mi fod ceisio ariannu'r ysgol yn broblem gan nad oedden nhw'n

233

derbyn arian cyhoeddus. Dyna blannu hedyn yn fy mhen wrth i mi chwilio am reswm i ddychwelyd yno rywbryd eto.

Ymhen dwy flynedd yn y flwyddyn 2010 es yno i gynnal cyngherddau ar draws y Wladfa er mwyn codi arian i Ysgol yr Hendre yn Nhrelew, sy'n gwneud gwaith gwych i gynnal yr iaith. Ond mi gychwynnodd pethau'n flêr braidd. Roedden ni fel teulu i fod i hedfan allan efo'n gilydd ar ddydd Sul, 18 Gorffennaf ond ryw dair wythnos cyn hedfan dyma fi'n sylweddoli 'mod i'n canu efo'r Tri Tenor yn Neuadd Dewi Sant yng Nghaerdydd. Felly, roedd yn rhaid i Nia a'r plant hedfan allan o 'mlaen i, newid yn Sāo Paulo, Brasil ac yna hedfan i Buenos Aires ac fe fyddwn i'n hedfan ddiwrnod ar eu holau. Roeddwn i'n poeni amdanyn nhw yn ystod y cyngerdd, ond mi gyrhaeddodd y pedwar yn saff ac yn ddidrafferth.

Unwaith eto, roedden ni'n aros yng nghartref y Llysgennad yn Buenos Aires a Chymraes oedd y Llysgennad y tro hwn, sef Shan Morgan. Mi dderbyniodd Nia a'r plant groeso mawr, a minnau hefyd rhyw 24 awr yn ddiweddarach. Mi gytunais i ganu mewn cinio arbennig i farnwyr y ddinas ac mi ganodd Erin ac Elan ddeuawdau, wedi'u gwisgo mewn ffrogiau crand ac yn edrych yn dlws iawn. Roedd hi'n noson fythgofiadwy ac yn brofiad arbennig i'r merched.

Y tro hwn roedden ni'n cychwyn yn y dwyrain ac yn gweithio ein ffordd tua'r gorllewin. Aeth fy ffrind, Jeremy Wood, a oedd yn trefnu'r holl daith, a finna i lawr i Comodoro Rivadavia yn gynta i ganu mewn cyngerdd, heb Nia a'r plant. Roeddwn i wedi llwyr ymlâdd ar ôl yr holl deithio ac roedd y cyngerdd yn cychwyn am ddeg o'r gloch y nos ac yn gorffen tua dwy awr a hanner yn ddiweddarach. Roeddwn i'n barod am fy ngwely pan glywais un o'r trefnwyr lleol yn dweud, 'Reit, pitsa a cwrw rŵan.' Rhaid oedd mynd i dderbyn y lluniaeth a'r croeso a mynd i 'ngwely yn y diwedd tua tri y bore.

Fore trannoeth, roedd yn rhaid codi'n gynnar i gychwyn ar ein taith mewn car i Borth Madryn – taith o ryw 275 milltir – ac yna noson o gymdeithasu efo'r criw oedd yn teithio efo ni. Ond, mi ddeffrais efo dolur gwddw ofnadwy a dim llais o gwbl ac roedd yn rhaid gohirio'r cyngerdd yn Mhorth Madryn a cheisio ei gynnwys wedyn ar ddiwedd y daith pan fyddai ganddon ni ryw dri diwrnod yn rhydd. Roedd y croeso'n wresog iawn wrth i mi ganu yn Nhrelew, y Gaiman a Dolafon.

Yna, mi groeson ni'r paith efo Jeremy yn ei 4 x 4. Roedd Jeremy wedi bod yn tynnu coes y plant fod cwningod rheibus mewn un ardal. Credai'r plant bob gair, ac wrth i ni ddod yn agosach at y man lle'r oedd o'n dweud y byddai'r cwningod rheibus, mi drodd y radio ymlaen. Sbaeneg oedd yr iaith ar y radio, wrth gwrs, ac ar ôl gwrando am ychydig dyma Jeremy'n rhoi ochenaid a rhyw olwg betrusgar ar ei wyneb.

'Beth sy'n bod?' gofynnais.

Dywedodd fod y 'killer bunnies' wedi ymosod ar deulu wrth iddyn nhw fwynhau picnic, ac wedi lladd un o'r trueiniaid. Erbyn hyn, roedd y plant wedi llyncu'r stori'n llwyr, ac roedd Osian hyd yn oed wedi gyrru tecst at ei ffrind yn ôl yng Nghymru yn sôn amdanyn nhw. Yn sydyn, dyma Jeremy'n stopio'r jîp ac yn gofyn i mi fynd efo fo i weld a fydden ni'n gallu gweld rhai o'r cwningod mawr. Mi ddywedodd wrth Nia a'r plant am aros yn y car, waeth be fyddai'n digwydd. Mi aeth Jeremy a fi o'r golwg rownd y gornel ac ar ôl aros am ryw funud neu ddau dyma'r ddau ohonon ni'n dechrau gweiddi a sgrechian a rhedeg yn ôl at y car. Roedd wynebau'r plant yn bictiwr, dyma Jeremy'n cychwyn y jîp ac yn gyrru i ffwrdd yn wyllt. Ar ôl mynd rhyw filltir i lawr y ffordd mi ddechreuodd Osian amau ein bod yn tynnu coes a rhaid oedd ildio. Sôn am chwerthin! Uchafbwynt yr hanesyn oedd Osian yn cyfadde iddo ddweud wrth ei ffrind yng Nghymru amdanyn nhw.

Yn Nhrefelin ac Esquel roedd cyngerdd a noson lawen wedi'u trefnu ymhen wythnos ac felly roedd ganddon ni ddyddiau'n rhydd. Mi drefnwyd taith mewn hofrenydd i ni ac mi fuon ni'n sgio ar fynyddoedd yr Andes. Bu'r sgio'n brofiad gwych, er i gyrraedd y llecyn sgio fod yn hunllef llwyr i mi. Roedd taith o ryw ddeng munud mewn cadeiriau a'r rheiny'n hongian oddi ar geblau. Dwi'n casáu uchder ac roedd y rhain yn echrydus o uchel, â chreigiau oddi tanom, a gwynt yn ein wynebau yn ein hysgwyd. Roedd rhaid gafael yn ein sgis a'n polion a finna oedd i fod i edrych ar ôl Elan ac Erin ond mae'n rhaid i mi gyfadde 'mod i wedi cau fy llygaid ar hyd y daith i'r copa. Dywedodd Nia 'mod i'n wyn fel y galchen a rhaid oedd i mi fynd am baned cyn gwneud dim arall. Mi gawson ni hwyl bythgofiadwy ar y gwersi a'r sgio er bod y daith yn ôl i lawr y mynydd yng nghefn fy meddwl drwy'r amser.

Bu'n rhaid i Jeremy a fi fynd yn ôl i Borth Madryn er mwyn cynnal y cyngerdd roeddwn wedi'i fethu ar ddechrau'r daith oherwydd y dolur gwddw. Felly, yn syth ar ôl gorffen y Noson Lawen tua deg o'r gloch y nos dyma ni'n cychwyn ar y daith o Esquel i Borth Madryn, taith o dros 400 milltir. Mi gyrhaeddon ni Borth Madryn am bump o'r gloch y bore a mynd yn syth i'r gwely tan tua hanner dydd. Yna, ar ôl y cyngerdd, rhaid oedd dychwelyd ar yr un daith yn ôl i Esquel y bore wedyn. Dyna beth oedd siwrnai ac antur. Tra oeddwn i ym Mhorth Madryn roedd Nia a'r plant wedi cael croeso mawr ar fferm teulu'r Greens a'u gwreiddiau yn ardal Tregaron. Cawson nhw gyfle i farchogaeth ceffylau, a chan fod Osian wedi cael cymaint o hwyl arni cafodd fynd ar ôl y gwartheg fel *gaucho* go iawn.

Mi gawson ni swper bendigedig i orffen ein cyfnod yn y Wladfa ac roedd gadael Patagonia ar ôl treulio amser yno yn deimlad rhyfedd iawn. Mae'r Wladfa yn gafael ynddoch chi, a bydd hiraeth am y lle'n parhau am gyfnod ar ôl dychwelyd adre. Roeddwn i wedi gwneud cymaint o ffrindiau ac mi hoffwn ddiolch i bawb am y croeso twymgalon a dderbyniais i a'r teulu yno.

19

Bywyd prysur

YN YSTOD HAF 2009 mi fues i'n perfformio mewn opera gomedi gan Donizetti o'r enw *Fra Diavolo*. Stanley Hall Opera yw enw'r cwmni, sy'n perfformio operâu yng ngerddi ysblennydd Stanley Hall yng ngogledd Essex. Caiff y cwbl ei drefnu'n broffesiynol iawn a bydd y perfformiad o dan do mewn marcî anferth a dros bum cant yn gwylio'r perfformiadau. Pobl gyfoethog, ddosbarth canol a'r dosbarth uwch oedden nhw, wrth gwrs, ac er 'mod i'n mwynhau'r canu dwi'n cofio meddwl ar y pryd nad oedd gen i ddim yn gyffredin â'r bobl hyn a bod rhywbeth ar goll yn y perfformiadau i mi. Doeddwn i ddim yn teimlo bod cysylltiad rhyngddo i a'r gynulleidfa. Faint ohonyn nhw oedd yn mwynhau opera mewn gwirionedd, a faint oedd yno i gael eu gweld? Roedd rhwysg a rhywbeth hollol ffug yn yr achlysur. Mor wahanol oedd y mwynhad a gefais ar daith David Lloyd a'r wefr a gawn o weld y gynulleidfa'n mwynhau, a finna'n gallu uniaethu â nhw. Doedd hynny ddim yn bodoli efo'r *Fra Diavolo*.

Ar ôl perfformio'r opera bues i'n brysur yn cynnal cyngherddau o bob math ar draws Prydain. Hefyd, buon ni'n trefnu cyngherddau i hyrwyddo Gŵyl Gobaith gan geisio codi ychydig o arian. Mi drefnwyd un cyngerdd yng Nghadeirlan Caer ac un arall yn Neuadd St George yn Lerpwl.

Yn dilyn cyngerdd yng Ngŵyl Rhuthun ar 3 Gorffennaf 2009 dechreuodd proses a ddaeth yn brofiad unigryw ond pleserus iawn. Daeth dyn ataf ar ddiwedd y cyngerdd, nad oeddwn i erioed wedi ei weld o'r blaen, a chyflwyno ei hun fel rhywun oedd yn gwneud rhywfaint o arlunio, a gofynnodd a fyddwn i'n fodlon iddo beintio portread ohonof. Harri Robertson oedd ei enw, arlunydd uchel ei barch sydd wedi ennill amryw o wobrau ac sy'n gwerthu lluniau ar draws y byd. Dwi'n cofio gofyn iddo a fyddai'n iawn i mi ddod i weld ei waith cyn penderfynu, ac roedd yn berffaith hapus i mi wneud. O weld ei waith, roedd yn hollol amlwg i mi'n syth fod talent arbennig gan Harri i ddal cymeriad y bobl yn ei luniau, a'i fod yn arlunydd o'r safon uchaf. Roeddwn yn ei theimlo'n fraint ei fod wedi gofyn i mi, mi gytunais a chychwynnodd y broses. Roedd yn dechrau trwy dynnu nifer o luniau camera ohonof ac yna'n peintio. Roedd yn broses o rai misoedd, ac roeddwn wrth fy modd yn mynd draw i weld sut roedd

240

y llun yn datblygu. Anghofia i fyth y teimlad o weld y llun wedi ei gwblhau, na chwaith ei weld mewn arddangosfa bwysig i Harri o'r enw 'Observance' yn Theatr Clwyd ym mis Mawrth 2011. Mae gen i gopi print mewn ffrâm a ges yn anrheg gan Harri ac mae'n cymryd ei le'n naturiol iawn uwchben y piano yn y tŷ acw.

Mi gychwynnais ar dasg newydd ym mis Medi 2009 sy'n elfen dwi wrth fy modd yn ei chyflawni hyd heddiw. Yn dilyn sgwrs â Sioned Webb, a oedd yn rheolwr Canolfan William Mathias yn Galeri yng Nghaernarfon ar y pryd, mi benderfynais wneud rhyw ychydig o hyfforddi llais. Roedd dealltwriaeth na fyddwn ar gael bob wythnos o'r flwyddyn. Mae hyfforddi llais yn rhywbeth sy'n rhoi cyfrifoldeb mawr ar hyfforddwr gan fod cymaint o gantorion addawol wedi diflannu'n gyfan gwbl oherwydd na chawsant yr hyfforddiant priodol. Roeddwn i mewn sefyllfa ffodus o fod wedi cael fy hyfforddi gan rai o'r goreuon, ac yn dal i dderbyn hyfforddiant wrth baratoi rhannau newydd mewn operâu neu wrth ddysgu caneuon newydd.

Y peth hanfodol wrth ddysgu cantorion ifanc yw amynedd. Nid rhywbeth sy'n digwydd dros nos yw dysgu canu. Mae'n bosib cyflymu'r broses drwy dorri corneli, a bydd rhai'n gwneud hynny, ond os nad yw'r sylfeini yn eu lle mi fydd problemau yn sicr o godi'n hwyr neu'n hwyrach. Daw yr hen ddameg am adeiladu tŷ ar y tywod i'r meddwl.

Rhywbeth arall sy'n cael ei amlygu heddiw yw'r ffaith bod llai o bobl ifanc yn dymuno cael eu hyfforddi i ganu'n glasurol gan mai atyniad y sioe gerdd sy'n denu bellach ac atyniadau'r West End. Bydda i'n ceisio darbwyllo'r rhai dwi'n eu hyfforddi i adael i'w lleisiau benderfynu eu dyfodol drostynt. Fy nghyngor i'r cantorion ifanc yw y dylent ymdrechu i ganu'r ddau fath o *genre* nes daw hi'n amlwg beth mae'r llais yn gyffyrddus yn ei wneud a hefyd beth mae'r unigolyn yn ei fwynhau orau. Wrth geisio gwneud iddynt benderfynu'r naill ffordd neu'r llall yn rhy ifanc gellir gwneud cam â nhw ac ni ddylid rhoi pwysau arnynt i ddilyn llwybr yn erbyn eu hewyllys gan fod peryg i rywun ddiflasu a throi cefn ar ganu yn gyfan gwbl.

Ond, rhaid derbyn bod llai o ddiddordeb mewn canu clasurol ymysg yr ifanc heddiw. Mae yna beryg i gerddoriaeth glasurol fynd fel Lladin yn y byd addysg erbyn hyn a dim ond rhyw lond llaw o ysgolheigion yn ymdrin â'r grefft. Dydy hynny ddim yn wir ar hyn o bryd am gerddoriaeth glasurol, ond y peryg mwyaf heddiw yw'r ysgolheigion hynny sy'n gyndyn o rannu'r gerddoriaeth amhrisiadwy yma efo'r bobl gyffredin. Diolch byth am Radio 3 a Classic FM ddyweda i – mae lle pwysig iawn i'r ddwy orsaf radio.

Ar ddechrau 2010 roeddwn i yn Galeri yn hyfforddi lleisiau am ddau ddiwrnod yr wythnos gan fod Mary Lloyd Davies yn gweithio dramor. Roeddwn wrth fy modd yng nghwmni'r bobl ifanc ac yn rhannu ychydig o 'mhrofiadau efo nhw. Roedd cyngherddau'n fy nghadw'n brysur iawn ar ddechrau 2010 hefyd. Weithiau, cawn wahoddiad i ganu fel unigolyn ac weithiau fel un o Dri Tenor Cymru a oedd wedi cychwyn ers rhyw flwyddyn. Yna, ddiwedd Chwefror, mi ges fynd gyda Chôr Ysgol Pen Barras i ganu yn Disneyland Paris fel rhan o'r cytundeb rhwng Eisteddfod yr Urdd a nhw. Roedd Elen fy chwaer wedi dechrau cael cryn lwyddiant efo'i chorau a'i phartïon yn yr Urdd ac roedd wrth ei bodd yn eu harwain. Roedd cael canu 'Pedair Oed' efo'r plant yn Disneyland ac Elen wrth y llyw yn brofiad bythgofiadwy. Roedd y geiriau'n gweddu'n berffaith i'r lleoliad, a'r hud, y lledrith a'r rhyfeddod o fod yno'n cael ei adlewyrchu yn wynebau'r plant wrth berfformio.

Braint oedd cael bod yn rhan o un digwyddiad, hanesyddol yn wir, a drefnwyd gan Gwmni Opera Cenedlaethol Cymru yn 2010, sef y cynhyrchiad newydd o *Die Meistersinger* gan Wagner. Roedd y cyffro'n deillio o'r ffaith fod Bryn Terfel wedi penderfynu gwneud ei ymddangosiad cynta fel Hans Sachs yng Nghymru efo'r cwmni. Mi allai fod wedi'i wneud mewn unrhyw dŷ opera yn y byd ond mi benderfynodd ei berfformio yng Nghanolfan y Mileniwm yng Nghaerdydd.

Unwaith eto, fel yn *Falstaff* roedd hwn yn brofiad arbennig a finna'n teimlo'n ddigon gostyngedig. Dwi'n cofio Brian Davies, y cyfeilydd uchel ei barch, yn dweud bod Bryn wedi'i eni i fod yn Hans Sachs. Roedd cast arbennig iawn yn yr opera gan gynnwys ffrindiau fel Andrew Rees, Arwel Hugh Morgan a Geraint Dodd a chyfarwyddwr amryddawn iawn, sef Richard Jones. Mae Richard yn gymeriad dwys a gwnâi'n siŵr bod ei gast yn canolbwyntio bob amser ac yn treiddio i feddwl ac ymddygiad y cymeriadau drwy'r perfformiad. Hyd yn oed os nad oedden ni'n canu am gyfnod hir byddai'n argymell ein bod ni'n creu storïau ym mywyd y cymeriad ac yn adlewyrchu'r rheini yn ein llygaid a'n hwynebau. Un bore roedd Richard Jones yn ddwysach nag arfer ac ar ganol ymarfer dyma fo'n codi ac yn gweiddi ar bawb i stopio, a throdd i ganmol Arwel Hugh Morgan i'r cymylau.

'I was watching you then and your expressions were wonderful, just what I was after. Would you like to share with us what you were thinking?' gofynnodd y cyfarwyddwr gan arddangos celfyddyd aruchel o'i gorun i'w sawdl.

'Well yes, I was just thinking what the hell is my next line!' meddai Arwel.

Wel, roedden ni'n lladd ein hunain yn chwerthin, ond yn ceisio'i guddio achos bod y cyfarwyddwr byd-enwog, druan, wedi'i lorio'n llwyr.

Bu'r cynhyrchiad yn hynod o lwyddiannus ac roedd y beirniaid i gyd yn ei ganmol i'r entrychion. Roedd Bryn yn anhygoel unwaith eto ac roedd ei wylio'n ymarfer ac yn dod o hyd i'r cymeriad yn yr ymarferion yn fraint.

Roeddwn wedi bod eisiau perfformio rhan Don Ottavio yn *Don Giovanni* ers talwm a daeth y cyfle ym mis Mai 2010 pan es i lawr i Lundain i ymarfer *Don Giovanni* efo cwmni Opera Project a bu'n rhaid aros blwyddyn ar gyfer y perfformio. Dyma gwmni gwirioneddol gyffrous sydd wedi gwneud enw mawr iddyn nhw eu hunain ers cychwyn yn 1993. Roedd pythefnos o ymarfer ac yna deg o berfformiadau mewn nifer o leoliadau gwahanol.

Erbyn hyn roedd fy mywyd yn llawn ac yn

amrywiol iawn ac roeddwn wrth fy modd yn derbyn sialensau newydd. Mae'r ffaith 'mod i'n Gymro Cymraeg ac yn byw yng Nghymru yn hanfodol i fedru pori mewn gwahanol feysydd, ac o wneud hyn yng Nghymru roeddwn yn sicrhau y gallwn fod adre efo'r teulu yn fwy cyson. Ynghlwm â'r yrfa fel unawdydd mi ddaeth cyfleon i ymgymryd â gweithgareddau a roddodd bleser mawr i mi, gan ychwanegu at y myrdd o brofiadau a gawswn yn barod.

20

Tri Tenor Cymru

ROEDD 7 TACHWEDD 2009 yn ddyddiad poenus iawn yn fy hanes. Fyddai pethau byth yr un fath wedi'r diwrnod hwnnw! Dyma'r diwrnod y perfformiodd Tri Tenor Cymru am y tro cynta. Tynnu coes ydw i, wrth gwrs, gan fod canu fel un o Dri Tenor Cymru wedi dod â chymaint o foddhad i mi dros y blynyddoedd.

Roeddwn i wedi canu fel unawdydd mewn digwyddiad o'r enw Celtfest yn gynharach yn y flwyddyn, cyn gêm rygbi Cymru yn erbyn Iwerddon ym Mhencampwriaeth y Chwe Gwlad, gan ganu efo Bryn Terfel a nifer o artistiaid eraill yn y CIA yng Nghaerdydd. Bu'r diwrnod yn llwyddiant ysgubol a daeth 15,000 neu fwy o gefnogwyr yno. Mi ges i fynd i'r gêm wedyn efo Bryn, profiad arbennig iawn. Dyma'r gêm lle'r oedd Iwerddon yn mynd am y Gamp Lawn a Chymru'n mynd am y Bencampwriaeth. Roedd hi'n gêm agos iawn, gyda Ronan O'Gara'n cicio gôl adlam hwyr i fynd ag Iwerddon ar y blaen ac yna, a dim ond eiliadau o'r gêm ar ôl, aeth Stephen Jones am gic gosb o bellter i ennill y gêm. 'Dach chi'n siŵr o fod yn cofio, os 'dach chi'n gefnogwr rygbi. Anelodd y bêl yn gywir, ond wrth gyrraedd y pyst dyma hi'n marw a disgyn ryw droedfedd o dan y trawst. Y tu ôl i'r pyst roedd cefnogwyr Iwerddon, a dwi'n siŵr eu bod nhw i gyd wedi chwythu gyda'i gilydd a'r bêl wedi syrthio'n brin! Iwerddon aeth â hi a chipio'r Gamp Lawn, wrth gwrs.

Mae un peth yn aros yn y cof am y noson ar ôl y gêm, a finna'n cerdded i lawr Caroline Street, lle mae'r *take-aways* i gyd, tua dau o'r gloch y bore efo fy ffrind annwyl, Rob Nicholls. Roedd y lle'n ferw o Wyddelod ar ôl eu buddugoliaeth hanesyddol ac wrth gyrraedd pen draw'r stryd mi welson ni rywbeth oedd yn cadarnhau'r rheswm pam 'mod i wrth fy modd â'r Gwyddelod. Pwy oedd yno'n pwyso ar y wal yn bwyta tships mewn *curry sauce* ond offeiriad Pabyddol yn gwisgo'i lifrai crand. Roedd y diwrnod, mae'n amlwg, wedi'i wefreiddio. Gwyn ei fyd o!

Felly, ar ôl llwyddiant y Celtfest yn y gêmau rhyngwladol, mi benderfynodd y trefnwyr drefnu un arall cyn gêm Seland Newydd yng Nghyfres yr Hydref. Mi gysylltwyd ag asiantaeth Harlequin yn holi oedd ganddyn nhw dri thenor a fyddai'n fodlon dod at ei gilydd i ganu fel Tri Tenor

Cymru. Mi gysylltodd Doreen O'Neill ag Aled Hall, Alun Rhys Jenkins a finna i weld beth fyddai'r posibiliadau. Gan i mi berfformio yn y Celtfest yn gynharach yn y flwyddyn roeddwn i'n ffyddiog iawn y bydden ni'n llwyddiant. Mi benderfynon ni fynd amdani a gwneud un sioe yn unig, ac roedd yn brofiad gwych wrth i'r gynulleidfa ddod i'r tu blaen, gan weiddi a chymeradwyo. Roedden ni'n teimlo fel Take That! Ar ôl y perfformiad bu llawer yn pwyso arnon ni i ddal ati. Mi gawson ni drafodaeth ar y mater a gan ein bod ni'n tri'n berfformwyr unigol, proffesiynol, mi gytunon ni mai ein gwaith fel unawdwyr fyddai'n cael y flaenoriaeth ond nad oedd problem i ni ddal ati i ganu fel triawd a gweld beth ddeilliai o hynny.

Mae'r tri ohonon ni'n hollol wahanol, wrth gwrs, a dyna beth sydd wedi bod yn braf yn ein perthynas oddi ar y llwyfan ac, yn ôl llawer, caiff hynny ei adlewyrchu yn ein perfformiadau hefyd. Gallwch fentro nad oes un funud ddiflas pan fo Aled Hall yn eich cwmni. Mae o'n llawn bywyd ac yn llawn cyffro cyn mynd ar y llwyfan, tra bod Alun a fi'n hoffi tawelwch er mwyn paratoi ein hunain yn ara deg ar gyfer perfformiad. Bydd Alun yn lladd amser yn gweu gefn llwyfan. Anghofia i fyth mo Huw Howatson yn dod gyda mi i gyngerdd ym Mhafiliwn

Rhyl, yn cerdded i mewn i'r ystafell newid a gweld Alun yno'n gweu. Dyna lle'r oedd Alun yn dal i weu wrth gynnal sgwrs â Huw, a hwnnw'n syllu arno'n gegrwth. Ydyn, 'dan ni'n tri'n hollol wahanol, ac roedd amser prysur a llewyrchus iawn o'n blaenau.

Bu 2010 yn flwyddyn lwyddiannus i ni fel Tri Tenor Cymru, gyda nifer o gyngherddau, ymddangos ar *Noson Lawen* i S4C a'r uchafbwynt, mae'n siŵr, oedd cael canu ym Mhroms y BBC yn Abertawe. Roedd 2011 yn argoeli'n brysur hefyd wrth i ni baratoi i recordio albwm efo Sain a hefyd roedden ni wedi cael ein gwahodd i ganu yng Nghyngerdd Agoriadol Eisteddfod Genedlaethol Wrecsam.

Buan iawn, felly, y daeth yr amser i fynd i mewn i Stiwdio Acapela ym Mhentyrch ger Caerdydd i recordio albwm Tri Tenor Cymru. Roedd ganddon ni ddewis reit eang o ganeuon ac roedd y broses o ddethol wedi bod yn hwylus iawn. 'Dan ni wedi bod mor lwcus ers dechrau canu fel Tri Tenor Cymru i gael Caradog Williams yn gyfeilydd, trefnydd a chyfansoddwr. Roedden ni eisiau cân arbennig ar gyfer y CD, cân wladgarol, anthem fyddai'n codi'r to mewn cyngherddau. Dwi'n ein cofio ni'n gofyn iddo wrth gael swper mewn tŷ bwyta un noson a dywedodd, 'Gadewch o efo fi, mae gen i syniad.' Ben bore wedyn dyma alwad ffôn. Roedd o wedi bod wrthi drwy'r nos yn cyfansoddi 'Gwinllan a roddwyd'. Mae'n gân wych ac yn boblogaidd iawn ymysg corau hefyd erbyn hyn. Roedden ni'n ffodus i gael cân gan Robat Arwyn hefyd ar yr albwm, sef 'Ave Maria, maddau i mi' sydd hefyd yn dipyn o ffefryn mewn cyngherddau. Roeddwn i'n falch fod yr hogia wedi cytuno i gynnwys fy nghynnig i, 'El día que me quieras', cân roeddwn wedi ei dysgu wrth ymweld â'r Wladfa, ac unwaith eto roedd trefniant Caradog ohoni i gitâr, soddgrwth a chlarinét yn gweithio'n dda iawn. Cawsom yr amryddawn Catrin Finch i gyfeilio i ni ar y gân 'Dafydd y Garreg Wen' ac yn ffodus iawn o gael Tim Rhys Evans i wneud trefniannau eraill i ni.

Bu'r broses recordio yn anodd, gan fod yn rhaid i'r tri ohonon ni ganu efo'n gilydd yn union. Nid tri thenor yn canu llinellau unigol neu mewn unsain ydan ni ond canu mewn tri llais â harmonïau clòs, cyffrous. Felly, rhaid oedd canolbwyntio ac o ganlyniad roedd y tri ohonon ni ar ein gliniau wedi tridiau yn y stiwdio, ond roedd yn werth y blinder a'r gwaith caled.

Bu Eisteddfod Wrecsam yn brysur iawn i mi fel pyndit stiwdio a hefyd roedden ni fel triawd yn canu yn y cyngerdd agoriadol, yn canu ddwywaith ar lwyfan y maes i hyrwyddo'r albwm, yn ogystal â chanu ar wahanol stondinau ac arwyddo CDs. Mi aeth y cyngerdd yn dda iawn, er bod y tri ohonon ni'n ddigon nerfus o ganlyniad efallai i'r holl gyhoeddusrwydd a fu ymlaen llaw a hefyd oherwydd bod y CD yn ymddangos, a bod rhaid gwneud sioe dda ohoni. Mi werthodd y CD yn dda iawn ac mi adawon ni'n marc ar yr Eisteddfod yn Wrecsam.

Ond ym mis Mawrth 2012 y daeth yr uchafbwynt hyd yma i ni, sef trip i Los Angeles i ganu mewn cyngerdd Gŵyl Ddewi. Roeddem yn aros gyda Rhiannon Acree, chwaer i Tom Gwanas. Cawsom groeso bendigedig ganddi hi a'i gŵr yn eu cartref yn Long Beach. Daeth criw camera allan efo ni i ffilmio rhaglen *Tri Tenor yn LA* ac mi gawson ni hwyl arbennig yn mynd o gwmpas Hollywood a'r llefydd enwog yno. Mi roddodd y criw sialens i ni ar gamera, sef bwyta'r byrgyr mwya welsoch chi erioed! Roedd 18oz o gig ynddo. Dim ond un ohonon ni orffennodd ei fwyta fo, a does dim angen dweud pwy, yn nag oes?!

Yn ystod y cyfnod yno cawsom wahoddiad i ganu yn Seattle oedd yn golygu y byddai'n rhaid i ni hedfan yno, canu, ac yna hedfan yn ôl yn syth wedi canu a'r cyfan o fewn yr un diwrnod. Dyna wnaethon ni, a wyddoch chi be, roedd y profiad yn werth y drafferth. Syndod oedd gweld y neuadd yn Seattle yn orlawn a rhai hyd yn oed yn gwrando drwy'r ffenestri. Cawsom groeso anhygoel, â'r Ddraig Goch i'w gweld ymhobman, yn wir, roedd gweld cymaint yn crio yn y gynulleidfa wrth i ni ganu yn Gymraeg yn brofiad emosiynol i ni hefyd. Roedd hi'n bleser pur cael rhannu llwyfan â hen ffrind, sef y mezzo, Nerys Jones sydd wedi ymgartrefu yno ers rhai blynyddoedd bellach. Dyna beth oedd wythnos i'w chofio ac mi dderbyniodd y rhaglen deledu yn seiliedig ar y daith ganmoliaeth hael iawn. Roedd blwyddyn brysur o'n blaenau, yn cynnwys y rhaglen *Carolau Gobaith* pan fyddai Tri Tenor Cymru yn cystadlu yn erbyn ei gilydd ac roedd ganddon ni *Noson yng Nghwmni* i'w recordio.

O 28 Awst hyd 2 Medi 2013 aethon ni fel triawd i Doronto, Canada i ganu yng nghyngerdd Cynhadledd Cymry Gogledd America. Roedd yn brofiad cael bod yng nghanol tua dwy fil o Gymry alltud a chael amser i weld ychydig o'r ardal hefyd. Rhaid oedd mynd i ben y CN Tower. Methais â chael cyfle i wthio Aled Hall dros yr ochr, ond dyna fo, efallai y daw cyfle rywbryd eto!

Ar ôl dod yn ôl i Gymru rhaid oedd mynd i stiwdio Sain i recordio ein hail CD, sef

Tarantella. Mae amrywiaeth o ganeuon arni ac unwaith eto cafodd nifer o'r trefniannau eu gwneud gan Caradog Williams. Buon ni'n hynod o ffodus i gael cyfansoddiad newydd sbon gan Wyn Pearson ar eiriau Dafydd Iwan, sef 'Gymru, gwelaf di'. Mae hen ffefrynnau arni hefyd fel 'Myfanwy', 'Ar lan y môr' ac 'O sole mio'. Ymddangosodd yr albwm cyn y Nadolig ac mi werthodd hon yn dda iawn hefyd.

Dwi wedi mwynhau fy mhrofiadau efo Tri Tenor Cymru. Mae'n hyfryd cael rhannu profiadau â dau ffrind a chael y cyfle i berfformio ar y cyd, sydd yn sgìl wahanol i ganu fel unawdydd. Bydd ychydig o newid byd yn wynebu Tri Tenor Cymru yn fuan gan fod Alun Rhys Jenkins wedi penderfynu rhoi'r gorau iddi. Roedd Aled Hall a minnau'n awyddus iawn i Dri Tenor Cymru barhau ac rydym yn hynod o falch fod Aled Wyn Davies, neu Aled Pentremawr o Lanbrynmair, wedi cytuno i ymuno â ni. Gobeithio y bydd ganddon ni flynyddoedd o hwyl a llu o brofiadau newydd o'n blaenau fel Tri Tenor Cymru.

Y cyfryngau

AR ÔL LLWYDDIANT mawr y rhaglen *Melys Lais* yn adrodd hanes David Lloyd, roeddwn wedi gwneud ffrindiau yng nghwmni teledu Apollo ac roedden nhw'n awyddus iawn i mi feddwl am syniad arall ar gyfer rhaglen neu gyfres o raglenni i'w darlledu ar S4C. Felly, ar ôl meddwl a chysidro, a thaflu rhai awgrymiadau i'r bin, mi ges i syniad am raglen lle byddwn i a chanwr proffesiynol arall yn creu dau dîm o bobl heb unrhyw brofiad o ganu a cheisio'u hyfforddi i greu deuawdau o flaen panel o feirniaid. Byddai'r beirniaid wedyn yn rhoi marciau i bob deuawd a'r tîm fyddai'n ennill y marciau uchaf fyddai'n fuddugol. Roedd S4C yn hoffi'r syniad ac eisiau darlledu'r rhaglen, *Carolau Gobaith*, dros y Nadolig.

Mi benderfynon ni gael Shân Cothi fel y canwr arall ac mi gawson ni ymgeiswyr gwych. Yn wir, allen ni ddim fod wedi cael rhai gwell, dwi ddim yn meddwl. Yn nhîm Shân roedd Huw Rees, Bethan Gwanas a Leni Hatcher ac yn fy nhîm i roedd Tudur Owen, Nigel Owens a Siw Hughes. Cyn cystadlu roedd yn rhaid gwneud gweithgareddau 'bondio', ac mi wnaethon ni gwrs antur ar raffau uchel a cherdded afonydd. (Roedd yn rhaid gwneud campau uchel, wrth gwrs, gan fod arna i ofn uchder!) Anghofia i fyth mo'r artaith o orfod dringo i ben polyn uchel, sefyll arno ac yna neidio i ffwrdd i ddal siglen y trapîs. Roedd cymaint o chwys ar fy nwylo fel nad oedd gen i unrhyw obaith dal fy ngafael yn y trapîs, ac i lawr â fi.

Mi gawson ni hwyl arbennig ac roedd y canu'n wych. Roedd canu rhai wedi datblygu'n aruthrol ers cychwyn y broses a chawson ni berfformiadau arbennig yn y rhaglen olaf o flaen cynulleidfa yn y stiwdio a'r holl wylwyr adre. Mi wnaethpwyd CD o'r perfformiadau ac mi godwyd swm bach go lew i Dŷ Gobaith.

Roedd cwmni teledu Apollo ac S4C yn awyddus iawn i wneud cyfres arall o *Carolau Gobaith* ymhen dwy flynedd, ond roedd Apollo eisiau datblygu'r cysyniad gwreiddiol drwy ddefnyddio Tri Tenor Cymru. Roeddwn i o blaid y syniad ond roeddwn i hefyd yn ofni y byddai'r rhaglen yn ormod o gabare a chomedi yn hytrach na chanu. Roedd yn bwysig na fydden ni'n colli tensiwn a chynnwrf y gyfres gynta. Tri thîm a'r rheiny'n cynnwys dau unigolyn oedd yn cystadlu. Yn nhîm Alun roedd Rhodri

Gomer Davies a Myfanwy Alexander, yn nhîm Aled roedd Mari Lövgreen a Richard Elis, ac roedd gen i Malcolm Allen a Catrin Dafydd. Mi gawson ni lot o hwyl, do, ac mi gafwyd rhai perfformiadau teimladwy iawn, ond doedd dim yr un pwysau ar y gwesteion i berfformio o ddifri ac aeth mwy o bwyslais ar adloniant. Roedd gormod o gimics, collodd y rhaglen yr hunaniaeth a wnaeth y gyfres wreiddiol yn llwyddiant. Cwympo wnaeth nifer y gwylwyr ac ni chafwyd trydedd gyfres.

Bu'r rhaglen *Noson yng Nghwmni* yn hwyliog iawn hefyd. Rhaglen am y Tri Tenor oedd hi a chyfle i'r tri ohonon ni gyflwyno i'r gwylwyr un lle oedd yn bwysig i ni fel unigolion. Dewisais i Neuadd Llanuwchllyn gan mai yno y canais i gynta yn gyhoeddus ar fy mhen fy hun wrth gynnal cyngerdd gydag Aelwyd Bro Gwerfyl. Dewisodd Aled ei hen gartref yn Nolgran, Pencader ac Alun y Coliseum yn Llundain. Ond un peth wna i mo'i anghofio fydd y golff. Roeddwn i'n gwybod nad oedd Alun wedi chwarae golff o'r blaen ac yn gwybod mai llaw dde oedd o. Gofynnais i'r criw teledu archebu set o glybiau golff llaw chwith iddo. Wrth i Alun afael yn ei glwb i gymryd ei ergyd gynta doedd o ddim yn deall beth oedd o'i le. Sôn am chwerthin! Dyna sy'n braf – 'dan ni'n tri'n hoffi cael hwyl ac yn gallu chwerthin ar ben ein gilydd. Mi gafwyd rhaglen lwyddiannus, er ein bod wedi blino'n lân gan fod *Carolau Gobaith* a *Noson yng Nghwmni* yn cael eu recordio yn yr un cyfnod.

Wedi i mi wrando ar gyngor Rob Nicholls, a oedd yn gweithio i S4C ar y pryd, mi gytunais i fod yn gyflwynydd ar *Dechrau Canu Dechrau Canmol*. Dyma i chi sialens newydd. Oeddwn, roeddwn wedi cael y profiad o fod yn gyflwynydd ar *Melys Lais* ond doeddwn i ddim wedi cael y profiad o gyfweld â phobl. Roeddwn i'n ffodus iawn i gael Dafydd Parri yn gyfarwyddwr, a oedd yn barod i roi arweiniad i mi fel cyflwynydd newydd, dibrofiad. Dwi wrth fy modd efo'r gwaith hwn am ei fod yn rhoi cyfle i mi gyfarfod â gwahanol bobl a theuluoedd ar draws Cymru, a chael treulio amser efo nhw, yn eu holi a thrafod sut mae crefydd a'r capel wedi dylanwadu ar eu bywydau. Dwi'n sylweddoli pa mor bwysig yw *Dechrau Canu Dechrau Canmol* i gymaint o bobl yng Nghymru. Mae crefydd a chanu emynau yn rhan annatod o'n hunaniaeth ni ac mae cael clywed sut mae crefydd a'r capel wedi bod o gymorth i bobl yn eu bywydau yn rhoi cryfder i amryw o wylwyr y mae stormydd bywyd yn eu llethu.

Mae cymaint o bobl yn dod ataf ar ddiwedd

cyngerdd ac yn dweud eu bod yn mwynhau fy nghyfraniad i'r gyfres ac mae hynny'n destun balchder i mi. Mi synnech chi faint o Gymry di-Gymraeg sydd yn gwylio *Dechrau Canu Dechrau Canmol* hefyd. Dwi'n gobeithio y gallaf barhau am flynyddoedd fel cyflwynydd y rhaglen.

Mae'n rhaid i mi gyfadde bod tynged ein crefydd a'n capeli ni yng Nghymru yn fy mhoeni'n fawr iawn. Ond beth sydd yn fy niflasu'n fwy na hynny yw'r diffyg ewyllys ac awydd yn gyffredinol i newid y drefn, ac i ddatblygu'r ffordd rydyn ni'n addoli er mwyn adlewyrchu'r newidiadau yn ein cymdeithasau y tu allan i'r capel. Mae rhai enghreifftiau o gapeli'n troi yn fwy o ganolfannau cymdeithasol yn ogystal â bod yn addoldai, sy'n gam yn y cyfeiriad iawn. Ond mae'n amlwg os na fydd newid yn fuan, y bydd yn rhaid gofyn y cwestiwn, beth fydd dyfodol ein capeli ni. Mae cwpled yn y gân adnabyddus 'Ble'r aeth yr Amen?' yn crynhoi'r broblem, efallai:

Ti, Gristion, a'th einioes yn dirwyn i ben,
Er mwyn y to ieuanc, paid mygu'r Amen.

22

Chwysu a chanu

Bᴜ Gᴡʏʟ Gᴏʙᴀɪᴛʜ yn rhan bwysig o 'mywyd i ers 2009 ac yn brofiad a roddodd fwynhad anhygoel i mi. Mae bod yn rhan o brosiect mor fawr a chyffrous yn gyfle gwych a ches weld pobol ar eu gorau. Mi gychwynnodd pethau'n syml iawn wrth i mi gael galwad ffôn yn gofyn i mi ymweld â dwy ddynes o'r Wyddgrug roeddwn i wedi canu mewn cyngherddau elusennol iddyn nhw dros y blynyddoedd, sef Eleanor Roberts a Hazel Evans. Roedden nhw'n awyddus i drefnu cyngerdd awyr agored yn ardal yr Wyddgrug i godi arian, ac mi ofynnodd y ddwy a fyddai gen i ddiddordeb mewn rhoi help llaw. Roedd y London International Orchestra wedi bod yn swnian am gael dod i Gymru ers amser maith, a chan fod hwn yn gyfle rhy dda i'w golli, mi gytunais i ymuno â nhw.

Mi drefnwyd pwyllgor a dyma lle ces i'r fraint o gyfarfod â nifer o bobl wych am y tro cynta. Dyma lle dois i adnabod Huw Howatson, dyn arbennig iawn sydd â chalon anferthol. Os medr Huw fod o gymorth mi wnaiff gynnig help, a hynny heb unrhyw ffŷs na ffwdan. Welais i erioed ddyn sy'n adnabod cymaint o bobl a'r bobl hynny i gyd â geiriau da i'w dweud amdano. Drwy Huw y dois i adnabod Brynle Williams a dyna i chi ddyn arall oedd wrth ei fodd yn cyflawni gwaith da. Roedd bod yng nghwmni Huw a Brynle gyda'i gilydd am gyfnod bob amser yn brofiad a wnâi i mi deimlo'n llawer gwell wedyn.

Mi benderfynwyd cynnal yr ŵyl gyntaf honno yn 2009 yn Gwysaney Hall, rhyw filltir y tu allan i'r Wyddgrug ar ffordd Dinbych. Mae'n diolch ni'n fawr i Richard a Sarah Davies Cook am ein gwahodd i mewn i'w cartref ac am adael i ni ddefnyddio eu tir. Un arall a fu'n weithgar ar y pwyllgor oedd Nic Parry. Roedd o'n gaffaeliad mawr ac roedd ganddo ddigon o waith ffrwyno gorfrwdfrydedd y rhai mwya creadigol ohonon ni ar y pwyllgor. Roedd ei ddoethineb a'i brofiad yn werthfawr iawn i'r pwyllgor ac i mi yn bersonol wrth wynebu sialensau yn sgil llwyddiannau a siomedigaethau'r ŵyl. Penderfynwyd enwi'r ŵyl yn Gŵyl Gobaith gan y byddai'n codi arian ar gyfer Tŷ Gobaith.

Cafwyd tair noson dda – noson gomedi ar y nos Wener, cerddoriaeth glasurol ar y nos Sadwrn a chorau ar y nos Sul. Yr atgof penna sydd gen i o'r noson gomedi ydy i

Tudur Owen fynd ar y llwyfan ac iddo gael llwyddiant ysgubol ac yna Jason Manford yn ei ddilyn. Roedd Jason Manford wedi gwylltio am ein bod wedi rhoi rhywun cystal ar y llwyfan o'i flaen o. Roedd o'n nerfus ofnadwy oherwydd llwyddiant Tudur, a wyddoch chi be, chafodd o ddim ymateb tebyg i'r hyn gafodd Tudur, er ei fod wedi costio rhai miloedd i ni.

Ar y dydd Sadwrn mi ddaeth Shân Cothi a David Kempster i ymuno â fi, Cerddorfa Ryngwladol Llundain a Chôr Rhuthun. Roedd y gynulleidfa wrth eu bodd, fel roedden nhw ar y dydd Sul efo'r corau. Mi orffennodd yr ŵyl ar nodyn gorfoleddus gydag Only Men Aloud. Roedd wedi bod yn llwyddiant ysgubol ac roedd y niferoedd wedi bod yn galonogol ar y dydd Sadwrn a'r dydd Sul. Ond wrth i'r llwch setlo ar y gorfoledd a'r cyffro, mi ddaeth yn amlwg nad oedden ni wedi llwyddo i greu elw. Roedd ganddon ni waith meddwl sut roedd camu ymlaen os oedden ni am gynnal gŵyl arall.

Ond mi gynhalion ni Ŵyl Gobaith arall yn 2010 a hynny ar benwythnos 25–27 Mehefin. Mae yna nifer o luniau ohonof yn canu yn yr ŵyl honno a finna wedi tyfu barf – wel, roeddwn i wedi gorfod ei thyfu i chwarae rhan Zorn yn y *Meistersinger* efo Cwmni

Opera Cenedlaethol Cymru. Roedden ni wedi gorfod newid lleoliad yr ŵyl yn 2010 am ddau reswm. Yn gynta, roedd Gwysaney ychydig yn rhy fach ac yn ail, roedd yn fwriad rhoi'r lle ar y farchnad ac efallai na fyddai'r perchnogion newydd eisiau cynnal yr ŵyl ar eu tir. Mi fuon ni'n lwcus iawn i gael tir ar gampws Coleg Glyndŵr a Choleg Cambria yn Llaneurgain, lle delfrydol ar gyfer gŵyl o'r fath. Buon ni hefyd yn hynod o lwcus i gael cwmni teledu Rondo yno i ffilmio'r cyfan a'i ddarlledu fel rhan o'r gyfres *Digwyddiadau*.

Ar ôl llwyddiant 2009 mi dderbyniodd Gŵyl Gobaith wobr yn Noson Wobrau Busnes Cyngor Sir y Fflint. Gwnaeth hyn hi'n haws denu noddwyr masnachol ar gyfer y flwyddyn ganlynol, sy'n hanfodol wrth gynnal gŵyl fel hyn. Siomedig oedd y cyfraniad ariannol gan y Cyngor Sir lleol ond mi gawson ni gefnogaeth deilwng iawn gan Cadwyn Clwyd a oedd yn gweld potensial i ŵyl o'r fath yn yr ardal hon o Gymru. Yn 2010 hefyd, mi gymerwyd rôl flaenllaw iawn gan Arwel Hughes, Sain a Goleuo MAD. Dyma i chi gymeriad, a gweithiwr heb ei ail. Daeth Arwel â threfn broffesiynol i'r llwyfannu ac mi wnaeth gryn argraff ar gwmni teledu Rondo.

Roedd yr arlwy yn fendigedig dros y tair noson yn 2010 gyda'r byd-enwog London

Gospel Community Choir, a chorau y Fron, Maelgwn a Glanaethwy ac Ann Atkinson yn unawdydd ar y nos Wener. Yna, ar yr ail noson roedd Peter Karrie, Ashley Oliver a'r Westenders, a Jae Alexander yn perfformio. Ar y noson ola, yr artistiaid oedd Shân Cothi, David Kempster, Cerddorfa Genedlaethol Llundain, Llŷr Williams, Côr Godre'r Aran a finna, ac mi ddaeth Aled ac Alun hefyd i wneud eitem fel Tri Tenor Cymru. Roedd y tocynnau'n costio £25 a phawb o dan 16 yn cael mynediad am ddim. Roedden ni'n disgwyl cefnogaeth frwd ond gweddol oedd y gynulleidfa â chyfartaledd o ryw 800 y noson. Am ryw reswm doedden ni ddim yn dal dychymyg pobl a'u denu i'n cefnogi ac felly roedd yn rhaid edrych ar y sefyllfa fel pwyllgor a chysidro pam. Roedd cymaint o waith yn mynd i drefnu'r ŵyl ac roedden ni'n derbyn cefnogaeth gan gymaint o wirfoddolwyr a chwmnïau lleol, ond am ryw reswm doedd y gynulleidfa ddim yn dod yn eu miloedd fel y bydden nhw mewn gwyliau tebyg yn Lloegr.

Gan fod y ddwy Ŵyl Gobaith gynta wedi bod yn siomedig o ran y gefnogaeth dorfol, roedd yn rhaid i'r drydedd fod yn llwyddiant er mwyn i ni fel pwyllgor fod â'r ewyllys i ddal ati. Y penderfyniad a wnaed oedd gwahodd nifer o bobl arbenigol i ymuno â ni ar y pwyllgor. Yn gynta, mi ymunodd Eryl Vaughan a chanddo arbenigedd fel gŵr busnes. Roedd ei gwmni, Ynni Gwynt Cymru, wedi ein noddi yn 2010 ac roedd o'n gweld potensial i'r ŵyl. Dyma ddechrau ar berthynas hynod o lewyrchus a chyffrous rhyngom. Trwy Eryl mi ddaeth cwmni cyfrifwyr Gardners aton ni i roi mwy o drefn ar ein cyllideb ac i arwain ein materion strwythurol parthed creu cwmni cymunedol. Mi ddaeth cwmni teledu Avanti atom a chynnig cytundeb a fyddai'n talu hanner ffioedd yr artistiaid a chynnig arian ychwanegol am gael darlledu'r ŵyl. Roedd hyn yn newyddion gwych ac yn ein galluogi i fynd ar ôl artistiaid mwy adnabyddus.

Bu'r drydedd ŵyl, yn 2011, yn dipyn mwy o lwyddiant. Ar y nos Wener roedd ganddon ni Rhydian Roberts, Elysium III a Mike Doyle. Ar y nos Sadwrn roedd Tri Tenor Cymru, Escala, Natasha Marsh, ac Ysgol Pen Barras a oedd wedi ennill Côr Gorau Prydain ar *Songs of Praise* gydag Elen fy chwaer yn eu harwain. Ar y nos Sul roedd Only Men Aloud, John Owen Jones, Mark Evans, Sophie Evans a Tara Bethan. Mi benderfynon ni gefnogi tair elusen, sef Ambiwlans Awyr Cymru, CLIC Sargent a Cancer Research UK. Mi gawson ni lwyddiant o'r diwedd, mi dalodd yr ŵyl amdani'i hun ac mi wnaethpwyd degau o filoedd i'w rhannu rhwng y tair elusen yn y babell lletygarwch corfforaethol. Felly, mi gawson ni hyder fel pwyllgor i barhau ac anelu am y bedwaredd yn 2012.

Yn dilyn Gŵyl Gobaith 2011 a'r ffaith i ni gefnogi Ambiwlans Awyr Cymru, mi ges i'r anrhydedd o gael fy ngwahodd i fod yn Llysgennad iddynt. Mi dderbyniais i'r gwahoddiad â balchder a chael fy nghyflwyno'n ffurfiol fel Llysgennad yn y cinio blynyddol yng ngwesty Carden Park, Caer ar 26 Tachwedd 2011. Dwi'n cofio siarad â rhai o'r peilotiaid a'r paramedics a dod i wybod am y gwaith anhygoel o bwysig mae'r gwasanaeth yn ei gyflawni, a dod i ddeall fod y gwasanaeth yn dibynnu ar roddion gan bobl Cymru. Esboniwyd i mi fod y gwasanaeth Ambiwlans Awyr yn Nghymru yn cynnig gwell gwasanaeth fel elusen oherwydd ei fod yn cael ei redeg gan bobl sy'n deall beth sydd orau i'r gwasanaeth a sut mae ei redeg o ddydd i ddydd. Pe bai'n cael ei ariannu gan y wladwriaeth câi pob math o reolau eu gosod gan bobl bwysig mewn siwtiau mewn rhyw swyddfa bellennig a'r rheiny heb unrhyw brofiad o'r gwaith nac yn deall anghenion y gwasanaeth. Felly, er mwyn cael un o'r gwasanaethau Ambiwlans Awyr gorau ym

Mhrydain, fel sydd ganddon ni, mae'n rhaid i ni fel Cymry gyfrannu.

Roedd tri hofrenydd gan yr elusen a thair hafan iddynt sef Abertawe, y Trallwng a Chaernarfon. Dyma fi'n troi at Eryl Vaughan, a oedd yn y cinio gyda mi a dweud, 'Eryl, mi allwn ni gerdded o Abertawe i Gaernarfon drwy'r Trallwng i godi arian.'

'Na, Rhys,' oedd ei ateb. 'Mi gei di gerdded, ac mi wna i drefnu!'

A dyna i chi ddechrau Cerddwn Ymlaen sydd wedi dod yn llwyddiannus iawn erbyn heddiw.

Felly, aeth llawer o fy amser yn dilyn Eisteddfod yr Urdd Eryri 2012 ar drefnu Cerddwn Ymlaen a Gŵyl Gobaith. Byddai cyngherddau gen i bob penwythnos bron, un ai fel unawdydd neu fel aelod o Dri Tenor Cymru, ond byddai'r rhan fwyaf o'r wythnos yn mynd ar y ddau brosiect a ddaeth yn un mewn ffordd. Y syniad oedd y byddai Cerddwn Ymlaen 2012 yn digwydd yn ystod yr wythnos cyn Gŵyl Gobaith. Y bwriad oedd cychwyn o Faes Awyr Abertawe ar ddydd Gwener 17 Awst a gorffen ym Maes Awyr Caernarfon ar ddydd Gwener 24 Awst ac yna mynd yn syth oddi yno i Ŵyl Gobaith i ganu.

Roedd 8 ohonon ni'n cerdded, sef Dr Dylan Parry, fy mrawd yng nghyfraith, Osian y mab, Gerallt Pennant, Martin Darlington, un o beilotiaid Ambiwlans Awyr Cymru, Eirlys Bellin sef Rhian Madam Rygbi Davies, Josie d'Arby, Ian Thomas, paramedic gydag Ambiwlans Awyr Cymru, a finna. Eryl Vaughan wnaeth drefnu pob dim ar hyd y daith, ac fel y gallwch ddychmygu roedd gwaith anferthol i drefnu'r fath ddigwyddiad. Roedd fy nhad hefyd yn rhan o'r tîm wrth gefn a fo fyddai'n edrych ar ôl ein bagiau ac yn mynd â'r cerddwyr gwadd dyddiol yn ôl at eu ceir. Gan ei bod hi'n daith o 200 milltir dros wyth niwrnod roedd angen edrych ar ôl y cerddwyr yn drwyadl. Mi gafwyd tywydd dychrynllyd ar ddechrau'r daith a ninnau'n wlyb at ein crwyn ond roedd cael traed gwlyb yn creu llawer mwy o broblemau. Mi ges bothelli dwfn iawn ar y diwrnod cynta a waethygodd o ddydd i ddydd. Roeddwn i mewn cryn dipyn o boen erbyn canol yr wythnos ac roedd fy nhraed wedi dechrau chwyddo. Erbyn i ni gyrraedd Dolgellau mi gymerodd hi dri chwarter awr i Dr Dylan a Dafydd Llywelyn, ein ffisiotherapydd, dynnu'r plastars oddi ar fy mhothelli, gan fod y croen yn dod i ffwrdd efo'r plastar. Roedd fy nhraed wedi chwyddo'n ofnadwy ac roedd Dylan yn poeni amdana i. Ar ôl noson o gwsg, a 'nhraed i fyny'n uwch na 'nghorff a sanau pwrpasol i leddfu'r chwyddo, edrychodd Dylan arnaf fore trannoeth a dweud na fyddwn yn cael cerdded am weddill y daith. Roeddwn i'n siomedig dros ben ac mi dreuliais y ddau ddiwrnod ola yn y bws mini.

Wrth edrych yn ôl doeddwn i ddim yn barod yn feddyliol nac yn gorfforol, am resymau a ddaw'n glir yn y man, i ymgymryd â'r fath sialens. Mi gerddais y filltir ola i mewn i Faes Awyr Caernarfon lle'r oedd torf yn aros amdanon ni a Chôr Meibion y Penrhyn yn canu. Mi ddaeth yr emosiwn anhygoel yma drosta i ac roedd gwneud cyfweliad ar *Heno* efo Gerallt Pennant yn amhosib bron gan ein bod ein dau yn methu atal ein hunain rhag crio. Roedd cyfraniad a chefnogaeth *Heno* yn allweddol i lwyddiant y daith ac mi lwyddon ni i godi dros £90,000 at yr achos.

Doedd hanes Gŵyl Gobaith 2012 ddim mor bositif. Roedd hi wedi bod yn haf ofnadwy o ran tywydd ac roedd yr argoelion yn ddiflas iawn am y penwythnos. Er bod ganddon ni artistiaid megis Hayley Westenra, Sioned Terry, Amore, The Tree Phantoms, Bryn Fôn, Elin Fflur, Lucie Jones, Shân Cothi, ac Al Lewis, ddaeth y dorf ddim. Dwi ddim yn gweld dim bai arnyn nhw, achos fyddwn inna chwaith ddim yn mwynhau eistedd ar ganol cae a hithau'n tywallt y glaw. Mi aeth yr hwch drwy'r siop ar ambell ŵyl ym Mhrydain yr haf hwnnw, a dyna beth fu hanes Gŵyl Gobaith. Roedd hi'n ddrwg calon gen i weld gŵyl a chymaint o botensial iddi'n diflannu fel hyn. Gwnaeth y pwyllgor gymaint o waith trefnu a chafwyd nifer fawr o wirfoddolwyr dros y pedair blynedd, ac alla i ond diolch iddyn nhw o waelod calon am rannu'r weledigaeth ac am ymdrechu mor galed i geisio gwneud Gŵyl Gobaith yn llwyddiant. Dwi ddim am ddechrau enwi gan fod y rhestr yn un faith – 'dach chi'n gwybod pwy ydach chi.

Ond, roedd llwyddiant Cerddwn Ymlaen 2012 wedi ysgogi Eryl Vaughan a minnau i fynd amdani efo brwdfrydedd yn 2013. Roeddem am sicrhau mwy o gerddwyr, a mynd i fyny ar hyd gorllewin Cymru y tro hwn. Roedd angen i ni godi ymwybyddiaeth a dyma fi'n penderfynu y byddai'n syniad da recordio rhyw ddwy gân i wneud EP bach *Cerddwn Ymlaen*. Roeddwn wedi newid asiant yn ystod 2012 o Harlequin i Avanti Artists ac at ŵr ifanc, hynod o weithgar, David Mahoney. Ar ei lyfrau roedd yr arweinydd cerddorfaol ifanc Jonathan Mann a'r gantores sioeau cerdd, Lucie Jones. Roeddwn i eisoes yn ffrindiau mawr efo Elin Fflur a dyma fi'n trefnu y byddai Elin a fi'n canu 'Y Weddi' a Lucie a finna'n canu 'You'll Never Walk Alone' i gyfeiliant cerddorfa Jonathan, The Cardiff Sinfonietta. Roedd yn llwyddiant mawr ac mi ddaeth y recordiad o 'Y Weddi' yn rhif un yn yr iTunes World Charts yn ystod wythnos Eisteddfod yr Urdd pan oedden ni'n lansio'r CD. Diolch i Sain ac i Dŷ Cerdd am eu gwaith efo'r recordio a'r cynhyrchu.

Roedd lansiad Cerddwn Ymlaen 2013 yn ddiwrnod arbennig iawn. Diwrnod gêm Cymru yn erbyn Lloegr yng Nghaerdydd oedd hi a chafwyd y lansiad dros ginio cyn mynd i'r gêm. Roedd bod yn Stadiwm y Mileniwm y diwrnod hwnnw yn brofiad bythgofiadwy i'r 70,000 oedd yno. Dwi'n cofio teimlo bod y Saeson wedi cael hwyl ar ganu eu hanthem, ond roedd yna deimlad ymysg y Cymry, 'Reit 'ta, dewch i ni ddangos iddyn nhw!' Dyna'r gorau i mi glywed yr anthem yn cael ei chanu mewn gêm rygbi erioed. Profiad gwefreiddiol. Mi stopiodd y band chwarae a gadael i'r dorf ganu'n ddigyfeiliant ac roedd pawb fel un. Doedden ni byth yn mynd i golli'r gêm, ond roedd angen curo Lloegr o 9 pwynt i gipio'r Bencampwriaeth. Mi enillodd Cymru 30–3! Roeddwn i wrth fy modd fod Osian y mab wrth fy ochr i brofi'r fath orfoledd. Mi aeth hi'n noson hwyr, roedd Cymru ar y brig ac roedd Cerddwn Ymlaen 2013 yn argoeli'n llwyddiant mawr.

Roedd 15 o gerddwyr y tro hwn sef Grant

Elgar, peilot Ambiwlans Awyr Cymru yn
Abertawe, Gerallt Pennant, Iolo Williams,
Hilary Briggs, noddwraig, Tudur Owen,
Aled Siôn, Sioned Terry, Robin McBryde,
Dr Dylan Parry, Osian Meirion, Arwyn
Davies, Ian Thomas, Jason Williams, Vicky
Gardner a fi. Mi gafwyd ymateb gwych ar
hyd y daith. Y tro hwn roedd ganddon ni
dîm wrth gefn a wnaeth waith anhygoel
i'n cadw i gerdded ymlaen. Roeddem
wedi dysgu cymaint oddi wrth brofiad y
flwyddyn cynt ac yn gwybod beth oedd y
problemau a fyddai'n ein hwynebu. Ond
y gwahaniaeth mwyaf rhwng 2012 a 2013
oedd y tywydd. Roedd hi'n wlyb iawn yn
2012, ond y tro hwn roedd hi'n danbaid
a'r tymheredd yn y 30au yn feunyddiol.
Pan oedden ni'n cerdded rhwng Harlech
a Phenrhyndeudraeth mi gyrhaeddodd
y tymheredd 37 gradd selsiws. Dyna
ddiwrnod poetha'r flwyddyn ac roeddan ni
yn y lle poetha ym Mhrydain.

Anghofiwn ni byth y croeso a gawson
ni yng Nghaernarfon. Daeth dros 2,000
o bobl i'r Maes i'n croesawu ac roedden
ni'r cerddwyr yn teimlo fel petaen ni wedi
cyflawni gwrhydri wrth dderbyn y ffasiwn
groeso. Roedd yr emosiynau'n amrwd iawn
ond roeddwn i'n gallu eu rheoli y tro hwn
wrth gyfarch y dorf a diolch iddynt am eu

cefnogaeth. Cynhaliwyd cyngerdd gwych yn y castell wedyn a rywsut neu'i gilydd mi fedrais ganu 'Anfonaf Angel' i gloi'r cyngerdd. Roedd yn werth y boen a'r artaith, gan i ni godi dros £150,000.

Yn 2014 cafwyd y drydedd daith i Ambiwlans Awyr Cymru ac ar ôl cyngerdd agoriadol Cerddwn Ymlaen hynod lwyddiannus yn Venue Cymru roedd hon yn argoeli'n daith lewyrchus unwaith eto. Roedd 16 o gerddwyr y tro hwn a'r rhan fwyaf o gerddwyr 2013 yn barod i wynebu'r her eto. Yn cerdded y tro hwn roeddwn i, Lucie Jones, Osian Meirion, Vicky Gardner, Gerallt Pennant, Aled Siôn, Tudur Owen, John Wilden, Dylan Parry, Grant Elgar, Elfed Williams, Iolo Williams a Dewi, ei fab, Beryl Vaughan, Sioned Terry a Robin McBryde. Cawsom griw bendigedig o wirfoddolwyr a roddodd eu holl galon y tu ôl i'r fenter. Roedd hi'n fraint cael Elfed Williams, neu Elfed Gyrn Goch, efo ni. Fo ofynnodd i mi a fyddai'n cael cerdded am ei fod am ddiolch i Ambiwlans Awyr Cymru gan na fyddai ei fab, Thomas, efo ni heddiw heblaw amdanyn nhw. Doedd gan yr un ohonon ni well rheswm am fod yn ddiolchgar i'r gwasanaeth hanfodol yma. Roedd Elfed yn gaffaeliad mawr i daith 2014 ac yn wir, yn ysbrydoliaeth i ni i gyd. 'Dan ni unwaith eto wedi codi swm anrhydeddus iawn a diolch i bawb fu'n rhan o'r ymgyrch, yn gerddwyr, yn dîm wrth gefn, yn noddwyr masnachol ac yn wasanaethau a gyfrannodd adnoddau i ni. Mae'n amhosib disgrifio'r teimladau wrth gymryd rhan mewn gweithgaredd o'r fath. Mae'n brofiad unigryw ac yn ddigwyddiad sy'n dangos y natur ddynol ar ei gorau. Derbyniais yr englyn yma gan Cymerau wrth gerdded trwy Lanfyllin eleni:

Samariaid taith Rhys Meirion – a chamau
   A chymorth cyfeillion;
   Tynnu'r llu mae'r tenor llon
   Heddiw, a chasglu rhoddion.

Mae gwneud gwaith elusennol, felly, yn elfen bwysig iawn o 'mywyd i erbyn hyn. Caf foddhad anhygoel o wneud y gwaith, a daw â balchder mawr i mi. Mae bod yn berfformiwr ac yn unawdydd proffesiynol yn gallu bod yn fodolaeth hunanol. Mae gwneud gwaith elusennol yn dod â dyn at ei goed gan sicrhau ei fod yn cadw'i draed ar y ddaear. Wrth i berfformiwr ennill rhyw ychydig o enwogrwydd a pharch, mae'n bwysig defnyddio hynny, yn fy marn i, i helpu eraill a gwneud ymdrech i fod yn blatfform er mwyn sicrhau pethau pwysicach na llwyddiant personol.

23

Elen

ROEDD BYWYD YN brysur ac yn ddedwydd iawn ar ddechrau 2012. Roedd gen i gymaint o bethau diddorol ar y gweill a oedd yn dod â boddhad mawr i mi. Cawn wahoddiadau i gyngherddau lu fel unawdydd ac fel un o Dri Tenor Cymru, roeddwn yn cyflwyno *Dechrau Canu Dechrau Canmol*, roeddwn i'n hyfforddi llais yn Galeri yng Nghaernarfon, roedd Gŵyl Gobaith a'r holl waith oedd yn gysylltiedig â hynny, ac roedd Cerddwn Ymlaen yn dechrau codi momentwm a byddai'r daith gynta yn ddiweddarach yn y flwyddyn. Doedd dim opera arall ar y gorwel, ond nid oedd hynny'n fy mhoeni rhyw lawer. Roedd gen i'r teulu hefyd, Osian yn 15, Elan yn 12 ac Erin yn 10 oed, felly roedd gen i gyfrifoldeb fel tad a gŵr a hynny ar gyfnod tyngedfennol yn nhwf y plant. Roedd cymaint i edrych ymlaen ato yn 2012, yn cynnwys Cyngerdd Agoriadol Eisteddfod yr Urdd, yr ail *Garolau Gobaith*, a *Noson yng Nghwmni* i'w recordio ar gyfer S4C; roedd rhaglen Gŵyl Gobaith uchelgeisiol ar y gweill ac roedd taith i Los Angeles efo Tri

Tenor Cymru ym mis Mawrth. Roedd hi'n argoeli'n flwyddyn arbennig iawn.

Pnawn dydd Sadwrn 15 Ebrill oedd hi pan ddaeth cnoc ar y drws ffrynt a dyma Elen fy chwaer yn cerdded i mewn. Roedd hi wedi dod â fy mhresant pen-blwydd i mi, a hynny ddau fis yn hwyr, ond dyna fo, ro'n i'n gwybod ei fod ar ei ffordd ers wythnosau. Dyna sut fydden ni efo'n gilydd, yn hollol naturiol. Roeddwn i wedi cael iPad newydd sbon ac wrthi'n ceisio ei ddeall a'i roi ar waith. Mi adewais i Elen a Nia i roi'r byd yn ei le, ac yn fy swyddfa roeddwn i wrth i Elen adael, yn cydamseru'r iPad newydd a'r cyfrifiadur, pan glywais hi'n gweiddi, 'Wela i di!' o waelod y grisiau a finna'n ateb, 'Iawn, diolch am y presant!' heb wybod wrth gwrs 'mod i eisoes wedi ei gweld am y tro ola ac mai dyna fyddai'r geiriau ola rhyngon ni, y cyfarchiad ola, a'r tro ola y byddwn i'n clywed ei llais.

Y bore wedyn, tua chwarter i saith ar y bore dydd Sul, mi ganodd y ffôn. Roeddwn mewn trwmgwsg a methais â chyrraedd i'w ateb mewn pryd. A minnau ar fin troi'n ôl am y gwely dyma'r ffôn yn canu eilwaith. Dwi'n cofio meddwl, 'O mam bach, be sy'n bod? Gobeithio bod dim byd o'i le'. Atebais y ffôn a chlywed llais crynedig fy nhad:

'Mae Elen wedi cael damwain. 'Dan ni

yn Ysbyty Glan Clwyd a dwi'n meddwl eu bod nhw'n trio'n paratoi ni am y gwaethaf. Gwell i ti ddod yma...'

Mi fethodd o ddweud mwy. Mi esboniais wrth Nia beth oedd wedi digwydd, newid yn sydyn a gadael am Ysbyty Glan Clwyd.

Dyna i chi beth oedd siwrna. Roeddwn i'n gwrthod derbyn fod pethau cynddrwg ag roedd Dad yn ei ddweud. Mae o wedi camddeall, meddyliais. Bydd y doctoriaid wastad yn peintio'r pictiwr duaf posib, bydd yr hen Els yn iawn. Bydden ni'n chwerthin am hyn mewn rhyw fis neu ddau... Elen fach, be wyt ti wedi'i neud?

Pan gyrhaeddais yr ysbyty roedd Mam a Dad, Gwenllian, merch Elen a Rob ei thad mewn ystafell aros i deuluoedd yn yr Uned Gofal Dwys. Doedd neb yn gallu siarad, dim ond syllu'n anobeithiol ar ein gilydd. Ar ôl ychydig mi geisiais ofyn beth oedd wedi digwydd. Ces esboniad ei bod hi wedi disgyn i lawr y grisiau ganol nos ac wedi taro'i phen ar y ddesg ar waelod y grisiau. Roedd hi wedi bod yn anymwybodol o'r foment honno.

Ymhen rhyw hanner awr mi gawson ni i gyd ein galw i mewn i ystafell lle'r oedd doctor a dwy nyrs yn aros amdanon ni. Roedden nhw'n edrych mor drugarog arnon ni fel nad oedd dim angen iddyn nhw ddweud gair, ond roedd yn rhaid mynd drwy'r broses. Mi esboniodd y doctor fod Elen wedi taro'r darn meddal ar ochr chwith ei thalcen ar gornel y ddesg a bod y trawiad wedi chwalu'r brif wythïen yn ei phen gan achosi gwaedu mewnol difrifol.

'Doedd hi ddim wedi torri'r benglog,' meddai, 'felly doedd gan y gwaed ddim lle i ddianc ac o ganlyniad roedd y gwaedu mewnol wedi gwasgu ar yr ymennydd.'

Aeth ymlaen i esbonio bod proses wedi cychwyn wrth i'r ymennydd chwyddo ac y byddai'r holl bwysau ar yr ymennydd yn ei lladd hi. Doedd dim byd y gallai unrhyw un ei wneud, ac mae'n debyg mai'r unig beth oedd yn ei chadw'n fyw oedd y peiriannau a gysylltwyd â hi.

Roedd y sefyllfa'n hunllefus, ac roedd derbyn y newyddion, er mor garedig a theimladwy y ceisiai'r doctor ein trin, fel derbyn ergyd gordd yn y stumog. Doedd dim y gallen ni ei wneud. Doedden ni ddim wedi cael ffarwelio â hi, doedden ni ddim wedi cael y cyfle i ddiolch iddi am bob dim, nac i ddweud ein bod yn ei charu ac y byddai hi'n byw yn ein cof a'n hatgofion am byth. Ar ôl rhai munudau o gysuro'n gilydd a cheisio derbyn a threulio'r realiti o fywyd heb Elen, daeth yr angen i wneud trefniadau fel rhyw fath o ddihangfa rhag y gwacter yn nhristwch profedigaeth. Roedd gen i gyngerdd mawr yn Llundain ymhen diwrnod neu ddau, felly bu'n rhaid ffonio Doreen i'w ganslo. Ond, yn gynta, roedd yn rhaid i mi ffonio Nia a dweud wrthi am ddod draw efo'r plant. Pan atebodd y ffôn a gofyn sut roedd Elen, roeddwn i'n methu siarad, doedd dim geiriau yn dod o 'ngheg, ac roedd y boen mor echrydus fel y teimlwn fel naill ai sgrechian yn fy ngalar neu ymatal yn llwyr rhag dweud gair. Deallodd Nia'r rheswm dros y distawrwydd a dywedodd y byddai yno'n syth. Sut y gwnaeth hi ddreifio o Ruthun i Ysbyty Glan Clwyd, dwi ddim yn gwybod. 'Dan ni fel teulu yn hynod o ddiolchgar i frawd Nia, Dr Dylan Parry, am ddod draw ac aros efo ni. Roedd ei wybodaeth feddygol yn werth y byd i ni, a gwnaeth yn siŵr ein bod ni'n deall yr hyn oedd yn digwydd.

Ymhen rhyw awr neu ddwy gofynnwyd i ni ymgynnull yn yr ystafell deuluol unwaith eto. Yn y cyfamser buon ni'n treulio'n hamser wrth wely Elen yn ceisio siarad efo hi, rhag ofn y byddai hi'n ein clywed. Dwi'n cofio dweud wrthi drwy chwerthin a chrio ar yr un pryd, 'Blydi hel, Elen, trafferth fuodd 'na efo chdi erioed,' achos dyna beth fyddai hi'n ei ddweud wrtha i o dro i dro. Dweud pethau gwirion wrthi fyddwn i, fel 'Sori am dy saethu yn dy lygad efo *bow and arrow* pan oeddan ni'n blant,' a 'Sori 'mod i ddim wedi dweud wrthat ti'n iawn pa mor falch ohonot ti oeddwn i yn sgil dy lwyddiannau anhygoel efo côr Ysgol Pen Barras.' Fydden ni ddim yn mynd dros ben llestri wrth ganmol ein gilydd. Byddai rhyw sws, coflaid ac edrychiad yn ddigon, roeddan ni'n deall ein gilydd. Roeddwn i'n gwybod hefyd ei bod hi'n falch o fy llwyddiannau i heb iddi orfod gorganmol. Trawyd fi gan don o emosiwn wedi i mi ddarganfod, ymhen amser, ei bod hi'n cadw *scrap book* o dan ei gwely o fy llwyddiannau i, wedi'u casglu o bapurau newydd.

Wrth i ni ymgynnull yn yr ystafell deuluol, esboniwyd fod cyflwr Elen yn golygu bod yn rhaid iddyn nhw ofyn i ni fel teulu ystyried y posibilrwydd o ddefnyddio'i horganau ar gyfer trawsblaniadau. Roedden ni'n fud, yn methu prosesu nac ystyried yr ateb i'r fath gwestiwn. Yna'n bwyllog a thawel dyma Gwenllian, yn ferch bedair ar ddeg mlwydd oed a'i bywyd yn deilchion, yn dweud, 'Roedd Mam eisiau rhoi ei horganau.' Aeth ymlaen i esbonio'n hamddenol sut roedd Elen a hi wedi cael trafodaeth ar y pwnc ar ôl gwylio'r rhaglen *Byd ar Bedwar* ar S4C yn trafod y mater gwta dair wythnos ynghynt, a bod Elen wedi dweud wrthi am gofio, pe byddai rhywbeth yn digwydd iddi, y byddai hi'n bendant eisiau rhoi ei horganau. Felly, mi benderfynwyd rhoi caniatâd i organau Elen gael eu defnyddio i roi'r rhodd o fywyd i eraill, rhywbeth sydd wedi bod o gymorth i ni yn ein galar.

Yn fy ngalar roedd un elfen negyddol iawn a wnaeth fy nghythruddo. Daeth newyddiadurwyr i glywed am y ddamwain ac roedden nhw eisiau gwneud cyfweliad â mi. Erfyniais arnynt i adael llonydd i ni gan ddweud y bydden ni'n gwneud datganiad fel teulu yn fuan. Mi glywson ni gan staff yr ysbyty fod newyddiadurwr wedi ffonio'r ward gan esgus bod yn ddoctor, a hynny er mwyn cael gwybodaeth. Mae'n anodd amgyffred sut y gall pobl fod mor ansensitif.

Mi geision ni roi cyfle i deulu a ffrindiau agos ddod i'r Uned fel y gallen nhw gael munud gydag Elen a chyfle i roi eu ffarwél ola cyn i'r peiriannau gael eu diffodd. Yn ogystal â bod yn bwysig iawn i ni, roedd hefyd yn rhywbeth y byddai Elen wedi bod yn falch iawn ohono. Rhaid achub ar y cyfle i ddiolch am y gefnogaeth a'r gynhaliaeth a gawson ni yn Ysbyty Glan Clwyd gan y Parchedigion R.E. Hughes, Christopher Prew a Wayne Roberts. Roedd y gweddïau a'r gwasanaethau o amgylch gwely Elen yn werth y byd i ni, ac yn gymorth amhrisiadwy yn ein gwewyr.

Eisoes roedd y broses o roi organau ar waith, a byddai'r peiriant yn cadw Elen yn fyw tan iddynt ddod o hyd i dderbynwyr priodol i'r organau a threfnu bod trafnidiaeth addas ar gyfer eu cludo. Roedd y staff trawsblannu yn sensitif eithriadol. Esboniwyd i ni y byddai Elen yn cael ei chludo i'r theatr ac yno byddent yn diffodd y peiriannau. Yna byddai Elen, ymhen amser amhenodol, yn methu anadlu drosti ei hun ac mi fyddai'n marw yn naturiol. Ar ôl iddi farw, esboniwyd y caem aros efo Elen am ba mor hir bynnag y dymunem, ond wrth aros am fwy nag ugain munud byddai peryg i'r organau ddioddef. Pwysleisiwyd yn ddigon clir pe baen ni'n newid ein meddyliau ynglŷn â rhoi organau ar yr eiliad ola y bydden nhw'n derbyn hynny, ac yn gyrru'r hofrenydd a'r ceir oedd yn aros i gludo'r organau oddi yno.

Bu farw Elen am 7:25 ar fore 17 Ebrill 2012, naw niwrnod ar ôl ei phen-blwydd yn 43 mlwydd oed, ac mi roddwyd pump o'i horganau er mwyn rhoi bywyd i eraill.

Bu'r ymateb i'w marwolaeth yn anhygoel. Dyna pryd mae rhywun yn sylweddoli bod ysbryd cymunedol a gofal cymdeithas yn dal i fodoli yn ein cymunedau ni, wrth i'r cydymdeimlo fod yn ddidwyll a hollol ddiffuant. Rhaid i mi, ar ran y teulu, ddiolch i bawb am eu cymorth a'u cydymdeimlad yn ystod yr wythnosau a'r misoedd ar ôl colli Elen. Roedd y gwasanaeth yng Nghapel Tabernacl, Rhuthun yn deilwng iawn a diolch i bawb a gymerodd ran yn y gwasanaeth ac i bawb a lenwodd y capel a'r ddwy festri. Diolch hefyd i'r ymgymerwyr John Hughes a'i Fab o Amlwch, ac yn benodol i Arwel Hughes am ei waith arbennig.

Gadawodd Elen fwlch anferth, nid yn unig ym mywyd Gwenllian a ninnau fel teulu, ond hefyd yn y gymuned gyfan ac, yn benodol, yn Ysgol Pen Barras. Roedd hi'n athrawes benigamp fel y gallai sawl arolygwr dystio. Bu'n ysgubol o lwyddiannus ym myd y canu, efo partïon a chorau. Y pinacl, wrth gwrs, oedd ennill cystadleuaeth y BBC *Songs of Praise* Junior Choir of the Year 2011 ac yna gael y fraint o ganu yn The Big Sing yn yr Albert Hall. Beth fyddai hi wedi gallu ei gyflawni yn y dyfodol, tybed? Roedd ganddi ddigon o syniadau a chynlluniau, ac roedd hi wrthi'n ystyried sialensau newydd.

Merch ddiymhongar iawn oedd Elen yn y bôn. Yn wir, roedd hi'n swil iawn ar brydiau, a doedd canmoliaeth ac Elen yn sicr ddim yn mynd law yn llaw. Carai ei gwaith, ac roedd y plant yn ei dosbarth yn bopeth iddi, er na fyddai bob amser yn cytuno â'r drefn. Byddai torri corneli a diogi yn ei chythruddo. Dwi mor falch fod Osian, Elan ac Erin wedi cael bod yn ddisgyblion iddi. Anodd gen i gredu bod gan unrhyw un air drwg i'w ddweud amdani – heblaw ambell riant a fyddai'n cwyno nad oedd eu plant wedi'u cynnwys mewn parti neu gôr arbennig. Byddai hynny yn ei thristáu a byddai'n poeni'n arw am y peth.

Roeddwn mor falch ein bod wedi dod i fyw yn yr un ardal ac yn cymdeithasu yn yr un gymuned, a bod Nia ac Elen wedi dod yn ffrindiau penna dros y blynyddoedd. Dwi'n gwybod bod Nia wedi'i sigo o golli Elen gan fod y ddwy'n pwyso ar ei gilydd yn aml, yn fêts ac yn gallu dweud unrhyw beth wrth ei gilydd gan wybod y gallent ymddiried yn ei gilydd. Roedd eu cyfeillgarwch wedi'i seilio ar dros ugain mlynedd o chwerthin a chrio, o rannu a datrys problemau, cyfeillgarwch sydd yn amhosib ei ail-greu. Roedd hi fel ail fam i'r plant hefyd, yn hytrach na modryb, ac mae Gwenllian yn fwy o chwaer iddyn nhw nag o gyfnither. Gan fod Elen wedi gorfod magu Gwenllian ar ei phen ei hun ar hyd y blynyddoedd daeth ein perthynas fel teuluoedd yn agosach.

Sut mae colli Elen wedi effeithio arna

i? Mae'n anodd iawn ei roi mewn geiriau. Wrth gwrs, mae yna gyfnodau'n dal i fod pan ddaw'r pethau lleiaf â'r cwbl yn ôl. Dwi'n dal i anghofio o dro i dro ac yn meddwl, pan fydd rhyw gwestiwn ynglŷn â sillafiad rhyw air neu rywbeth yn codi, 'Ffonia i Elen, rŵan', neu, 'Ew, mae'n braf. Ffonia i Elen a Gwen i ddod draw am farbeciw' ac yna dwi'n cofio'n sydyn, 'O, damia, na.'

Y rhyfeddod ydy 'mod i wedi dod yn berson mwy positif a chryf yn dilyn y profiad. Mae hynny'n swnio'n hollol wallgo ond dwi wedi cael profiadau na alla i eu hesbonio sydd wedi fy llenwi â gobaith fod yna'r fath beth ag enaid a bod yna fodolaeth yn dilyn marwolaeth.

Mi ges i ryw deimlad o gryfder emosiynol yn ystod y dyddiau rhwng colli Elen a'r angladd. Mi gafodd fy nhad hefyd. Mae'n deimlad braf, ac yn deimlad ysbrydol iawn. Anghofia i fyth mo'r cyngerdd 'Tonic Cyn Cinio' oedd gen i yn Galeri yng Nghaernarfon ryw dair wythnos ar ôl yr angladd. Roeddwn i'n canu yng nghyngerdd agoriadol yr Urdd ddiwedd Mai ac roeddwn i am ganu'n gyhoeddus o leiaf unwaith cyn hynny. Roedd y lle'n orlawn a dwi'n cofio sefyll wrth ochr y llwyfan, tra oeddwn i'n cael fy nghyflwyno, ac yn teimlo'n drwm ac yn agos at ddagrau. Doeddwn i ddim yn siŵr a fedrwn i ganu o gwbl, ac roeddwn i'n difaru fy enaid 'mod i wedi cytuno i ganu yn y cyngerdd. Wrth i mi roi fy nhroed ar y llwyfan a cherdded i mewn at y gynulleidfa, mi ddaeth yna ryw deimlad o esmwythder drosta i, mi gododd y pwysau oddi arna i ac roeddwn i'n teimlo'n ysgafn fel pluen. Mi ganais yn hollol ddiymdrech. Wnaiff yna neb fy narbwyllo nad oeddwn wedi cael profiad ysbrydol y foment honno. Oedd Elen efo mi? Wel, mi ges i gryfder o rywle. Mi ges i'r un profiad wrth ganu yng nghyngerdd agoriadol Eisteddfod yr Urdd yng Nglynllifon pan ges i'r cryfder nid yn unig i ganu 'Anfonaf Angel' ond hefyd i'w chyflwyno fel teyrnged i Elen. Mi dynnodd Arwyn Herald lun ohonof i ar y llwyfan ac mae wedi dal yr union eiliad y derbyniais i'r cryfder hwnnw. Dyna'r llun sydd ar glawr y gyfrol hon. Mae'n rhyw deimlad cymysg o dristwch a'r sicrwydd fod popeth yn iawn, rhyw deimlad o gadarnhad mai fel yma roedd pethau i fod.

Mae dyfyniad adnabyddus sy'n crynhoi'r teimlad i'r dim: 'We are not human beings having a spiritual experience. We are spiritual beings having a human experience.'

Yn ystod y cyfnod hwn, cawsom lu o

gyfarchion gan ffrindiau, teulu a dieithriaid o bob rhan o Gymru. Dwi wedi eu cadw i gyd ac maen nhw'n gysur mawr i mi a'r teulu. Dyma rai ohonyn nhw:

Drwy'r oriau hir, di-ben-draw, – drwy'r oesau,
    Cei di, Rhys, gân ddistaw
  D'Elen a nodau'i halaw
  Yn ddawns – beth bynnag a ddaw.
                Mererid Hopwood

Mae dy fam di, Gwenllian – yn dy wên,
    Ar adenydd sidan,
  Yn wefr, yn donnau'n hofran
  Er y gwynt – ymlaen â'r gân.
              Robin Llwyd ab Owain

Lleisiau persain, mwyn a swynol – yn gôr!
    Y gorau pob ysgol!
  A daw dros fynydd a dôl
  Afiaith eich canu nefol.

O'ch blaen ceir Elen Meirion – yn arwain
    Chwi heriol gantorion,
  'N sefyll dros chwaeth a safon;
  Dewin hoff llawn dawn yw hon.
        Elwyn Wilson Jones ar achlysur
    ennill Junior Choir of The Year *Songs of
                    Praise*

Dyma ran o lythyr Cefin a Rhian Roberts, Glanaethwy:

Fe ddaw 'bugeliaid newydd' wrth gwrs – ond dyw hynny ond yn bosib am y bydd cyfraniad a dylanwad Elen ei hun wedi magu a meithrin cymaint o ieuenctid yn y gymuned fel y bydd hwnnw yn talu 'nôl ar ei ganfed mewn cenedlaethau i ddod. Roedd wedi creu nyth yn yr ysgol oedd yn feithrinfa a deorfa i gymaint o egin athrawon a pherfformwyr. Diolch amdani!

Mi drefnais gyngerdd coffa i Elen ar y cyd ag Ysgol Pen Barras ar 16 Gorffennaf yng Nghapel Tabernacl, Rhuthun. Yn cymryd rhan roedd plant Ysgol Pen Barras, Adran yr Urdd, Dylan Cernyw, Robat Arwyn, a Nic Parry yn arwain. Mi gafwyd cyngerdd ardderchog ond mae pawb oedd yno'n cofio un digwyddiad anhygoel a barodd am ryw bedair munud a hanner, sef yr amser a gymer i ganu'r gân 'Anfonaf Angel'. Roedd y diwrnod hwnnw'n ddiwrnod diflas iawn o ran tywydd, cymylau isel a glaw mân, yn wir, roedd y tywydd wedi cau i mewn am y diwrnod. Pan ddaeth hi'n bryd i mi ganu 'Anfonaf Angel', roeddwn i'n barod ar gyfer llif o emosiwn o'r gynulleidfa ond doedd neb yn barod am brofiad a fyddai'n aros yn y cof am byth. Wrth i mi gychwyn canu, mi ddaeth pelydryn o haul disglair, hudolus drwy'r ffenest ar y chwith, i'r man lle roeddwn i'n sefyll. Disgleiriodd y pelydryn ar y sedd lle'r eisteddai Mam, Dad, Nia a Gwenllian. Aeth pelydryn arall wedyn ar y delyn yn y sêt fawr, cyn i'r capel i gyd lenwi â golau'r haul. Ac wrth i mi orffen y gân mi ddiflannodd yr haul ac ni ddaeth yn ôl. Roedd y bardd, a ffrind i mi, Robin Llwyd ab Owain yn y gynulleidfa, ac fe'i hysbrydolwyd i ysgrifennu geiriau a ddaeth yn gân er cof am Elen gan Robat Arwyn, sef 'Llefarodd yr Haul':

Llefarodd yr Haul

Un eiliad fer, yn dragwyddol faith,
Llefarodd yr haul a mwyn oedd ei hiaith.

'Mae 'na daith heb ei gorffen
A chymaint i'w wneud,
Mae 'na waith heb ei ddarfod
A stori i'w dweud.
Bydd dafod i'r geiriau
Oedd gen i dan glo,
Cychwynnais fy stori
A nawr daeth dy dro.'

Er gwaetha'r cymylau
A'r stormydd di-ail,
Un eiliad dragwyddol
Llefarodd yr haul.

Wyf dafod i'th eiriau,
Wyf lais i dy gân,
Dychwelaist yn ôl,
A'r dydd oedd ar dân.

Ac fe'i gwelaf bob bore
Pan gyfyd yr haul:
Yn nhrydar y ddrudwen,
Ym mlagur y dail,
Yng nghynffonnau ŵyn bach,
Ac yn neges y nant,
Yng nghryfder y dderwen,
Yn chwerthiniad y plant,
Yn y grug ar Foel Famau,
Ar y traeth ym Mhen Llŷn,
Wyt yma o'n cwmpas,
Ynom yn un.

Un eiliad fer yn dragwyddol faith
Llefarodd yr haul a mwyn oedd ei hiaith.

Robin Llwyd ab Owain

Erbyn hyn mae'r garreg fedd yn ei lle ac mae'r bedd yn daclus iawn ym mynwent Capel Penstryd, Bronaber, y capel bach diarffordd lle priodwyd fy rhieni a lle bedyddiwyd Elen. Roedd Mam a Dad yn awyddus iawn i gael cwpled ar y garreg fedd a fyddai'n crynhoi Elen fel person ac fel cymeriad, ac roedd Mam eisiau i'r geiriau 'perarogli' a 'pelydrau' gael eu cynnwys. Mi ofynnais a gawn i feddwl am gwpled gynta, ac os na fyddwn yn dod o hyd i un, awn at fardd wedyn. Ches i ddim lwc am dipyn ac yna mi ddaeth i mi yn hollol naturiol yn y cyfnod rhwng cwsg ac effro. Mi godais yn sydyn i'w ysgrifennu rhag ofn iddo fynd yn angof a dyma'r cwpled sydd wedi cymryd ei le yn naturiol iawn ar y garreg fedd:

Pelydrau'n perarogli
ddaw o haul ein Elen ni.

Roedd hi'n braf gadael 2012 ar ôl, blwyddyn a fydd bob amser i ni yn flwyddyn colli Elen. Mae'r flwyddyn gynta ar ôl colli rhywun annwyl yn anodd iawn oherwydd bod cymaint o bethau y mae'n rhaid eu hwynebu am y tro cynta. Does dim cerdyn na phresant pen-blwydd, digwyddiadau lle gwyddwn y byddai hi yno, ac mae'r Nadolig cynta yn hunllef. Er bod amser yn cau'r briw yn ara deg, mi fydd y graith yno am byth. Mae'n rhaid i mi dalu teyrnged i Mam, Dad a Gwenllian. Dydy colli mam yn ifanc, a cholli plentyn, ddim yn naturiol.

Dydy o ddim i fod i ddigwydd. Mae'r tri wedi ymdrin â'r brofedigaeth erchyll efo gras ac urddas anhygoel. Dyma'r adeg y bydd teulu ar ei orau ac ar ei bwysicaf. Rydyn ni mor lwcus ein bod yn deulu clòs ac yn mwynhau cwmni'n gilydd. Mae'n torri 'nghalon i pan dwi'n clywed am rieni a phlant, brodyr a chwiorydd yn ffraeo ac yn torri cysylltiad â'i gilydd am byth. Mae hynny'n rhywbeth y tu hwnt o drist.

Roedd prosiect arall ar y gweill, sef trefnu cofeb i Elen ar y thema o roi organau, y tu allan i Ysbyty Glan Clwyd. Mi ddaeth y cais am gofeb, rhywbeth y gall pobl fynd i'w weld fel y gallen nhw ddeall y cysyniad bod rhoi organau yn rhodd o fywyd. Daeth ysbrydoliaeth ganol nos pan feddyliais am ddarn mawr o lechen a thwll yn ei ganol, a gwneud rhywbeth hardd â'r darn wedi'i dyllu allan. Y darn mawr o lechen wast yw'r corff marw mewn ffordd, a'r darn o gelfyddyd sydd wedi dod o'r twll yw'r organ neu'r rhodd o fywyd. Mi ofynnais i Tudur Dylan am gwpled i grynhoi'r cysyniad. Wyddoch chi be, mae rhai'n gallu taro deuddeg bob tro, yn does? Mi ges ymateb ganddo bron yn syth ac mae'n taro'r hoelen ar ei phen:

Ni bu i un yn y byd
Rodd fwy na'r rhodd o fywyd.

The gift of life,
The gift of love.

Cafwyd gwasanaeth hyfryd wrth ddadorchuddio'r gofeb yn swyddogol ac mae nifer wedi dweud y cânt gysur o fynd yno i'w gweld. Mae'r gofeb ar ei gorau yn y nos pan mae wedi'i goleuo.

Er bod bwlch mawr yn fy mywyd o golli Elen, dwi'n hynod o ddiolchgar am y 43 o flynyddoedd a gawsom fel brawd a chwaer. Mae bywyd yn gallu bod yn greulon, ond ni all gymryd yr atgofion na'r cariad sydd ganddon ni yn ein calonnau tuag at ein hanwyliaid.

24

Be nesa?

ROEDD COLLI ELEN yn glec annirnadwy i Mam a Dad, wrth gwrs. Dydy colli plentyn ddim yn naturiol. Mae'n rhywbeth sydd yn gwella gydag amser ond does dim llwyr wellhad.

Un prynhawn yn ystod haf 2012, wrth gerdded i fyny at y tŷ, fe deimlodd 'Nhad ei frest yn dynn a'i anadl yn fyr. Penderfynodd fynd at y doctor yn syth ac mi gafodd gyngor i fynd i weld arbenigwr. Ar ôl nifer o brofion, darganfuwyd fod pethau'n reit ddrwg o amgylch y galon a bod y gwythiennau wedi culhau. Felly, ar ôl trafodaethau a mwy o brofion mi benderfynwyd bod Dad yn gorfod cael *quadruple by-pass*. Wrth gwrs, roedd hyn yn dipyn o sioc i ni fel teulu tra oeddem yn dal i geisio dygymod â cholli Elen. Ond wyddoch chi be? Roedd rhyw gryfder ynom erbyn hyn, rhyw deimlad ein bod yn barod i wynebu unrhyw beth y byddai bywyd yn ei daflu atom. Yn rhyfedd, roeddwn i'n dawel fy meddwl ac yn ffyddiog y byddai Dad yn iawn. Roedd yn ddyn ffit ac yn gryf eithriadol.

Felly, mi aeth Dad i mewn i ysbyty Broadgreen yn Lerpwl yn mis Chwefror 2013 a chael llawdriniaeth bump awr. Ar ôl y driniaeth gwelwyd bod yna waedu mewnol, a bu'n rhaid iddo fynd yn ôl i'r theatr yn syth i fynd drwy'r holl broses eto! Pump awr arall. Ar ôl dod allan yr ail dro roedd gwaedu mewnol eto ac roedd rhaid mynd yn ôl i'r theatr am y drydedd waith. Dyma pryd ffoniodd Mam yng nghanol y bore bach. Roedd Mam wedi dweud y byddai'n ffonio y bore ar ôl y driniaeth i adael i ni wybod sut aeth hi. Ond pan welais mai Mam oedd yn ffonio ganol nos, mi ddaeth yr hunllef o alwad fy nhad adeg damwain Elen yn ôl. Atebais y ffôn yn llawn ofn, a dyma Mam yn esbonio bod Dad yn gorfod mynd i mewn am y drydedd waith. Neidiais i'r car a mynd am Lerpwl. Pan gyrhaeddais, roedd Dad newydd ddod allan o'r theatr ac effaith yr anesthetig yn dechrau pylu. Roedd yn brofiad dirdynnol ei weld o yno â'r holl wifrau a'r graith anferth ar hyd ei frest.

Mi anfonwyd o adre i Dremadog bum niwrnod ar ôl y llawdriniaeth gan fod cymaint o alw am wlâu yn Broadgreen. Roedd yn llawer rhy gynnar yn fy marn i gan ei fod mewn poen ac yn methu gwneud llawer drosto'i hun. Buan iawn y daethom i ddeall nad oedd yr antur drosodd. Roedd wedi bod yn teimlo rhyw bwysau ofnadwy ar ei frest eto. Bu raid iddo fynd i Ysbyty Gwynedd am bythefnos i gael gwared o 4.5 litr o hylif oedd wedi cronni yng ngheudod ei frest! Mi ddywedais ei fod o'n ddyn cryf, yn do? Roedd o'n lwcus i ddod drwy'r artaith a brofodd yn fwy o artaith nag y dylai fod wedi bod.

Ymhen rhyw fis neu ddau roedd fel dyn newydd ac roedd o'n benderfynol o fod efo ni ar daith Cerddwn Ymlaen 2013 lle ddathlodd ei ben-blwydd yn 71 mlwydd oed.

Yn dilyn Cerddwn Ymlaen 2013, yn syth bron, roedd Eisteddfod Genedlaethol Dinbych. Roeddwn i'n canu yn y cyngerdd agoriadol, sef cyngerdd i ddathlu cyfraniad Robat Arwyn i gerddoriaeth yng Nghymru. Cafwyd noson arbennig iawn, y tocynnau i gyd wedi'u gwerthu ers peth amser a'r awyrgylch yn y Pafiliwn yn drydanol. Pinacl y noson wych hon i mi oedd cael canu 'Paid byth â'm gadael i' gydag Elan, fy merch. Dyma'r tro cynta i dad a merch ganu efo'i gilydd ar lwyfan cyngerdd yn yr Eisteddfod Genedlaethol ac roedd yn brofiad y byddwn ni'n dau yn ei drysori am byth.

Roedd gweddill yr eisteddfod yn brysur iawn i mi gan fod y CD *Llefarodd yr Haul* yn cael ei lansio ac roeddwn i'n un o'r prif feirniaid. Dwi'n mwynhau beirniadu, mae'n rhaid i mi gyfadde, ond dwi bob amser yn rhoi'r pwyslais ar berfformiad yn hytrach na chywirdeb pan fydd pethau'n agos rhwng cystadleuwyr. Mae'r gallu i gyfathrebu â'r gynulleidfa ac i ddehongli'r gân yn bwysig iawn. Roeddwn i'n ymwybodol fod yna densiwn wedi bod rhwng panelwyr mewn rhai o'r eisteddfodau cenedlaethol yn ddiweddar wrth feirniadu'r Rhuban Glas. Roedd rhai eisiau atal y wobr ac eraill yn gwrthod cyfaddawdu. Fi oedd cadeirydd panel y beirniaid ac felly mi benderfynais gael sustem yn ei lle i sicrhau y byddai beirniadu'r Rhuban Glas yn broses syml, wrthrychol. Gofynnais i'm cyd-feirniaid roi enw eu henillydd ac enw'r ail ar ddarn o bapur, heb drafod â neb. Rhesymwn fod pawb ar banel beirniadu'r Rhuban Glas yn ddigon profiadol i ddewis eu henillydd personol eu hunain. Dwi wedi bod ar banel lle mae beirniaid yn newid eu meddyliau gan fod un cymeriad cryf yn anghytuno ac yn mynnu mai fo sy'n iawn. Felly, mi gasglais i'r papurau a rhoi dau farc i'r cynta ac un marc i'r ail ar bapur pawb. Eleri Owen enillodd a hynny'n hawdd, felly doedd dim lle i ddadlau. Roedd Eisteddfod Dinbych yn eisteddfod hapus dros ben a gobeithio y daw'r brifwyl yn ôl yn fuan i Ddyffryn Clwyd.

Yn 2013 cefais y pleser o recordio CD o

ganeuon Robat Arwyn. Rydyn ni wedi bod yn ffrindiau ers cymaint o flynyddoedd a bydda i wrth fy modd yn canu ei ganeuon. Mae'n gyfansoddwr arbennig, a'r gallu ganddo i briodi cerddoriaeth a geiriau yn naturiol. Mae'r gân 'Pedair Oed' yn enghraifft berffaith a rŵan roeddwn am gael y cyfle i recordio albwm gyfan o'i waith.

Yn dilyn y profiad ysbrydol gawson ni yng nghyngerdd coffa Elen, rhoddais deitl cerdd wych Robin Llwyd ab Owain yn deitl i'r CD, sef *Llefarodd yr Haul*. Dwi'n gwybod bod Robat Arwyn wedi teimlo pwysau mawr wrth gyfansoddi'r gân arbennig honno oherwydd roedd o'n meddwl y byd o Elen ac am i'r gân fod yn deilwng ohoni. Byddai Elen wedi gwirioni arni a dwi mor falch o'r recordiad, gan y bydd ar gof a chadw am byth rŵan. Roeddwn i'n falch iawn o gael recordio 'Anfonaf Angel' hefyd a chael Parti Dyffryn Clwyd i fod yn lleisiau cefndir. Maen nhw'n barti gwych, ac rydym mor lwcus yn Nyffryn Clwyd i gael Leah Owen sy'n llwyddo i gael y plant a'r bobl ifanc i ganu'n wefreiddiol.

Yn 2014, roeddwn i wedi edrych ymlaen yn fawr at gyngerdd arbennig a fyddai'n gwireddu breuddwyd i mi. Roedd Karl Jenkins yn dathlu ei ben-blwydd yn 70 oed a byddai'n dathlu yn Efrog Newydd mewn cyngerdd arbennig yn Carnegie Hall. Câi un o ddarnau Karl Jenkins, *The Bards of Wales*, ei berfformio yn America am y tro cynta ac roedd un prif unawdydd yn y darn a hwnnw'n denor. Do, mi ges fy ngwahodd gan Karl Jenkins ei hun i ganu rôl y Brenin Edward ac roedd bod y cynta i wneud hynny yn America yn fraint arbennig. Mi ddaeth Nia efo fi a rhyw ddwsin o gefnogwyr o Gymru.

Rwyf wedi bod yn ffodus iawn i gael cnewyllyn o gefnogwyr sy'n dod i gyngherddau. Maent yn dod o wahanol rannau o Gymru, ac mae'n braf gweld wynebau cyfarwydd yn y gynulleidfa a chael sgwrs wedyn ar ôl y perfformiad. Dwi ddim am enwi pawb! Ond mae'n rhaid i mi ddiolch i griw Rhuthun, sef Morfydd Berth, Gruff ac Ann Richards, Olwen ac Eleanor am eu cefnogaeth ar hyd y blynyddoedd. Mi fyddai'n ddiddorol gwybod faint o gyngherddau 'dach wedi eu mynychu dros y blynyddoedd. Dwi wedi gwneud nifer o ffrindiau newydd hefyd dros y blynyddoedd, ac mae dau arbennig iawn sydd yn byw yng Nghaerfyrddin. Pleser o'r mwyaf yw cael ymweld â Bert a Rachel Elias bob tro. Os bydda i yn ardal Caerfyrddin byddaf wrth fy modd yn galw i'w gweld a chael rhyw awr neu ddwy yn rhoi'r byd yn ei le a chael platiad o tships a chig moch, a threiffl yn ddi-ffael.

Profiad gwefreiddiol oedd cerdded i mewn i Carnegie Hall, heb sôn am gael canu yno. Mae rhai pethau mewn bywyd sydd yn drysorau na all neb eu dileu. Ar fy rhestr i mae ennill y Rhuban Glas, creu CD *Benedictus* efo Bryn Terfel, a chanu fel unawdydd yn Carnegie Hall. Yn dilyn y cyngerdd mi gafodd Nia a fi ryw dridiau i ni'n hunain yn Efrog Newydd. Roedd hi'n oer iawn yno, yr eira'n drwch ac mi ychwanegodd hynny at y profiad arbennig. Braf fu cael rhannu'r profiad â Nia gan na chawsai deithio efo mi i lawer o lefydd yn ystod y blynyddoedd oherwydd iddi fod yn brysur yn gofalu am y plant.

Roedd gweddill y flwyddyn yn brysur dros ben unwaith eto, a chyngherddau ar hyd a lled y wlad. Mi gafwyd lansiad ffurfiol i CD Tri Tenor Cymru, *Tarantella*, yn Venue Cymru efo John Owen Jones ac Elin Fflur yn ymuno â ni. Ac mi gafwyd Eisteddfod Genedlaethol dda yn Llanelli yn 2014 ac roedd Tri Tenor Cymru yn canu ar lwyfan y Pafiliwn mewn Noson Lawen ar ddechrau'r wythnos. Mi dreuliais weddill yr wythnos ar stondin Cerddwn Ymlaen ar y Maes ac mi ges yr anrhydedd o gael fy mhenodi yn Llywydd ar Gymdeithas Cymru a'r Byd ac edrychaf ymlaen at gydweithio â'r criw hynod o frwdfrydig yma.

Mae 'mywyd i wedi bod yn llawn o brofiadau anhygoel, ond roedd un o'r profiadau mwyaf i ddod dros benwythnos 16–17 Awst. Roeddwn wedi cael gwadd i ganu mewn seremoni i ddadorchuddio cofeb i'r Cymry a fu'n brwydro yn Fflandrys yn ystod y Rhyfel Byd Cyntaf. Roeddwn i'n canu fersiwn ddwyieithog o 'Tell my father' sy'n gân emosiynol iawn yn sôn am ysbryd milwr ifanc sy'n marw ar faes y gad yn gofyn i'w frawd roi neges i'w dad yn dweud ei fod wedi bod yn ddewr ac y byddent yn cwrdd unwaith eto yn y nefoedd. Roedd hi'n fraint cael bod yno a chael cyfrannu at y seremoni.

Y diwrnod canlynol mi ges i ganu'r un gân yn y seremoni a gaiff ei chynnal yn feunyddiol ym Mhorth Menin yn Ypres. Roedd canu yno o flaen 54,000 o enwau'r milwyr na chafwyd hyd iddynt, yn brofiad dirdynnol ac yn rhywbeth fydd yn aros efo mi am byth.

Yn ôl y geiriau yn y gân 'Pedair Oed', roedd y profiad hwn 'Yn stopio'r byd am funud fach'. A dyna sut y byddwn i'n disgrifio'r teimlad a'r broses o ysgrifennu'r llyfr hwn – rhyw stopio'r byd am funud fach. Mae cymaint wedi digwydd i mi, ond gobeithio y caf lawer mwy o brofiadau gwych ar hyd y ffordd dros y blynyddoedd nesa hefyd. Mae cymaint gen i edrych ymlaen ato, yn bersonol ac yn broffesiynol. Beth fydd dyfodol Osian, Elan, Erin a Gwenllian? Priodasau a wyrion gobeithio hefyd, wrth gwrs. Yn broffesiynol, pwy a ŵyr! Mae gen i sawl uchelgais yr hoffwn geisio eu cyflawni. Dwi'n gobeithio mynd yn ôl i fyd yr opera ac mae rôl fel Peter Grimes yn tynnu dŵr i'r dannedd. Mi fyddwn i'n hoffi'r her o gyflwyno fy nghyfres fy hun ar S4C a chyfle i ddatblygu fel cyflwynydd yn y Saesneg, efallai. Mi fydda i hefyd yn ymdrechu i weithio dros wahanol elusennau gan gychwyn efo cronfa newydd o dan adain Awyr Las, sef Cronfa Elen a fydd yn codi arian ar gyfer anghenion yn ymwneud â holl agweddau o roi a derbyn organau, er cof am fy chwaer.

Diolch i bawb am eu cefnogaeth ar hyd y blynyddoedd a phwy a ŵyr, efallai y daw cyfle eto ymhen blynyddoedd i ysgrifennu mwy o'm hanesion, gan unwaith eto stopio'r byd am funud fach.

Am restr gyflawn o lyfrau'r Lolfa, mynnwch
gopi am ddim o'n catalog
neu hwyliwch i mewn i'n gwefan

www.ylolfa.com

lle gallwch archebu llyfrau ar-lein.

y‖Lolfa

TALYBONT CEREDIGION CYMRU SY24 5HE
ebost ylolfa@ylolfa.com
gwefan www.ylolfa.com
ffôn 01970 832 304
ffacs 832 782